SIEGFRIED HERRMANN
JEREMIA

ERTRÄGE DER FORSCHUNG

Band 271

SIEGFRIED HERRMANN

JEREMIA

Der Prophet und das Buch

WISSENSCHAFTLICHE BUCHGESELLSCHAFT

DARMSTADT

CIP-Titelaufnahme der Deutschen Bibliothek

Herrmann, Siegfried:
Jeremia: der Prophet und das Buch / Siegfried
Herrmann. – Darmstadt: Wiss. Buchges., 1990
(Erträge der Forschung; Bd. 271)
ISBN 3-534-09047-0
NE: GT

Bestellnummer 09047-0

© 1990 by Wissenschaftliche Buchgesellschaft, Darmstadt
Gedruckt auf säurefreiem und alterungsbeständigem Werkdruckpapier
Satz: Setzerei Gutowski, Weiterstadt
Druck und Einband: Wissenschaftliche Buchgesellschaft, Darmstadt
Printed in Germany
Schrift: Linotype Garamond, 9.5/11

ISSN 0174-0695
ISBN 3-534-09047-0

INHALT

VORBEMERKUNG

Die Jeremiaforschung hat namentlich in der zweiten Hälfte dieses Jahrhunderts ein ungewöhnliches Ausmaß angenommen. Ein Ende ist noch nicht abzusehen. Der Grund für diese Aktivitäten mag in der Komplexität der Fragestellungen gesucht werden, die das Buch Jeremia herausfordert, dessen Zeugnisse das Ende der judäischen Monarchie und das beginnende Exil zum Hintergrund haben. Der hier vorgelegte Bericht über ›Erträge der Forschung‹ versucht die Hauptlinien der Jeremiaforschung seit BERNHARD DUHMS Jeremiakommentar vom Jahre 1901 herauszuarbeiten und den Verlauf der Forschung nachzuzeichnen. Dabei sollen die methodisch unterschiedlichen Ansätze und ihre Auswirkungen verdeutlicht werden. Die exegetische Erschließung des Jeremiabuches folgte in den vergangenen neunzig Jahren nicht allein subjektiven Auslegungsprinzipien, sondern erprobte verschiedene Zugänge zum Text unter Anwendung möglichst objektiv kontrollierbarer Kriterien. Diese unterliegen aber jeweils eigenen Voraussetzungen, die noch immer kontrovers sind. Vor allem hat sich die Beurteilung des deuteronomistischen Idioms in den Prosastücken zu einer Schlüsselfrage entwickelt. Das ist der Grund, warum die Erforschung des Jeremiabuches noch zu keinen einmütig angenommenen Resultaten geführt hat, allenfalls zu partiellen Erkenntnissen ohne absolute Sicherheit. Doch ist, im ganzen gesehen, das Ausmaß des bisher Erreichten beträchtlich und nicht zu unterschätzen.

Der Autor mußte sich Beschränkungen auferlegen. Er hat dominante Züge in den Vordergrund gestellt. Manche mehr punktuell ausgerichtete, auf Einzelfragen fixierte Forschung mußte ausgeklammert werden. Das Literaturverzeichnis hat viel, aber keineswegs alles aufnehmen können. Autoren, die sich vernachlässigt fühlen, werden um Nachsicht gebeten. Sie werden sich spätestens in meinem großen Jeremiakommentar im Rahmen des Biblischen Kommentars Altes Testament Bd. 12 wiederfinden, wo meine Position mit der neueren und neuesten Forschung konfrontiert wird.

Der hier vorgelegte Band hat lange auf sich warten lassen. Mannigfache Gründe hinderten den Verfasser an rascher Vollendung. Ich bin der Wissenschaftlichen Buchgesellschaft, insbesondere Herrn Bruno Frisch, für Verständnis und Geduld sehr verbunden.

Dank sage ich meinen Mitarbeitern am Lehrstuhl durch eine Reihe von Jahren, Sonja Timpe, Elke Helmboldt, Volker Neuhoff und Bodo Prekel, die an der Zusammenstellung und Beschaffung der Literatur beteiligt waren, weit über das hinaus, was davon hier erwähnt werden konnte. Mein besonderer Dank gilt Frau Ilse Heinig, die das druckfertige Manuskript schrieb und sich um das Register verdient gemacht hat.

Im Oktober 1989   Siegfried Herrmann

VORWORT

Der Prophet Jeremia hat zu allen Zeiten und in mannigfacher Weise religiöses und menschliches Interesse auf sich gezogen. Unter den großen Propheten Israels gilt sein Zeugnis als das persönlichste. Seine anfängliche Furcht vor dem göttlichen Auftrag, seine Anfechtungen und Leiden, die er in seinen ›Konfessionen‹, Gott anklagend, bekannte, die Erfahrung zweier Belagerungen Jerusalems und der Untergang der Stadt im Jahre 587 v. Chr., schließlich sein erzwungener Aufenthalt in Ägypten – dies alles läßt sich aus dem Jeremiabuch ablesen und spiegelt ein hartes Prophetenschicksal in spannungsvoller Zeit. Wie einst für das Nordreich Israel, so endete nun auch für Juda das Königtum; Stadt und Tempel von Jerusalem wurden zerstört, und das babylonische Exil markiert den Anfang der jüdischen Diaspora großen Stils. Jeremia hatte die Katastrophe kommen sehen, er litt unter dem Unverständnis seiner Zeitgenossen, doch er behielt recht und erwies sich durch Wort und Tat als ein wahrer Prophet. Das Judentum schätzte ihn als den großen Prediger unter den Propheten, der Kirche war sein Leiden gegenwärtig, aber auch die Kraft, es zu überwinden. Jeremia sprach nicht allein vom „Ausreißen und Einreißen", sondern ebenso vom „Bauen und Pflanzen". Gottes Treue zu seinem Volk sollte sich in einem „neuen Bund" manifestieren. Des Propheten Schicksale regten Literaten zu Romanen und Erzählungen an, die bildende Kunst ebenso wie die Literatur fanden in ihm ein Urbild des geprüften und leidenden Propheten und Menschen[1],

---

[1] Als Beispiele seien genannt FRANZ WERFELS großer Roman ›Höret die Stimme‹ (1938), im S. Fischer Verlag 1956, und der allerdings weniger qualitätvolle Roman ›Botschaft der Sterne‹ von JAN DOBRACZYŃSKI, F. H. Kerle Verlag, Heidelberg 1955; unter dem Titel ›Jeremia‹ vollständig überarbeitet und mit einer geschichtlichen Einführung versehen von H. WILSDORF, Union Verlag, Berlin 1958. Siehe ferner H. KÜNKEL, Propheten. Eine Novellenfolge, Ev. Verlagsanstalt, Berlin 1959 (103–202 über Jeremia). Einer Anregung von H. BARDTKE folgend schuf die Leipziger Künstlerin ELISABETH VOIGT, Schülerin von KARL HOFER und KÄTHE KOLLWITZ, einen Bildzyklus, den H. BARDTKE mit einem Begleittext versah: Jeremia, der leidende Prophet, Berlin 1960. Vertonungen des Jeremiastoffes oder einzelner Jeremiaworte halten sich in Grenzen; vgl. G. KRAUSE, Jesaja und Jeremia als Kompositionsstoff, in: Deutsches Pfarrerblatt 66 (1966) 463–465.

sonderlich, solange man auch das Buch der ›Klagelieder‹ (Threni) ihm zuschrieb und also „Jeremiaden" zum Inbegriff endlosen und aussichtslosen Klagens und Jammerns werden konnten.

Im Gegensatz zu diesem zu Herzen gehenden Verständnis des Propheten Jeremia und aller in seinem Buch enthaltenen Äußerungen hat sich die Jeremia-Forschung in unserem Jahrhundert in zunehmendem Maße von dem allzu persönlichen Verständnis seiner Worte und der psychologischen Durchleuchtung seiner Persönlichkeit entfernt. Dies war im wesentlichen die Folge eingehender und umfangreicher literarischer Analysen des Jeremiatextes. Sie haben das Buch Jeremia als höchst komplexen Niederschlag sehr verschiedener Überlieferungen verstehen gelehrt, an deren Anfang wohl des Propheten eigenes Wort und Wirken stand. Doch fiel seine Hinterlassenschaft, um die sich aller Wahrscheinlichkeit nach sein Schreiber und Schüler Baruch ben Nerija verdient gemacht hat, mehr und mehr einer nachträglichen literarisch-theologischen Verarbeitung und Überarbeitung anheim, die sich um der Aktualisierung der Botschaft willen vom ursprünglichen Wortlaut der prophetischen Rede entfernte und erst während der Exilszeit erfolgte.

Die Jeremia-Forschung unseres Jahrhunderts kann geradezu ein Prozeß genannt werden. Er ist charakterisiert durch das Ringen um die Herausarbeitung des wirklichen und „echten" Erbes Jeremias gegenüber späterer Wiederaufnahme und hermeneutischer Bearbeitung des prophetischen Wortes. Mit Recht kann gesagt werden, daß aus dem Buch Jeremia nicht allein der Prophet, sondern auch seine Wirkung auf die ihm folgenden Generationen spricht. Sie sind an der Ausprägung des zur Tradition gewordenen „Jeremiabildes" in hohem Grade mitbeteiligt.

Das Ringen um die Authentizität des Jeremiawortes hat noch längst nicht aufgehört. Aber es zeichnen sich die wesentlichen Gesichtspunkte ab, die die Jeremiaforschung bestimmt haben und bleibend bestimmen werden. Sie stehen freilich unter jeweils anderen Prämissen. Allein im Jahre 1986 erschienen in international renommierten Kommentarreihen vier Werke zum Buch Jeremia, jedes mit eigenen Positionen und Schwerpunkten. Sie repräsentieren je auf ihre Weise Aspekte der Jeremiaforschung unseres Jahrhunderts in mehr oder minder abgerundeter Gestalt.

In der Reihe ›Hermeneia‹ (Philadelphia) kam der erste Band des Jeremiakommentars von WILLIAM LEE HOLLADAY heraus, umfassend Jer 1 – 25[2]. Trotz seiner Eigenwilligkeiten ist dieser Kommentar insofern als

---

[2] Siehe die genauen bibliographischen Angaben jeweils im Literaturverzeichnis.

konservativ einzustufen, als sein Verfasser des Propheten eigenes Wort
sowohl in den poetischen als auch in den in Prosa abgefaßten Teilen des
Buches wiederzufinden glaubt. Im Gegensatz zu dieser Auffassung ver-
schwimmt das Profil der historischen Persönlichkeit des Propheten in
der Konzeption von ROBERT P. CARROLL, der in seinem in der ›Old
Testament Library‹ herausgekommenen Kommentar das Jeremiabuch im
wesentlichen als das Werk deuteronomistischer Autoren und Tradenten
aus exilisch-nachexilischer Zeit versteht, als Sammlung von Materialien
und Traditionen von und über Jeremia. Nicht die authentische Botschaft des Propheten vermittelt das unter seiner Autorität stehende
Buch, sondern die Auseinandersetzung der exilisch-nachexilischen judäischen Gemeinschaft und die Bewältigung ihrer Probleme nach dem
Ende des Königtums und des Falles von Jerusalem. CARROLL kommentiert das ganze Jeremiabuch in einem einzigen starken Band.

Holladay und Carroll bilden gleichsam die Außenpositionen im
Spektrum der Jeremiakommentierung. Beide sind nicht frei von vorge-
faßten Meinungen; HOLLADAY argumentiert auf der Grundlage einer
mehr behaupteten als erwiesenen Authentizität des Prophetenwortes,
CARROLL ist von einem Gesamtkonzept überzeugt, das dem ganzen
Buch zugrundeliegt und das unter Benutzung der prophetischen Tradition den Fragen einer späteren Zeit interpretierend und deutend gerecht
zu werden versucht.

Anders als diese beiden Forscher verfährt WILLIAM MCKANE in
seinem zunächst ebenfalls nur auf Kap. 1–25 beschränkten ersten Band
seines ›Jeremiah‹ im ›International Critical Commentary‹ (ICC). Er
verzichtet auf die Herausarbeitung einer großen Konzeption, die das
Buch Jeremia durchwaltet haben soll, und referiert mit äußerster
Akribie über Text und Textgeschichte, berücksichtigt die Sekundärliteratur zum Jeremiabuch mit möglichster Genauigkeit, hält sich mit
seiner Zustimmung zu deuteronomisch-deuteronomistischen Einwirkungen auf die Gestaltung von Text und Buch zurück und rechnet mit
dem sukzessiven literarischen Ausbau eines auf den Propheten selbst
zurückgehenden authentischen Grundbestandes, so schwer er auch im
einzelnen nachzuweisen ist.

Gleichfalls im Jahre 1986 erschien schließlich im Neukirchener Kommentar die erste Lieferung ›Jeremia‹ von SIEGFRIED HERRMANN,
die freilich noch nicht einmal das Kapitel 1 abschließend behandeln
konnte. Die Anlage des gesamten Kommentarwerkes ermöglicht eine so
breite Darstellungsform; dennoch wird sich der Verfasser für künftige
Lieferungen Beschränkungen auferlegen und seinen Text straffen
müssen. Entsprechend dem Stand gegenwärtiger Forschung wird dieser

Kommentar um Ausgleich bemüht sein und Extreme zu vermeiden suchen. Wenn es ihm gelingt, über eine Bestandsaufnahme bisheriger Einsichten hinaus das Buch Jeremia in seiner relativen Geschlossenheit und
zugleich als Werk des Propheten unter Einschluß seiner Nachwirkungen im Prozeß literarischer Gestaltungen zu interpretieren, so wäre
damit eine übergreifende Position gewonnen, die das relative Recht anderer Auffassungen über das Jeremiabuch, auch der hier bereits erwähnten Kommentatoren, unter Beweis stellen könnte. Denn das Buch
Jeremia ist nicht allein der Niederschlag des Wirkens einer prophetischen Einzelgestalt, so wenig sie aus all diesen Überlieferungen wegzu-
denken ist, es steht im Zusammenhang eines geistigen und religiösen
Wandlungsprozesses, den Israel seit dem 7. bis in das 6. Jahrhundert
hinein durchlief. Die Erkenntnis wuchs, daß Israel nicht nur als Ganzes
seinem Gott gegenüberstand, sondern daß vielmehr auch jeder einzelne
nach seinem individuellen Verhalten gefragt war. Im Buch Jeremia
geschieht der Durchbruch zur subjektiven Erfahrung Gottes. Im Unterschied zur klassischen Prophetie des 8. Jahrhunderts beginnt der Prophet über das zu reflektieren, was Gott mit ihm tut und was jeder einzelne in Israel seinem Gott schuldet. Der Umkehrgedanke gewann an
Boden, und in das Bewußtsein trat jenes unüberbrückbare Spannungsverhältnis zwischen Glaubensforderung und Schicksalsbestimmung.
Dem unabwendbaren Feind aus dem Norden wußte der Prophet nichts
anderes entgegenzusetzen als das unbedingte Vertrauen auf Gottes Weg,
auch über die Katastrophe hinaus. Die Arbeit des Töpfers wird dem
Propheten zum unheimlichen Gleichnis göttlicher Freiheit. Die Erfahrung der sich ablösenden Weltmächte begründete und festigte die Einsicht in die Universalität des Gottes Israels. So ist das Buch Jeremia
nicht nur das Werk des Propheten selbst, es verdankt seine Gestalt auch
nicht allein dem Einfluß der deuteronomisch-deuteronomistischen
Schulrichtung, es ist Ausdruck eines Zeitalters und eines darin ange-
legten neuen Denkens. Vergangenheit wird interpretiert, um das Kom-
mende zu verstehen.

Im gegenwärtigen Zeitpunkt ›Erträge der Forschung‹ zum Buch Jeremia vorzulegen, grenzt an Hybris. Die Jeremiaforschung ist im Fluß,
und sie eröffnet immer neue Perspektiven. Was die folgende Darstellung
versucht, ist Voraussetzungen und vorläufige Resultate der Jeremiaforschung aufzuzeigen. Sie befaßt sich zunächst mit der Person des Propheten und der Zeit, in die er hineingestellt war. Der Zusammenfassung
der Forschungsgeschichte und der Entfaltung der wissenschaftlichen
Analyse des Jeremiabuches wird eine Übersicht über seinen Inhalt und
seine Komposition vorangestellt, um zum besseren Verständnis der

nachfolgend dargestellten Forschungspositionen einen Leitfaden an die Hand zu geben. Der geschichtliche Überblick über den Verlauf der Forschung soll verdeutlichen, auf welche Weise die Literarkritik logisch konsequent voranschritt, in welchem Umfang aber auch die heute vertretenen Meinungen und Resultate auf die Ansätze der kritischen Arbeit am Anfang unseres Jahrhunderts zurückgehen. Erst nach dieser Vorarbeit wird es möglich sein, die einzelnen Sprüche und Spruchsammlungen im Zusammenhang des Jeremiabuches und in ihrem Verhältnis zum Propheten einerseits und zur verarbeitenden und bearbeitenden Tradition andererseits angemessen zu beurteilen.

I. DER PROPHET JEREMIA UND SEINE ZEIT

1. Name und Herkunft

Über Name, Herkunft und Wirkungszeit des Propheten gibt die ungewöhnlich ausführliche Überschrift des Buches in Jer 1,1–3 die besten Auskünfte. Obwohl Merkmale redaktioneller Arbeit innerhalb dieser drei Verse erkennbar sind, gibt es kaum einen Grund, ihre Angaben in Zweifel zu ziehen. Sie werden in der Regel von solchen Exegeten verdächtigt, die die Datierung der Berufung Jeremias in das 13. Jahr des Königs Josia für zu früh ansehen. Darüber ist unten mehr zu sagen.

Der Name „Jeremia" erscheint in der masoretischen Form *Jirmeja* nur in der dem Text voraufgehenden Buchüberschrift sowie Jer 27,1; 28,5–15; 29,1; ferner Dan 9,2 und Esr 1,1, sonst in der volleren Form *Jirmejahu*. Seine Übersetzung und Erklärung ist bis zum heutigen Tage nur hypothetisch möglich. Am nächsten liegt die Ableitung von der hohlen Wurzel *rm* mit angeschlossenem Gottesnamenelement, so daß die Übersetzung denkbar ist: „Jahwe möge (ihn) aufrichten, erhöhen o.ä."[3] Außerhalb seines Buches wird der Prophet Jeremia 2 Chr 35,25; 36,12.21f.; Dan 9,2 und Esr 1 (vgl. Sir 49,7) erwähnt. Andere Träger des gleichen Namens kommen im Alten Testament häufiger vor, jedoch nicht früher als unser Prophet[4]. Die älteste Bezeugung des Namens bietet ein Siegel, das bereits aus dem 8. Jahrhundert stammt[5].

Jeremia wurde als Sohn des Hilkia[6] geboren und gehörte einer Familie an, die „aus der Priesterschaft von Anatot im Lande Benjamin" hervorging (Jer 1,1). Der Name des Ortes lebt fort in ʿanāta, einem Dorf, 5 km Luftlinie nordöstlich von Jerusalem. Die antike Ortslage ist noch nicht exakt ermittelt, aber neuerdings wieder Gegenstand archäologischer Nachforschungen geworden. Nachdem seit den zwanziger

---

[3] Weitere Einzelheiten bei S. HERRMANN (1986) 12f.

[4] 2 Kön 23,31; Jer 35,3; 52,1; 1 Chr 5,24; 12,5.11.14; Neh 10,3; 12,1.12.34.

[5] N. AVIGAD, ErIs 9 (1969) 6.134 (hebr., mit engl. Zusammenfassung); weitere Belege S. HERRMANN (1986) 13; hinzuzufügen ist jetzt N. AVIGAD (1986) Nr.78.

[6] Wohl nicht identisch mit dem Jerusalemer Priester gleichen Namens, der maßgeblich zum Reformwerk Josias beitrug (2 Kön 22,4–14; 23,4.24).

Jahren[7] der ʿanāta benachbarte rās el-ḫarrūbe („Johannisbrotbaum-
kuppe") mit ziemlicher Sicherheit für das alte Anatot gehalten wurde[8],
haben die bereits 1982 durchgeführten Ausgrabungen des israelischen
Archäologen AVRAHAM BIRAN auf dem etwa 1500 Meter ostwärts von
ʿanāta gelegenen Ruinenhügel dēr es-sidd eine neue Perspektive eröffnet. BIRAN rechnet damit, daß Anatot oder einer seiner Neben-
oder Vororte dort gelegen haben könnte[9]. Dafür sprechen die zutage getretenen Gebäudekonstruktionen mit Keramik des 7. Jh. v. Chr. Allerdings fehlt bisher Keramik des 10. Jh., also aus davidisch-salomonischer
Zeit, in der Anatot nach biblischem Zeugnis bereits existiert haben
muß. Jedenfalls ist die Ausdehnung der Besiedlung auf dēr es-sidd wohl
größer gewesen als auf der relativ schmalen Kuppe des rās el-ḫarrūbe.
Nun haben überraschenderweise neuere Sondagen in ʿanāta selbst, die
1984/85 erfolgten und Funde aus der Eisenzeit und älteren Perioden er-
brachten, die Möglichkeit eröffnet, Anatot unmittelbar am Ort der heutigen Nachfolgesiedlung zu vermuten. Dazu bedarf es allerdings noch
weiterer archäologischer Bestätigungen[10].

Nicht weniger leicht ist die Frage zu beantworten, was man unter
der Priesterschaft (wörtlich „den Priestern") zu verstehen hat, „die in
Anatot im Lande Benjamin" ansässig war (Jer 1,1). Bekanntlich ver-
bannte Salomo den Priester Ebjatar, der einst David diente, nach Anatot
(1 Kön 2,26.27). Die Vermutung legte sich nahe, daß dieser Ebjatar ein
Urahn der Priester zu Anatot und also auch Jeremias gewesen sein
könnte. Dem steht freilich entgegen, daß ihm Salomo die Ausübung des
Priesterdienstes ausdrücklich untersagte, was sicherlich nicht allein für
Jerusalem galt. Also müßte man im Hinblick auf Jer 1,1 mit einer selbständigen, von Ebjatar ganz unabhängigen Priesterschaft in Anatot
rechnen. Daß levitische Priester in Anatot wohnten, ist aus nachexilischer Zeit bezeugt[11] und kann für die vorexilische Zeit mit dem Hin-

---

[7] Ausschlaggebend wurde der Vorschlag von A. ALT, PJ 22 (1926) 23 f.

[8] Trotz nicht ganz überzeugender archäologischer Ausbeute durch E. P.
BLAIR und S. A. BERGMAN (BASOR 62, 1936, 18–21.22–25) plädierte W. F. AL-
BRIGHT entschieden für den rās el-ḫarrūbe und versprach sich von weiteren Aus-
grabungen Gewißheit (BASOR 62, 1936, 25 f.; 63, 1936, 22 f.).

[9] A. BIRAN, Zum Problem der Identität von Anatot, in: ErIs 18 (1985) 209–
214 (hebr.); vgl. auch Y. HOFFMAN, Das Buch Jeremia, in: Enzyklopädie ʿOlam
Hattanach 11 (1983) 20–23 (hebr.) mit Abb. der Ortslagen.

[10] Letztlich muß also die Frage noch offenbleiben, wo tatsächlich das alte Anatot gelegen haben könnte. Die hier gemachten knappen Angaben zur archäologi-
schen Ermittlung von Anatot ausführlicher bei S. HERRMANN (1986) 15–17.

[11] Neh 11,36; vgl. K. GALLING, ATD 12, 245 zu Neh 11,25–36.

weis darauf gestützt werden, daß Anatot nach Jos 21,18 Levitenstadt war. Ob der Name „Anatot" etwas mit der westsemitischen Gottheit Anat zu tun haben könnte[12], bleibt eine vage Vermutung, und ebenso, daß diese Gottheit in Anatot ein Heiligtum besaß, das später vom Stamm Benjamin als heilige Stätte übernommen wurde.

Angesichts dieser Unsicherheiten ergibt sich rein hypothetisch noch eine andere Möglichkeit, die Herkunft der Priesterschaft von Anatot zu erklären. Seitdem wir Anlaß haben anzunehmen, daß nach dem Fall des Nordreiches Israel 722/21 Teile seiner Bevölkerung nach Juda überwechselten und in größerem Umfang in Jerusalem ansässig wurden, wahrscheinlich im Nordwesten der Stadt[13], ist es nicht auszuschließen, daß levitische Priester aus dem Nordreich nach Anatot kamen und dort Fuß faßten. Theoretisch ist ein solches Überwechseln sogar schon vor 722/21 denkbar. Levitische Priester setzten sich nach dem Süden ab, die dem offiziellen, nicht-levitischen Staatskult, wie er in Bethel und Dan existierte, entgehen wollten. Mit ihnen gelangten Glaubensüberzeugungen aus Ephraim nach Juda, die innerhalb der Priester von Anatot fortwirkten und in deren Traditionen Jeremia aufwuchs. Das würde erklären, wie es kam, daß seine Botschaft verwandte Züge mit Hosea aufweist, wie oft festgestellt wird; schließlich würde verständlich, warum Jeremia dem Deuteronomium, dessen Herkunft aus dem Nordreich vorausgesetzt, seine Sympathie entgegenbrachte, er aber andererseits der Jerusalemer Tempelfrömmigkeit und ihrer Selbstgewißheit kritisch entgegentrat[14]. Und ferner: Josia „reinigte" nach 2 Kön 23,8f. die Höhenheiligtümer Judas, ließ aber in Jerusalem ihre Priester nicht zu. Nördlichste Grenze dieser Maßnahmen war Geba. Also blieben Priester aus Anatot auch weiterhin vom Tempeldienst in Jerusalem ausgeschlossen. Nicht zuletzt deswegen konnte Jeremia als unabhängiger Prophet ungeachtet seiner priesterlichen Herkunft auftreten, da es für ihn nach den Maßnahmen Josias ohnehin keine Hoffnung auf eine Priesterlaufbahn mehr gab. Tatsächlich besitzen wir keinen Hinweis darauf, daß Jeremia jemals auf den Priesterberuf vorbereitet wurde oder einen solchen auszuüben versuchte. Mehr als eine Hypothese können diese Erwägungen zunächst nicht sein. Sie müssen sich im einzelnen an der Interpretation des Buches Jeremia bewähren[15].

[12] Vgl. W.F. ALBRIGHT, The Evolution of the West-Semitic Divinity ʿAn – ʿAnat – ʿAttâ, in: AJSL 41 (1924/25) 73–101; zu Anatot ebd. 283–285.

[13] N. AVIGAD, Discovering Jerusalem (1980) 54–60.

[14] Vgl. hauptsächlich Jer 7 und 26.

[15] Zur ausführlicheren Begründung dieser Hypothese vgl. vorläufig S. HERRMANN (1986) 14f. 18.

2. Die Zeit

Die Überschrift des Prophetenbuches macht in Jer 1, 2. 3 klare chronologische Angaben über Jeremias Wirkungszeit. Das Wort Gottes sei an ihn im 13. Jahr des Königs Josia ergangen und habe ihn fernerhin seit der Zeit des Königs Jojakim bis zum 11. Jahr des Königs Zedekia erreicht, genauer gesagt, bis zum völligen Niederbruch des Staatswesens und der damit verbundenen Zerstörung Jerusalems und der Wegführung seiner Bewohner[16]. Dennoch bleiben entscheidende Fragen über Anfang und Ende des Wirkens Jeremias offen. Denn die Buchüberschrift nimmt in 1, 3 nicht Bezug auf Jeremias Erlebnisse nach der Zerstörung Jerusalems, namentlich auf seinen erzwungenen Weggang nach Ägypten, worüber wir in den Jeremiaerzählungen Jer 39–44 unterrichtet werden. Allenfalls beschränkt sich die Buchüberschrift auf den ersten Teil des Jeremiabuches, der in Jer 25, 14 endet und wo offensichtlich in 25, 3 auf die in 1, 1–3 mitgeteilten Daten zurückgegriffen wird. Von Kap. 26 an hat das Jeremiabuch einen kompositionell und inhaltlich anderen Charakter (Erzählungen, Sonderüberlieferungen, Fremdvölkersprüche) als in der Kapitelfolge 1, 1 – 25, 14, die sich aus kleineren Einheiten zusammensetzt, die von außerordentlicher Vielfalt sind. Es hat deshalb alle Wahrscheinlichkeit für sich, daß sich in dieser von den Datenangaben in Kap. 1 und 25 umrahmten Überlieferung das authentische oder als authentisch angesehene Spruchgut Jeremias befindet, jedenfalls in seiner Hauptmasse[17].

Der Anfang des Wirkens Jeremias im 13. Jahr des Königs Josia sollte über jeden Zweifel erhaben sein; jedoch hat diese Zeitangabe aus exegetischen Gründen Zweifel geweckt. Josias 13. Jahr fällt nach fast einhelliger Auffassung[18] in das Jahr 627/26 v. Chr. Jeremias Berufung erfolgte

---

[16] Die Übersetzung von hebr. ʿad-tōm in Jer 1, 3 ist umstritten. Gemeint ist mit dieser Wendung dort, wo sie vorkommt, der endgültige Abschluß eines Zeitraumes und seiner Entwicklung, sein absolutes Ende. Das bezieht sich hier auf Jerusalem und das Königtum von Juda, nicht auf das Ende des 11. Regierungsjahres Zedekias. Vgl. S. HERRMANN (1986) 23 f.

[17] Ähnliche Beobachtungen lassen sich an der Kompositionsweise der Bücher Jesaja und Ezechiel machen, die in ihren Anfangskapiteln (Jes 1 – 12; Ez 1 – 12) mindestens ein Konzentrat „echter" Überlieferungen bieten wollen. Daran ist dann weiteres Material verschiedener Form und auch inhaltlich weiterführender Art angeschlossen, das nur teilweise auf Jesaja bzw. Ezechiel zurückgeht.

[18] Die Berechnungen der Chronologen zeigen im Hinblick auf die Regierungsjahre Josias nur sehr geringe Schwankungen, zumal das Todesdatum Sommer 609 festliegt. In Deutschland hat sich die Chronologie von BEGRICH

also noch vor der Reform des Josia, die in sein 18. Regierungsjahr (2 Kön 22, 3), 622/21, datiert ist. Da jedoch nach verbreiteter Annahme die meisten Sprüche des Propheten in die Jahre nach Josias Tod im Sommer 609 gehören und im übrigen Jeremia mit keinem Wort das Reformwerk Josias ausdrücklich erwähnt, wurde der Schluß gezogen, daß Jeremia in der zweiten Hälfte der Regierungszeit Josias ab 622/21 geschwiegen habe und erst wieder unter Josias Nachfolger Jojakim das Wort ergriff. Namentlich die ältere Forschung war von solch einer Pause im Auftreten Jeremias überzeugt. Gründe dafür ließen sich durchaus finden, hauptsächlich der, daß Jeremia die Reform des Königs begrüßte und darum auch zu dessen Lebzeiten keine Veranlassung zu kritischen Stellungnahmen hatte[19]. Anders wurde das unter Jojakim, der dem Reformwerk seines Vaters keine Beachtung mehr schenkte, zumal er sich zuerst den Ägyptern, dann den Babyloniern als Vasall unterwerfen mußte.

Im Laufe der Zeit wurden jedoch verschiedene andere Vorschläge für den Beginn des Wirkens Jeremias gemacht, alle mit dem Ziel, die Zeit zwischen 627/26 und dem Auftreten Jeremias nach Josias Tod zu verkürzen. Wenig überzeugend ist die Annahme GORDONS (1932/33), der auch BARDTKE (1935) folgte, man müsse in Jer 1,2 mit einem Textfehler rechnen und statt des 13. das 23. Jahr Josias lesen. Somit geschah Jeremias Berufung 617/16. Jedoch ist der angenommene Textfehler schwer zu begründen[20]. Die Neigung zu einer kurzen Chronologie zeigte sodann HYATT (1940), der die Anfänge Jeremias in der Zeit nach dem medisch-neubabylonischen Bündnis zwischen 614 und 612 suchte, später

und JEPSEN weitgehend durchgesetzt; sie geben Josia die Jahre 639–609; ebenso REVIV (1979) in: WHJP IV/1, 201. Entsprechend den Voraussetzungen ihrer Berechnungen verfahren ANDERSEN (1969): 640/39 – 609/08; THIELE (1965; 1977): 641/40–609; ALBRIGHT (1945): 640–609.

[19] Eindrucksvoll ist die ›Zeitliche Anordnung der Reden und Gedichte Jeremias (Ein Versuch)‹ im Kommentar von VOLZ (1928) XXIIIf. Dort sind die Sprüche Jeremias auf die Jahre genau verteilt; zwischen 622 und 609 klafft eine Lücke. Nicht ganz so konsequent verfuhr RUDOLPH in seinem Kommentar (³1968) III–VIII, der wenigstens Jer 30 – 31 noch in josianischer Zeit nach 622 für möglich hielt.

[20] GORDON stützt seine Hypothese auf Jer 25,3. Dort seien die Zahlworte 13 und 23 vertauscht. Die falsche Zahl „13" wurde von dort nach Jer 1,2 übernommen. Die ursprüngliche Meinung in 25,3 sei es gewesen, mit den 23 Jahren den Zeitraum vom Regierungsantritt Josias bis zur Berufung Jeremias zu umgreifen: 639–617, während die 13 Jahre das Wirken Jeremias bis zum Regierungsantritt Nebukadnezars bezeichneten (Jer 25, 1): 617–605/4. Eine geistvolle, aber unbeweisbare Konstruktion!

jedoch (1966) die Sprüche Jeremias nicht vor 609 ansetzen wollte. Bereits 1923 hatte HORST an 609 als dem frühesten Datum für das Auftreten Jeremias gedacht. Entschieden und knapp erklärte er, daß mit dem Datum 626 (aber warum gerade mit diesem?) Jeremia nachträglich mit der deuteronomischen Reform Josias in Verbindung gebracht werden sollte, eine Meinung, die neuerdings LEVIN (1981) zusammen mit anderen Argumenten wieder aufnahm. Jeremia habe „zum Wegbereiter der joschijanischen Reform" erklärt werden sollen. WHITLEY (1964) glaubte, daß erst der Sieg der Babylonier bei Karkemisch (605) Jeremias Auftreten veranlaßte.

Schon 1956 hatte HYATT erwogen, 627/26 nicht als das Berufungs-, sondern als das Geburtsjahr des Propheten anzusehen und diese Auffassung 1966 erneuert und bekräftigt. Ihr hat sich HOLLADAY (1981) angeschlossen; er sieht einen engen Zusammenhang zwischen Jer 1,2 und 1,5 und verbindet den Gedanken der Berufung im Mutterleib mit dem der physischen Geburt des Propheten, die zum annähernd gleichen Zeitpunkt erfolgte. Jeremia habe auf seine Berufung zum ersten Mal mit zwölf Jahren reagiert, somit im Jahre 615 zu wirken begonnen, und zwar in projosianischem Sinn. HOLLADAY, der seine These mit einer Reihe weiterer Argumente zu stützen sucht und sie auch seinem Kommentar (1986) zugrundegelegt hat, dürfte jedoch mit seiner Kombination von Geburt und Berufung auf der Basis der formelhaften Wendung Jer 1,5 schwerlich im Recht sein. Es wäre das einzige Mal im Alten Testament, daß in der Überschrift eines Prophetenbuches nicht das Berufungs-, sondern das Geburtsdatum des Propheten berücksichtigt wäre. Die Aussonderung zum Propheten im Mutterleib ist Bestandteil selbständiger Tradition und spielt nicht auf den Augenblick der physischen Geburt an.

Diese unterschiedlichen Vermutungen über den Beginn des Wirkens Jeremias haben ihren Grund darin, daß jeder Exeget sich eine bestimmte Vorstellung von der zeitlichen Einordnung der Sprüche Jeremias macht und die zeitgeschichtlichen Bezüge je nach seiner Gesamtauffassung zu finden glaubt. Tatsächlich aber, und dies kann nicht deutlich genug gesagt werden, ist keiner der Sprüche Jeremias zweifelsfrei datierbar. Die wenigen chronologischen Angaben, die wohl zumeist redaktionell sind, lassen keine beweisbaren und somit sicheren Schlüsse zu. Insbesondere aber fehlt jedem der Sprüche ein eindeutiger Bezug auf Zeitereignisse, obwohl man einen solchen Bezug auf dem bewegten Hintergrund der Jeremia-Zeit erwarten dürfte. Allein die in Prosa abgefaßten Erzählungen über Jeremia sind zeitlich etwas genauer bestimmbar und könnten zum Maßstab der zeitlichen Einordnung des mutmaßlich jeremianischen Spruchmaterials gemacht werden. Aber der Charakter der Sprüche entzieht sich fast ausnahmslos näherer zeitlicher Festlegung. Sie ist nur hypothetisch möglich. Wichtiger als der Bezug auf Details der Tagespolitik ist die theologische Grundorientierung, an der dem Propheten liegt. Nähe zu Hosea, aber auch zum Deuteronomium wird da spürbar. Entweder sind Jeremias Formulierungen mehrdeutig, so daß an verschiedene auslösende Momente in den bewegten Zeiten seines Auftretens gedacht werden kann, oder es war von vornherein ein Bezug auf zeitbedingte Entwicklungen nicht beabsichtigt. Bekanntestes Beispiel sind Überlieferungen über einen erwarteten „Feind aus dem Norden" (Jer 4,5–31; 5,15–17; 6,1–8.22–26; 8,16f.; 10,22). Häufig sind diese Worte der frühen Zeit im Auftreten Jeremias zugewiesen worden, also noch den zwanziger Jahren des 7.Jh. Unter dieser Voraussetzung wurde angenommen, daß unter dem bedrohlichen Feind die Skythen zu verstehen seien, die bis nach Palästina vordrangen oder deren Invasion man unmittelbar bevorstehend glaubte. Bei späterer Datierung jedoch erschien es am wahrscheinlichsten, unter dem Feind aus dem Norden die Babylonier zu verstehen. Spätestens nach ihrem Sieg über die Ägypter bei Karkemisch (605) bedrohten sie tatsächlich den syrisch-palästinischen Raum unmittelbar. An dieser Stelle erscheint es angemessen, etwas ausführlicher auf die politischen Entwicklungen der Jeremia-Zeit einzugehen.

Kurzer zeitgeschichtlicher Exkurs[21]

Unter der Voraussetzung, daß Jeremia im 13. Jahr des Königs Josia, also 627/26, zum Propheten berufen wurde, was nach Lage der Quellen nicht schlüssig zu widerlegen ist, kann er etwa zwischen 650 und 645 ge-

[21] Zu diesem Abschnitt sind vor allem die Werke zur Geschichte Israels heranzuziehen, ferner die Einleitungen der Kommentare zum Jeremiabuch. Insbesondere sei hingewiesen auf die Arbeiten von H. Cazelles (1978; 1981), A. Malamat (1968; 1975; 1979) und aus der älteren Literatur auf W. Erbt (1902). Zur gesamten Epoche neuerdings A. Malamat, The Kingdom of Judah between Egypt and Babylon: A Small State within a Great Power Confrontation: Text and Context (Studies for F. C. Fensham), in: JSOT Suppl. 48 (1988) 117–129. Als Quellenwerke sind neben den bekannten Textsammlungen zum Alten Testament, herausgegeben von Gressmann, (AOT, ²1926), Pritchard (ANET, ³1969) und Galling (TGI, ³1979), insbesondere die Texte der assyrischen und babylonischen Chroniken zu berücksichtigen: D. J. Wiseman (1956) und K. A. Grayson (1975).

boren worden sein. In diesen vierziger Jahren des 7. Jh. bahnte sich im Vorderen Orient ein Kräfteumschwung an, der schließlich zum Ende des assyrischen Großreiches und zum letzten Aufstieg Babylons führte. Noch zwei Jahrzehnte früher standen die Assyrer auf dem Höhepunkt ihrer Macht, als es ihnen gelungen war, unter Asarhaddon (681–669) Ägypten zu erobern (671). Nicht mehr als fünfzehn Jahre, die von Widerständen und Kämpfen in und um Ägypten erfüllt waren, konnten sich die Assyrer dort halten. Asarhaddons Nachfolger Assurbanipal (669–ca. 630/27), obwohl hervorragend ausgebildet und selbst als Priester und Gelehrter bewandert (er sammelte in seiner „Bibliothek" in Ninive das zu seiner Zeit erreichbare Schrifttum in sumerischer und akkadischer Sprache), wurde der komplizierten Lage im fernen Ägypten nicht Herr. Schwierigkeiten hatte er mit den Fürsten des Deltas. Aus ihrer Mitte ging als Sohn Nechos I. von Sais (672–664) Psammetich I. (664–610) hervor, der, von den Assyrern bestätigt, ihnen zunächst loyal begegnete, dann aber die Oberherrschaft über die Deltafürsten erlangte und sich gegen die Assyrer stellte. Wahrscheinlich im Bündnis mit König Gyges von Lydien, der kleinasiatische und griechische Söldner schickte, gelang es Psammetich, die Assyrer aus dem Lande zu vertreiben (656). Mit ihm beginnt die 26. Dynastie von Sais (Saiten).

Spätestens seit den 40er Jahren des 7. Jh. setzte ein zunehmender Verfall des assyrischen Reiches ein. Zwar vermochte Assurbanipal 648 Babylon, das seit Tiglat-Pileser III. (745–727) in ununterbrochener Abhängigkeit von Assur lebte, noch einmal gründlich zu besiegen und die andrängenden Völkerschaften der arabischen Halbinsel zu bezwingen. Schließlich waren es die Generale Assurbanipals, die dem Königreich von Elam ein Ende bereiteten (639). Dann aber brechen die Nachrichten ab, und es bleibt offen, in welche Schwierigkeiten Assurbanipal geraten sein mag. Wir wissen nicht einmal, auf welche Weise er starb. Sein Todesdatum wird zwischen 630 und 627 vermutet.

Zu den Bedrohungen der letzten Regierungsjahre Assurbanipals gehörte auch das Aufkommen neuer Kräfte aus dem Norden, die zum Zerfall und Untergang des assyrischen Großreiches und schließlich sogar der assyrischen Kernlande beitrugen. Aus den Gebieten nördlich des Schwarzen Meeres kamen die Kimmerer, die sich in Kleinasien festsetzten. Weiter im Osten standen sie im Bündnis mit den Medern, die den assyrischen Machtbereich unmittelbar bedrohten. Aus dem iranischen Hochland brachen die Skythen hervor und nahmen Richtung auf Assyrien. Ihre ethnische Herkunft ist nicht eindeutig bestimmt, ihr Verhältnis zu den Umman-manda, einer mit den Skythen zuweilen gleichgesetzten Bevölkerungsgruppe, noch immer ungeklärt[22]. Die von diesen Gruppen ausgehenden Gefahren waren zu Assurbanipals Zeiten wohl schon erkennbar, haben sich aber erst nach seinem Tode voll ausgewirkt.

Der Nachfolger Assurbanipals wurde einer seiner Söhne. Etwa fünf Jahre regierte mit Unterstützung des Generals Sin-šum-lišir der König Aššur-etil-ilani, der sich allerdings nicht an allen Fronten des ihm überkommenen Großreichs durch erhöhte Aktivität auszeichnete. Dem chaldäischen Heerführer Nabopolassar gelang es, die Herrschaft in Babylonien an sich zu reißen (626). Er gilt als der Begründer der neubabylonischen Dynastie (Chaldäer); sein Nachfolger wurde im Jahre 605 sein Sohn Nebukadnezar. Fast gleichzeitig mit der Machtübernahme Nabopolassars brachen im Norden die Meder gegen die Assyrer auf. Noch einmal konnten sie abgewehrt werden. Aššur-etil-ilani schlug sie; ihr Anführer Phraortes kam dabei ums Leben. Die Versuche des Generals Sin-šum-lišir, sich des assyrischen Thrones zu bemächtigen, vereitelte ein anderer Sohn Assurbanipals, Sin-šar-iškun. Er kämpfte mit Erfolg gegen die Meder und vertrieb, übrigens mit Hilfe eines skythischen Entsatzheeres, Kyaxares, den Nachfolger des umgekommenen Phraortes. Gegen 620 aber setzte er sich gegen Aššur-etil-ilani durch und bestieg selbst den Thron, freilich, wie sich zeigen sollte, als der letzte der assyrischen Könige.

Diese außerordentlichen Bewegungen, die namentlich an der Macht Assurs zehrten, bildeten zumindest den fernen Hintergrund der Jugendzeit Jeremias. Ihre unmittelbaren Auswirkungen auf das von den Assyrern noch immer beherrschte und in Vasallität gehaltene Juda und Jerusalem sind durch direkte Quellen nicht aufzuhellen. Doch ist es gut vorstellbar, daß nach der langen assur-ergebenen Herrschaft König Manasses in Juda (696–642) und der kurzen Regierung Amons (641–640) der jugendliche Josia im Angesicht der assyrischen Machtkämpfe in den zwanziger Jahren, sonderlich nach dem Tode Assurbanipals, die Schwächen der assyrischen Administration zu nutzen verstand und die Selbständigkeit für Juda und idealerweise auch für das Territorium des einstigen Nordreiches Israel anstrebte. Der bekannte Bericht in 2 Kön 23 sieht kultpolitische Maßnahmen der sogenannten „Reform" Josias in enger Verbindung mit Schritten zur Loslösung von der assyrischen Vorherrschaft, wozu auch die Beseitigung assyrischer Kultobjekte gehörte,

---

22 Über das Verhältnis von Skythen, Kimmerern und Umman-manda und zu den einschlägigen Überlieferungen bei Jeremia vgl. H. CAZELLES (1967; 1981, 25 f.). Siehe ferner A. R. MILLARD, The Scythian Problem, in: J. RUFFLE (ed.), Glimpses of Ancient Egypt (1979) 119–122.

die Assurs Gegenwart im Lande repräsentieren sollten. Jeremias Berufung fällt in diese Zeit. Ob man sie freilich in einem unmittelbaren Zusammenhang mit dem Tod Assurbanipals und seinen Folgen um das Jahr 627/26 sehen darf, ist nicht zu beantworten. Doch werden Josias Aktivitäten gegen Ende der zwanziger Jahre zur Zeit des assyrischen Machtkampfes zwischen Aššur-etil-ilani und Sin-šar-iškun um einige Grade verständlicher. Die Erschütterung des Großreiches war der passende Augenblick für entlegenere Tributärstaaten, sich zu verselbständigen. Vorstellbar ist allerdings auch, daß Jeremia nach 627/26 angesichts der assyrischen Schwäche die Gefahr heraufziehen sah, daß die Völker des Nordens, die die Bühne der Weltgeschichte betraten, Kimmerer, Meder und Skythen, das Erbe Assurs antreten und mindestens einer dieser „Feinde aus dem Norden" heranziehen könnte, um die Gebiete Israels und Judas zu bedrohen oder gar zu überrennen. Deshalb ist nicht auszuschließen, daß die Sprüche vom „Feind aus dem Norden" schon früh angeregt und früh ausgesprochen wurden und ihr Grundbestand tatsächlich zur Frühzeitverkündigung Jeremias gehört. Die Anonymität dieses Feindes erklärt sich dann aus der unsicheren politischen Lage an den Grenzen des assyrischen Kernlandes, das schließlich nicht nur von den Nordvölkern, sondern ebenso von Babylonien bedroht und in die Zange genommen wurde. Darum ist es auch nicht falsch, babylonische Kontingente in Jeremias Vorstellung dieser Feinde aus dem Norden aufzunehmen, ganz abgesehen davon, daß Israel schon seit dem 9. Jh. beständig Gegner aus dem Norden fürchten mußte. Der „Feind aus dem Norden" ist wahrscheinlich eine topische Vorstellung, die nicht an eine definierte historische Größe gebunden sein muß. Ägyptische Vorstöße nach Palästina waren nach dem Niedergang des ägyptischen Neuen Reiches (etwa um 1070 mit dem Ende der 20. Dynastie) weit seltener geworden.

Die verbreitete und von der älteren Forschung bevorzugte These[23], Jeremia habe vor den Skythen warnen wollen oder geradezu einen „Skythensturm" vorausgesehen, beruhte hauptsächlich auf der Auswertung

---

[23] Nach A. CONDAMIN (1936) 62 geht die These zurück bis ins 18. Jh. und wurde zuerst vertreten von VENEMA in seinem Commentarius ad librum Prophetiarum Jeremiae (1765). Ihr folgten u. a. EICHHORN, CHEYNE, BALL, DUHM, CORNILL, KENT, PEAKE, DRIVER, BINNS, SKINNER, EISSFELDT (nach HYATT 1940, 500). HYATT berichtet auch über die gewichtigen Gegenargumente von F. WILKE (1914) und die eigenartige These von TORREY, JBL 56 (1937) 193–216, Jer 1 – 10 sei ein Pseudepigraph; der Feind aus dem Norden seien die Griechen unter Alexander dem Großen. HYATT selbst (1940) identifizierte den Feind aus dem Norden mit den Babyloniern und ihren Verbündeten.

und Überschätzung einiger weniger Nachrichten bei Herodot. Er spricht (Her I, 104–106) von einer Ausbreitung der Skythen über „ganz Asien"[24] und erwähnt besonders ihr Auftreten in Askalon. Der ägyptische König Psammetich (I.) habe dort ihren Rückzug veranlaßt. Legendär ist gewiß die Erwähnung der 29 Jahre, die die Belagerung von Asdod gedauert hätte, über die Herodot als einziger berichtet (Her II, 157). Den Hintergrund dieser Nachrichten bildet allenfalls ein zunächst gelegentliches Ausgreifen der unter der Saiten-Dynastie wiedererstarkten Ägypter, die die Heerstraße an der palästinisch-syrischen Küste sichern wollten, um einen von Norden kommenden Gegner bereits im Anmarsch wirkungsvoll zu bekämpfen. Daß freilich Skythen bis nach Asdod und Askalon vordrangen, findet nirgends eine Bestätigung. Herodots knappe Andeutungen lassen jedenfalls nicht auf einen verheerenden Skythensturm schließen. Am judäisch-israelitischen Binnenland scheinen weder Ägypter noch Skythen Interesse gezeigt zu haben. Daß Jeremia in den Sprüchen vom „Feind aus dem Norden" gerade die Skythen meine, entbehrt jeglicher Gewißheit.

In das 18. Jahr des Josia (622/21) legt das 2. Königsbuch (Kap. 22, 3) die Auffindung des Buches (Deuteronomium) im Tempel und beginnt damit die Schilderung der umfassenden Reformmaßnahmen, die der König einleitete. Die Nichterwähnung dieses Ereignisses im Buche Jeremia ist, wie schon gesagt, ein altes Problem der Jeremiaforschung. Nun verstärken sich in neuerer Zeit Stimmen, teilweise unter Aufnahme früherer skeptischer Äußerungen[25], zwar nicht Josias Versuche der Loslösung von Assur, aber den in 2 Kön 22.23 geschilderten Reformakt samt der Auffindung des Buches im Tempel als historisch unwahrscheinlich anzusehen[26] und in dieser ganzen Darstellung die Absicht

---

[24] Zu dieser Wendung speziell VAGGIONE (1973).

[25] Die Auffindung eines Buches im Tempel zum rechten Zeitpunkt konnte rasch als literarisches Motiv verdächtigt werden. Auftrieb erhielten solche Erwägungen durch ähnliche, wenn auch nicht unmittelbar vergleichbare Fundberichte aus Ägypten. J. HERRMANN, Ägyptische Analogien zum Fund des Deuteronomiums, in: ZAW 28 (1908) 291–302.

[26] Vgl. hauptsächlich E. WÜRTHWEIN, Die Josianische Reform und das Deuteronomium, in: ZThK 73 (1976) 395–423, teilweise modifiziert in: ATD 11, 2 (1984) 445–464. WÜRTHWEIN spricht im Blick auf die drei Teile, in die er den Bericht zerlegt (2 Kön 22, 3–11. 12–20; 23, 1–27) von „idealen Szenen, in denen verschiedene deuteronomistische Kreise Stellung nahmen zu wichtigen Fragen und Auseinandersetzungen ihrer jeweiligen Zeit", sämtlich jedoch erst nach 587. Siehe ferner H. D. HOFFMANN, Reform und Reformen. Untersuchungen zu einem Grundthema der deuteronomistischen Geschichtsschreibung, in:

des deuteronomistischen Redaktors oder Geschichtsschreibers zu erblicken, das Deuteronomium nachträglich eng mit Josia zu verknüpfen,
um beider Autorität aufzuwerten. Aber so einfach ist das Problem nicht
zu lösen. Gestalten wie der Priester Hilkia oder die Prophetin Hulda
können in solchen Zusammenhängen schwerlich als rein literarische Fi-
guren betrachtet werden, die dazu benutzt wurden, einer fiktiven Darstellung historisches Kolorit zu verleihen. Sie werden an den Entscheidungen des Königs beteiligt gewesen sein, sie mögen vor allem durch
ihre Autorität und ihren Rat die königlichen Maßnahmen unterstützt
haben[27].

Wenn man letzteres auch zugesteht, so weckt doch hauptsächlich der
Bundesschlußakt im Tempelbezirk als das die Reform auslösende und
legitimierende Geschehen Bedenken und Zweifel. Dazu tragen vor
allem Formulierungen bei, die an deuteronomistische Vorstellungen
erinnern und in vergleichbarer Weise mindestens in Jos 24, teilweise
auch 2 Kön 11, eine Rolle spielen und dem deuteronomistischen Reper-
toire zuzurechnen sind[28]. Legitimationsakte, an denen das Volk maßgebend beteiligt ist und die es zugleich mit seinem Gott fest verbinden
wollen, beschreibt der Deuteronomist mehrfach als Bundesschließungen, deren Einzelheiten sich unserer Kontrolle im strengen Sinn
entziehen. Aber man wird bei vorsichtiger Einschätzung der Überlieferung nicht ausschließen dürfen, daß in 2 Kön 22. 23 zutreffende Einzelheiten verarbeitet und in einen zwingenden kausalen Zusammenhang
gebracht sind, so daß sie sich jetzt wie eine einzige Aktion mit dramatischer Steigerung ausnehmen. Dies gilt nicht weniger für das quellen-
kritisch sehr schwer einzuordnende Kapitel Jos 24, das die Landnahme-
darstellung beschließen möchte. Deshalb muß wohl das schwierige
Verhältnis von Geschichte und ihrer Darstellungsform in Jos 24 ähnlich

---

AThANT 66 (1980) und dazu J. VAN SETERS, In Search of History (1983)
317–320. Zur Gegenposition J. SCHARBERT (1981) und die dort 45 Anm. 21 genannte Literatur.

[27] Das trifft insbes. für jene Verse zu, die von der Neuordnung des Jahwe-
Kultes sprechen. Dazu sind zu rechnen 2 Kön 23,8.9.21–23.24.25; vgl. den
parallelen Text 2 Chron 34,8–35,19. Die politischen Maßnahmen Josias, die im
Zusammenhang mit seiner Loslösung von der assyrischen Vorherrschaft stehen,
konzentrieren sich in 2 Kön 23,4–7.10–15.19.20 (16–18 ist eine Erweiterung);
vgl. 2 Chron 34,3–7. Zu Einzelheiten einer so differenzierten Betrachtungsweise
A. ALT, Kl. Schr. II, 252–262; JEPSEN (1959); ROST (1969).

[28] Vgl. L. PERLITT, Bundestheologie im Alten Testament, in: WMANT 36
(1969) 8–12.

wie in 2 Kön 22. 23 beurteilt werden. In beiden Fällen werden in einem Ereignis Prozesse geschildert und zusammengefaßt, die in Wahrheit längere Zeit beanspruchten, die nun aber gleichsam „teleskopisch" gesehen und im Bundesschluß auf einen Höhepunkt zugespitzt sind. Das ist im Falle der Landnahme ohne weiteres deutlich; die Landnahme soll im Landtag zu Sichem kulminieren und dort letztlich sanktioniert werden. Das sollte aber in 2 Kön 22. 23 nicht weniger deutlich sein, wo der schwierige Prozeß einer Loslösung von assyrischer Bevormundung und die Wiederaufnahme eines geregelten Jahwekultes im Bundesschlußakt Legitimation und programmatische Perspektive erhalten sollten.

Beurteilt man nun in der geschilderten Weise die Josianische Reform als einen Prozeß und betrachtet man den in 2 Kön 23, 1–3 dargestellten Staatsakt nicht als Inauguralereignis für die Reform, so hat man es mit Jeremias Schweigen darüber relativ leicht. Er spricht nicht über ein solches Ereignis, weil es in der vorausgesetzten Form nicht stattfand oder er keinen Anlaß sah, etwas zu erwähnen, was ohnehin bekannt war. Im übrigen ist der Rückbezug auf vertragliche Bindungen in der prophetischen Spruchliteratur so gut wie unbekannt. Verhält es sich so, dann entfällt freilich auch die Voraussetzung, dem Propheten ein längeres Schweigen nachzusagen, das mit dem Jahre 622 begonnen haben könnte, weil er angeblich die „Reform" für richtig hielt. Im strengen Sinne bezieht sich das „18. Jahr des Königs Josia" auf die Auffindung des Buches, nicht unbedingt auf den Bundesschluß von 2 Kön 23. In Wahrheit mag es sich also so verhalten haben, daß Jeremia Josias Maßnahmen durchaus begrüßte und darum den König auch lobte[29], aber auf zeitlich festlegbare Ereignisse nicht einging. Natürlich war ihm ein so konzentrierter Bericht, wie ihn 2 Kön 23 bietet, unbekannt. Die königlichen Maßnahmen lagen höchstwahrscheinlich zeitlich und örtlich weit auseinander.

Zwischen dem Jahre 623 (?) und dem Jahre 616 klafft in der Babylonischen Chronik eine empfindliche Lücke. Jedoch sind wir dank des von GADD herausgegebenen Teiles der Babylonischen Chronik vom Jahre 616 an sehr gut über die Ereignisse, namentlich in Mesopotamien, unterrichtet[30]. 616 schlug der Meder Kyaxares die Skythen; damit war zwar

---

[29] Jer 22,15 f.; dazu J. SCHARBERT (1981) 48.

[30] C. J. GADD, The Fall of Nineveh (1923); Übersetzungen: AOT ([2]1926) 362–365; ANET ([3]1969) 303–305; WISEMAN (1956) 54–63. Zur Sache: A. SPALINGER, Egypt and Babylonia: A Survey (c. 620–550 B.C.), in: SAK 5 (1977) 221–244; H. CAZELLES (1981) 29–32.

eine der großen Gefahren aus dem Norden gebannt, aber die Meder waren zu unmittelbaren Grenznachbarn der Assyrer geworden. Sie hatten nunmehr ihre Kräfte frei, um das assyrische Kernland direkt zu bedrohen. Bemerkenswerterweise kämpften im Bündnis mit Assyrien ägyptische Truppen, nicht aber um die Meder, sondern die Babylonier unter Nabopolassar zurückzudrängen. Das gelang nicht. Die Assyrer erlitten beständig neue Niederlagen, und die Ägypter mußten sich zurückziehen.

614 gelang den Medern unter Kyaxares die Eroberung Assurs. Nabopolassar ging ein Bündnis mit Kyaxares ein. Zwei Jahre später (612) fiel Ninive dem babylonisch-medischen Bündnis zum Opfer, nachdem sich auch die Umman-manda den Babyloniern angeschlossen hatten. Sinšar-iškun, Assyriens letzter König, kam in seinem brennenden Palast um. Das Ende des assyrischen Reiches war damit gekommen. Der Versuch des Prinzen Aššur-uballiṭ, sich in der Stadt Harran im Nordwesten Mesopotamiens festzusetzen und dort ein selbständiges assyrisches Königtum fortzusetzen (wahrscheinlich zwischen 611 und 606), scheiterte.

Welthistorisch folgenreich blieb dieser Versuch einer letzten assyrischen Machtbehauptung dennoch. Die Ägypter versuchten Aššur-uballiṭ zu stützen, offenbar um die babylonische Expansion zu behindern. Wahrscheinlich aber hatten die Ägypter bereits im Jahre 610, dem Todesjahr Psammetichs I., am Euphrat eine Niederlage gegen die Babylonier erlitten[31]. Sicher ist, daß Psammetichs Nachfolger Necho II. (610–595) erneut nach Mesopotamien aufbrach, dabei die palästinische Küstenebene durchzog, wahrscheinlich auch den seit Thutmosis III. berühmten Paß bei Megiddo (wādi ʿāra, heute als feste Straße ausgebaut) passierte und dort von König Josia gestellt wurde. Die knappe Notiz 2 Kön 23,29b läßt auf ein kurzes Gefecht schließen. Josia fand dabei den Tod. Das Auftreten der Ägypter in seinem Machtbereich empfand er als unmittelbare Bedrohung. Josia mußte ebenso das Erstarken der pharaonischen Macht wie das Aufleben eines ägyptisch-assyrischen Bündnisses fürchten, das Juda in die Zange genommen hätte. Necho wurde jedoch im Einsatz für Aššur-uballiṭ von den Babyloniern zurückgeschlagen. Sie behaupteten sich in Harran, während Aššur-uballiṭs Versuch, assyrische Macht zu restaurieren, endgültig als gescheitert betrachtet werden mußte. Sein weiteres Schicksal ist unbekannt. Doch glaubte nunmehr Necho, wenigstens einen Teil assyrischer Hoheit für

---

[31] D.J. WISEMAN (1956) 62 f. Z. 61.62; dazu vgl. E. VOGT (1956) 69; A. MALAMAT (1973) 274 f.

sich beanspruchen zu können. Er verblieb vorerst in Syrien und griff unmittelbar in die judäischen Verhältnisse ein. In Jerusalem hatte man als Nachfolger Josias dessen jüngeren Sohn Joahas eingesetzt, wahrscheinlich weil er am ehesten die Politik seines Vaters fortzusetzen versprach. Necho setzte ihn ab und ließ ihn nach Ägypten bringen. In dem Spruch Jer 22, 10–12 wird sein Schicksal beklagt. Joahas heißt dort Sallum, vielleicht einer seiner Thronnamen. Über ihn, „der fortgeht", solle man weinen, nicht über den, der tot sei (Josia). Denn Sallum werde nicht ins Land zurückkehren, sondern im fremden Land sterben. Kaum eindrucksvoller konnte mit prophetischem Wort über ihn gesprochen werden.

Anstelle des Joahas machte Necho dessen älteren Bruder Eljakim in Jerusalem zum König und änderte seinen Namen in Jojakim. Noch im Jahre 609 wird er zur Regierung gekommen sein. Denn Joahas habe nur drei Monate regiert (2 Kön 23,31). Jojakim erwies sich zunächst als treuer Vasall der Ägypter, wagte aber später unter der Vorherrschaft der Babylonier unter Nebukadnezar abtrünnig zu werden und sich selbstherrlich aufzuführen.

Die in Jer 22 gesammelten Königssprüche, die nacheinander über Joahas/Sallum, Jojakim und dessen Nachfolger Jojachin sprechen, können ein kontinuierliches Auftreten Jeremias nach dem Jahr 609 bezeugen. Zutreffende Anspielungen auf das Schicksal dieser Könige und namentlich auf das verwerfliche Tun Jojakims, der verschwenderisch, ungerecht und gottvergessen regierte, verraten die scharfe Beobachtungs- und Beurteilungsgabe des Propheten, der sich nicht scheute, diese Männer öffentlich bloßzustellen und ihnen Schlimmes anzukündigen. Gerade deshalb wäre es aber auch möglich, diese Sprüche als vaticinia ex eventu einzustufen, als Sprüche, die Jeremia zugesprochen wurden, um ihn zum klarsichtigen Kritiker seiner Zeit zu stilisieren. Mit Überarbeitung dieser Sprüche und Hinzufügungen, namentlich in den Prosastücken, kann tatsächlich gerechnet werden. Aber ihr Kern verrät prophetischen Geist, und es herrscht jene Art der Charakteristik vor, die für Jeremia kennzeichnend ist. In einer Häufung von Bildern, die nicht konventionell sind, wird das persönliche Schicksal dieser Könige beschrieben und vorausgesagt. Es fehlen freilich alle Anspielungen auf ein bestimmtes konkretes politisches Geschehen, das die Datierungen der Sprüche erleichterte und das persönliche Auftreten des Propheten zu der jeweiligen Zeit gewisser machte.

Es bleibt nach wie vor zu bedauern, daß das hochpolitische Geschehen in der Umgebung Israels nach dem Jahre 609 in Jeremias eigenen Äußerungen keine sicher aufweisbaren Spuren hinterlassen hat. Die Babylonische Chronik gibt über das weltpolitische Geschehen in dem

von WISEMAN herausgegebenen Teil über die Jahre 608–595 wichtige
Aufschlüsse, vor allem auch in chronologischen Fragen. Die dort be-
zeugten Vorgänge müssen deshalb hier ein wenig ausführlicher berücksichtigt werden, weil einige Überlieferungen im Jeremiabuch darauf
Bezug nehmen, allerdings überwiegend in den Prosastücken.

Nach der Einnahme von Harran durch die Babylonier und der Ent-
machtung des Aššur-uballiṭ, der sich, wie vermutet werden kann[32],
nach dem ägyptischen Stützpunkt Karkemisch zurückzog, wandte sich
Nabopolassar gegen eine Reihe von Völkerschaften im Norden Mesopotamiens, die er in getrennten Feldzügen 609, 608 und 607 bekämpfte.
Offensichtlich wollte er sich freie Hand für seine geplanten Unterneh-
mungen in westlicher und südlicher Richtung schaffen, in erster Linie
gegen die Ägypter im Raume Karkemisch. In der Stadt Kimuḫu am
rechten Euphratufer baute er 607 einen Stützpunkt gegen die Ägypter
auf. Diese empfanden die Bedrohung unmittelbar und belagerten die
Stadt im Sommer 606 vier Monate lang, ehe sie sie einnahmen. Der babylonische Gegenschlag erfolgte zögernd. Zwar kam es zu Kämpfen im
weiteren Umkreis von Karkemisch, die auch den Aktionsradius der
Ägypter beschränkten, aber noch setzte Nabopolassar nicht zur entscheidenden Offensive an. Er war inzwischen alt geworden und nach
ausdrücklicher Erwähnung in der Babylonischen Chronik auch krank.
Deshalb übertrug er im Frühjahr 605 den Oberbefehl über die Streit-
kräfte dem Prinzen Nebukadnezar. Dieser rückte im April des gleichen
Jahres unmittelbar gegen Karkemisch vor und schlug im Mai/Juni 605
die Ägypter vernichtend.

Die Schlacht bei Karkemisch hat auch im Buche Jeremia Erwähnung
gefunden, und zwar an eher versteckter Stelle. Zu Beginn der Fremdvölkersprüche heißt es Jer 46,2, daß Nebukadnezar den Pharao Necho am
Euphrat geschlagen habe, und zwar im 4. Jahr Jojakims. Sofern das erste
offizielle Regierungsjahr Jojakims nach dem Frühjahrskalender im
Jahre 608 begann, fällt das Datum der Schlacht bei Karkemisch im
Sommer 605 exakt in sein 4. Jahr[33]. Dieses biblische Datum stimmt
somit überein mit der Babylonischen Chronik, die aber auch die Notiz

---

[32] E. VOGT (1956) 72.

[33] Die früher zuweilen vertretene Auffassung, Jer 46,2 beziehe sich auf Ereignisse des Jahres 609, beruhte auf der Erwähnung eines Kampfes gegen Karkemisch 2 Chr. 35,20, ist aber seit der klaren Bezeugung der Ereignisse, wie sie die
Babylonische Chronik bietet, als überholt anzusehen. Die Deutung von Jer 46,2
auf das Jahr 609 ging zum Teil auf J. LEVY zurück: Forschungen zur alten Geschichte Vorderasiens (1925) 28–37; vgl. auch E. VOGT (1956) 71.

bei Josephus, Ant. X, 219–223 bestätigt, wo es heißt, daß Nebukadnezar mit der Führung des Heeres beauftragt wurde, während sein Vater krank lag und sein Sohn den Sieg über die Ägypter errang, als dieser selbst noch nicht König war. Kaum besser kann ein Ereignis so exakt durch drei sich ergänzende und unabhängige Quellen belegt werden! Jeremias Wort gegen Ägypten in 46, 3–12, das von einem eiligen Hilfezug nach Norden und von einer schweren und schändlichen ägyptischen Niederlage spricht, illustriert das gleiche Geschehen überzeugend. Die Babylonische Chronik (WISEMAN 1956, 66–69) untermauert die harten biblischen Äußerungen mit den Worten: „Den Rest des (ägyptischen) Heeres, (... das) der Niederlage entflohen war (so schnell, daß) keine Waffe sie erreichen konnte, holten die babylonischen Truppen in der Gegend von Hamath ein und schlugen sie, so daß keiner in sein Land (zurückkam). Zu dieser Zeit eroberte Nebukadnezar das ganze Land Hattu."[34]

Diese Bemerkungen geben weiteren Aufschluß. Bis tief nach Syrien waren die Ägypter verfolgt und dort vernichtet worden. Das konnte in Jerusalem nicht unbekannt bleiben. Gleichzeitig aber wurde man sich dort der drohenden babylonischen Gefahr bewußt. Die von Pharao Necho in Syrien und Palästina aufgerichtete ägyptische Ordnung zerbrach völlig. Der Weg nach Süden erschien frei für die babylonische Eroberung, und mit aller Deutlichkeit beschreibt 2 Kön 24, 7 das Endresultat: „Der König von Ägypten zog nicht mehr aus seinem Land aus, denn der König von Babel hatte vom Bachtal Ägyptens bis zum Euphrat alles an sich gerissen, was dem König von Ägypten gehört hatte." Allerdings wird sich die babylonische Operation so eilig und erfolgreich nicht entwickelt haben. Nebukadnezar blieb zunächst in Syrien und schlug sein Hauptquartier in Ribla, im nördlichen Gelände des Libanon im Großraum von Hamath auf[35]. In Syrien erreichte ihn die Nachricht vom Tode seines Vaters Nabopolassar, der am 8. Ab seines 21. Regierungsjahres verstorben war (15. August 605). Nebukadnezar eilte sofort nach Babylon und bestieg dort am 1. Elul (7. September) den Thron. Kurz darauf kehrte er nach Syrien zurück. Wir wissen, daß er in

---

[34] Dies würde freilich bedeuten, daß Nebukadnezar sich ganz Syrien und Palästina mit einem Schlag unterworfen hätte. Die Lesung von ḫa [-at] -tú ist an dieser Stelle (WISEMAN, 68 Z. 8) ungesichert. A. K. GRAYSON, Bibbia e Oriente VI (1964) 205 schlug vor: „das ganze Land Hamath"; vgl. auch A. MALAMAT (1975) 130. Allerdings kommt in den folgenden Zeilen der Ausdruck als ḫat-tú wiederholt vor und gibt keinen Anlaß zu textlichen Zweifeln.

[35] Vgl. vorige Anm.

den folgenden Jahren regelmäßig Feldzüge nach Syrien und Palästina unternahm, und zwar beginnend in seinem 1. bis in das 11. Regierungs- jahr (mit Ausnahme des 5. und 9. Jahres). Nach Ausweis der Babyloni- schen Chronik (WISEMAN, 68 f.) kamen 604 „alle Könige von Hatti vor ihn und zahlten schweren Tribut". Doch sogleich die nächste Zeile der Chronik berichtet vom Angriff auf Askalon, was darauf schließen läßt, daß die Besetzung der südlichen Küstenebene und wohl auch Judas zu- nächst nicht erfolgte. Askalon wurde zerstört, sein König gefangen. Wohl bis Februar 603 blieb Nebukadnezar in Syrien-Palästina. Mög- licherweise wandte er sich in dieser Zeit auch gegen Jerusalem und ver- langte die Unterwerfung Jojakims. 2 Kön 24,1 berichtet, daß Jojakim ihm drei Jahre untertan wurde. Eindeutig datierbar sind diese Vorgänge nicht. Es spricht einiges dafür, daß sich Jojakim nach dem babyloni- schen Sieg über Askalon tatsächlich beugte; doch drei Jahre später wagte er den Abfall, nachdem Nebukadnezar zu Anfang des Jahres 600 in Ägypten eine schwere Niederlage erlitten hatte. Allein die Babyloni- sche Chronik (WISEMAN, 70 f.) berichtet über diese Ägypten-Unterneh- mung, die den Babyloniern ungewöhnliche Verluste brachte. Zwei Jahre brauchte Nebukadnezar, um seine Truppen neu zu organisieren und auszurüsten.

Daß in dieser Zeit der babylonischen Schwäche Jojakim allen Anlaß hatte zu frohlocken, erscheint verständlich. Wenn er also im Frühjahr 603 in die babylonische Vasallität eintrat und sie nach drei Jahren wieder abzuschütteln versuchte, fiele das in das Frühjahr 600, also exakt in die Zeit der babylonischen Niederlage in Ägypten. Nebukadnezar war im November/Dezember 601 nach Ägypten aufgebrochen und wurde im Januar/Februar 600 geschlagen. 601/600 war Jojakims 8. Regierungs- jahr. Genau in dieses Jahr fiel nach der Lesart der LXX das in Jer 36,9–31 geschilderte Ereignis von der Verbrennung der Buchrolle Jeremias im königlichen Palast, als Jojakim im 9. Monat des Jahres in seinem Winter- haus saß. Die Parallelität der Vorgänge ist auffallend. Aber vorauszu- setzen ist dabei, daß Jer 36,9 nicht das fünfte, sondern mit LXX das achte Regierungsjahr zu lesen ist. Jojakims fünftes Jahr, nämlich 604/03, erscheint am wenigsten passend, denn gerade in diesem Jahr wurde As- kalon eingenommen und war somit die unmittelbare Bedrohung Judas am größten. So dürfte in der Tat das 8. Jahr das wahrscheinlichste sein, in dem Jojakim glaubte, sich in frivoler Weise über das prophetische Wort Jeremias hinwegsetzen zu können.

Das 5. Regierungsjahr Nebukadnezars (600–599) sah den König in Babylon zur Wiederaufrüstung seines Heeres. Aber von Dezember 599 bis März 598 weilte er wieder in Ḫatti. Von dort aus sandte er Expeditionskorps in die Randgebiete der arabischen Wüste ostwärts von Syrien und Palästina. In den Fremdvölkersprüchen des Jeremiabuches werden Jer 49,28–33 Kedar und die „Reiche Hazors" erwähnt, die Nebukadnezar geschlagen habe. Kedar gehört tatsächlich in den Bereich der nordwestlichen arabischen Wüste (vgl. auch Jes 42,11); dagegen meint Hazor schwerlich die alte Festung in Galiläa, sondern bezieht sich auf halbnomadische Zeltdörfer *(ḥaṣērīm)* in diesem Raum[36]. Nebukadnezar versuchte offenbar die Ostflanke der syrisch-palästinischen Landbrücke zu sichern. In diesem Zusammenhang scheint 2 Kön 24,2 verständlich zu werden, wonach zur Zeit Jojakims Streifscharen unterwegs waren, die sich aus Chaldäern, Aramäern, Moabitern und Ammonitern zusammensetzten. Sie verwüsteten Juda. Sei es auf eigene Initiative oder unter dem Druck der Babylonier versuchten diese Völkerschaften Juda zu bedrängen und zu berauben. Nicht auszuschließen ist freilich, daß Nebukadnezar dort aufkeimenden Widerstand an der Wurzel bekämpfen wollte.

Das Jahr 598 wurde Jojakims Todesjahr. Der aufsässige König hatte wohl von neuem die Aufmerksamkeit auf sich gezogen, und Nebukadnezar mochte daran interessiert sein, diesen Unruheherd endlich zu beseitigen. In seinem 7. Jahr (598/97) im Monat Kislev (Dezember/Januar) brach er nach Ḫatti auf und scheint kein anderes Ziel gehabt zu haben, als Jerusalem zu belagern. Er nahm die Stadt am zweiten Tage des Monats Adar ein (16. März 597), nahm König Jojachin, Jojakims Nachfolger, gefangen und setzte einen König „nach seinem Herzen" ein (Matthanja, Jojachins Onkel, umbenannt in Zedekia, 2 Kön 24,17)[37]. Damit war Jerusalem mit Juda endgültig in babylonischen Händen. Nunmehr erfolgte die erste Deportation nach Babylonien.

Aus dem Jeremiabuch erfahren wir über diese Vorgänge von 597 nichts. Aber auch für die Zeit danach gibt es so gut wie keinen sicher datierbaren Spruch, sondern nur die Jeremiaerzählungen, die in Prosa abgefaßt sind. Sie enthalten Jeremiaworte, die aber ganz und gar dem Stil der Erzählungen angepaßt sind und keinen Rückschluß auf einen originalen Wortlaut zulassen. Es besteht Anlaß zu der Annahme, daß die in Kap. 1 – 25 aufbewahrten, hauptsächlich poetischen Überlieferungen echtes Prophetenwort enthalten, während innerhalb der Kapitelfolge

---

[36] Die babylonischen Angriffe auf die „Araber" in den „Wüsten" bei WISEMAN (1956) 70f. Zu den „Zeltdörfern" vgl. W. RUDOLPH, Komm. (³1968) 294f.

[37] Die Bewerkstelligung dieses Thronwechsels in seinem Sinn scheint für Nebukadnezar die eigentliche Absicht des Feldzuges gewesen zu sein. Vgl. auch M. NOTH (1958) 133–157 = ABLAK 1 (1971) 111–132.

26 – 45, von Kap. 30 und 31 einmal abgesehen, allein Erzählungen über
den Propheten vorliegen. Sie bezeugen zwar Jeremias öffentliches Auftreten und Wirken nach 597, etwa in der Begegnung mit dem Propheten
Chananja (Jer 28) oder beim Ackerkauf in Anatot (Jer 32) und späterhin
in der Auseinandersetzung mit dem König Zedekia. Aber alle diese Ereignisse finden außerhalb der Prosaüberlieferungen in selbständigen
Sprüchen Jeremias keinen spürbaren Widerhall.

Möglicherweise bildet im Rahmen der Fremdvölkersprüche ein
Spruch gegen Elam (Jer 49, 34–39) eine Ausnahme. Er wird laut 49, 34 in
die Anfangszeit des Königs Zedekia datiert. Das würde zu der Nachricht der Babylonischen Chronik (WISEMAN, 72 f., Z. 16–20) passen, die
für das 9. Jahr Nebukadnezars (596/95) von einem Marsch des Königs
gegen Elam berichtet. Allerdings ist die Lesung des Namens „Elam" an
den betreffenden Stellen nicht voll gesichert. Wie es sich auch mit den
Einzelheiten verhalten mag, die relativ exakte Datierung eines Elam-
spruches in die Anfangszeit Zedekias kann in Verbindung mit der annähernd zutreffenden Angabe der Babylonischen Chronik nicht als glatte
Erfindung abgetan werden.

Die für die Zeit nach 597 in den Prosastücken geschilderten Konflikte
Jeremias mit seinen Zeitgenossen sind glaubwürdig und entsprechen
einer Stimmung, die nach dem gewaltigen ersten Eingriff der Babylonier in das Geschick von Stadt und Land nicht anders zu erwarten war:
Bedrückung, Unsicherheit, aber auch vage Hoffnungen auf Verände-
rung, verbunden mit so mancher Spekulation. Die Stunde der falschen
Propheten zieht herauf, die das Ohr des Volkes für eine angeblich bevor-
stehende rasche Wende angesichts der Schwächung des Gegners finden.
Jeremias Auftreten gegen solche falschen Erwartungen wird in der Regierungszeit Zedekias verständlich, um dem durch nichts begründeten
Optimismus zu wehren. Jeremia bleibt sich seiner Sache absolut sicher
und gerät auch nicht durch die scheinbar verblüffenden Überzeugungs-
versuche des aus Gibeon stammenden „Propheten" Chananja ins Wan-
ken (Jer 28). Zedekia habe zu dieser Zeit auch Botschafter aus den Nach-
barstaaten in Jerusalem empfangen[38], möglicherweise zu Verhand-

---

[38] Die chronologischen Angaben in Jer 27, 1 bereiten Schwierigkeiten. Der
Vers fehlt in LXX. Die Datierung auf den Anfang der Regierungszeit Jojakims
streitet mit der Nennung Zedekias v. 3 und 12. Es erscheint deshalb angemessen,
im engeren Anschluß an 28, 1 auch in 27, 1 „Zedekia" anstelle Jojakims zu lesen,
vielleicht sogar „im 4. Jahr Zedekias", weil 28, 1 von „demselben Jahr" spricht.
Vgl. die Kommentare, namentlich RUDOLPH (1968) 174, 176 und neuerdings
CARROLL (1986) 526. Ausführlich zur Datierung auch MALAMAT (1975) 135 f.
mit Anm. 28.

lungen über ein antibabylonisches Bündnis. Gegen sie trat Jeremia als Jochträger auf, um ihnen deutlich zu machen, daß sie ihre Hälse in das Joch des Königs zu Babel stecken sollten. Dies gelte neben Juda für die Könige von Edom, Moab und Ammon sowie den König von Tyrus und Sidon. Ob es nun tatsächlich zu einem Komplott dieser Staaten gegen die Babylonier kam, entzieht sich unserer Kenntnis. Doch verdient eine Nachricht aus den letzten uns erhaltenen Zeilen der Babylonischen Chronik vor Einsetzen der großen Lücke vom Jahre 593 an Beachtung. Im 10. Jahre Nebukadnezars (595/94), und zwar zwischen Dezember und Januar, brach in Akkad ein Aufstand aus, den der König mit harter Hand niederwerfen mußte. Der Zeitpunkt fällt in das Ende des 3. Jahres Zedekias. Die Nachricht darüber mag in Jerusalem etwa zu Beginn des 4. Jahres Zedekias (Frühjahr 594) eingetroffen sein. Dieses 4. Jahr Zedekias ist Jer 28,1 als das Jahr genannt, in dem Chananja gegen Jeremia auftrat. Aller Wahrscheinlichkeit nach war es das gleiche Jahr, in dem auch die oben erwähnten Gesandtschaften der Nachbarvölker in Jerusalem erschienen[39]. Es ist deshalb nicht abwegig, einen Zusammenhang zwischen der Erhebung in Babylon und dem Versuch einer antiassyrischen Koalition im syrischen Raum einschließlich der südpalästinischen Staatenwelt anzunehmen. Dazu paßt aber auch, wovon die Kapitel Jer 28 und 29 sprechen. Chananja verbreitet in Jerusalem falsche Hoffnungen, Jeremia schreibt den Brief an die Exulanten, um dort aufkeimende Hoffnungen zu dämpfen und die törichten Reden der in Babylonien laut werdenden Propheten Ahab, Sohn des Kolaja, Zedekia, Sohn Maasejas und Schemaja von Nehelam zu bekämpfen (Jer 29,20–32). Diese Koinzidenz der Ereignisse ist sicher nicht zufällig; in diesem Fall vermag die Babylonische Chronik Hintergründe aufzuhellen, die mit der Entwicklung im neubabylonischen Reich zusammenhängen, über die aber begreiflicherweise das Alte Testament nichts weiß.

Die Babylonische Chronik berichtet nun weiter, daß kurz nach der Niederwerfung des Aufstandes in Akkad Nebukadnezar unverzüglich nach Ḫatti (= Syrien) zog, wo er den schweren Tribut der dortigen Fürsten und Beamten entgegennahm. Möglicherweise hatte der König von den feindseligen Bestrebungen gegen ihn erfahren und versicherte sich nun von neuem der Treue derer, die einen Komplott versucht hatten.

---

[39] Vgl. MALAMAT a. a. O. 135 f., der Zedekias 4. Königsjahr zwischen Tischri 594 und Tischri 593 ansetzt, weil er für die Regierungsjahre der judäischen Könige am Herbstkalender festhält (im Gegensatz zum babylonischen Frühjahrskalender, der für die Zählung der Regierungsjahre Nebukadnezars maßgebend ist). Nach MALAMAT begann das erste offizielle Regierungsjahr Zedekias nicht im Frühjahr, sondern im Herbst 597.

Nicht erkennbar ist, ob auch Zedekia unter ihnen war. Jedoch weiß Jer 51,59 von einem Zug Zedekias nach Babel im selben 4. Jahr seiner Regierung, das mit dem 11. Jahr Nebukadnezars identisch ist. Es hat alle Wahrscheinlichkeit für sich, daß Nebukadnezar, weil er in seinem 10. Jahr nicht mehr nach Jerusalem gelangte, die Nachzahlung des Tributs und seine Überbringung durch Zedekia selbst erwartete. Erst im Monat Kislev dieses 11. Jahres (Dez. 594 bis Jan. 593) brach Nebukadnezar wieder nach Ḫatti auf. Das ist die letzte uns aus dieser Zeit überkommene Nachricht der Babylonischen Chronik. Einzelheiten dieser Operation bleiben unbekannt.

Daß uns über die weitere Entwicklung in Jerusalem und Juda ebenso wie über Vorgänge im welthistorischen Rahmen für die folgenden Jahre zuverlässige Quellen fehlen, ist um so bedauerlicher, weil uns darum jeder Einblick in die Vorgeschichte des Abfalls Zedekias von den Babyloniern verwehrt ist. Der allgemeinen Orientierung halber sei erwähnt, daß Ezechiels Berufung im Exil auf Grund des Datums in Ez 1,1 f. auf den 31. Juli 593 errechnet worden ist[40], aber die vorstellbaren politischen Hintergründe, die zu dieser Berufung führten, nicht zu eruieren sind. Ein anderes, in diese Jahre fallendes, aber nicht sicher datierbares Ereignis ist der Feldzug des ägyptischen Königs Psammetich II. (595–589) an die palästinisch-phönikische Küste in seinem 4. Regierungsjahr (vermutlich zwischen 18. Jan. 592 und 17. Jan. 591)[41]. Die Bedeutung dieses Feldzuges, der immerhin an die babylonische Machtsphäre rührte, sollte nicht hoch veranschlagt werden. Die Annahme, daß der ägyptische König gleichsam im Vorfeld seiner Machtsphäre das babylonische Vorgehen erschweren wollte und darum auch Bündnisse mit den Kleinstaaten auf der palästinisch-syrischen Landbrücke suchte, bleibt rein hypothetisch[42]. Tatsächlich scheint sich Nebukadnezar nach den

[40] W. Zimmerli, Ezechiel, in: BK XIII/1 (²1979) 15*; Malamat a. a. O. 137 weist mit Nachdruck auf die Nähe der Daten von Ezechiels Berufung und Jer 28,1 hin und versucht Zusammenhänge aufzuzeigen, die dadurch veranlaßt wurden, daß die Propheten Jeremia und Ezechiel, jeder auf seine Weise, falsche Hoffnungen und Erwartungen zu dieser Zeit niederkämpfen mußten. Zu den Daten des Ezechielbuches mit verschiedenen Argumenten vgl. B. Lang, Ezechiel. Der Prophet und das Buch, in: EdF 153 (1981) und E. Kutsch, Die chronologischen Daten des Ezechielbuches, in: OBO 62 (1985).

[41] Zu dieser Unternehmung Psammetichs II. mit Hinweisen auf weitere Literatur Malamat a. a. O. 141 und Anm. 40.

[42] Recht unwahrscheinlich ist die zuweilen vertretene Auffassung, der Zug Psammetichs II. nach Syrien und Palästina habe friedlichen Charakter gehabt, "a sort of tour of pilgrimage to holy sites in the land of Kharu (Palästina und

schlechten Erfahrungen des Jahres 601 zu einem neuen Angriff auf Ägypten nie wieder herausgefordert gefühlt zu haben. Darüber einige Sicherheit zu gewinnen fehlen uns die wertvollen Nachrichten der Babylonischen Chronik für diese Jahre. Ägyptische Quellen geben darüber keinen Aufschluß.

Die letzte Phase des judäischen Staatswesens ist nicht in allen Einzelheiten aufhellbar. In seinem 9. Regierungsjahr (589/88 v. Chr.) muß es spätestens gewesen sein, daß Zedekia den Babyloniern die Treue aufkündigte, Nebukadnezar vor Jerusalem erschien und die Belagerung aufnahm (2 Kön 25, 1). Was Zedekia zu seinem Schritt veranlaßte, mögen Unruhen in der Nachbarschaft gewesen sein. Wir wissen davon aus Tyrus und Sidon. Vor allem aber war es die Hoffnung auf Unterstützung von außen, namentlich von ägyptischer Seite. Was Jer 37, 5 über das Heranrücken eines ägyptischen Truppenkontingentes weiß, fällt wahrscheinlich in das Jahr 588 und damit schon in die Zeit des ägyptischen Königs Apries (589–570), der als „Hophra" Jer 44, 30 erwähnt ist. Sein Einsatz hätte einen zeitweisen Rückzug der Babylonier von Jerusalem und eine Unterbrechung der Belagerung bewirken können.

Wahrscheinlich aus dem gleichen Jahr 588 erfahren wir mehr und Zuverlässigeres über die bedrohliche Lage, in die Juda gekommen war, aus den bekannten Ostraka oder „Briefen" aus der im westlichen Juda gelegenen Grenzfestung Lachisch, die auf dem heutigen *tell ed-duwēr* teilweise ausgegraben wurde. In einer Toranlage fanden sich beschriftete Krugscherben[43]. Was darauf festgehalten ist, enthält fragmentarische, aber auch fast vollständige Mitteilungen aus der Endphase des Kampfes um Juda gegen die Babylonier. Es sind nach weithin angenommener Deutung Nachrichten von Außenposten um Lachisch, die den Festungskommandanten über das Vorgehen der babylonischen Truppen unterrichten sollten. Die Einzelheiten sind in neuerer Zeit verschieden

Phönikien)"; MALAMAT a. a. O. 142 mit den dort Anm. 41 genannten Gewährsleuten. Der Pharao als Pilger, auch wenn er in ein Land zog, das unter dem Einfluß einer fremden Großmacht stand, ist eine kaum wahrscheinliche Vorstellung; sie beruht auf Fehldeutung eines ägyptischen Textes; dazu W. HELCK, Geschichte des alten Ägypten, in: HdO I, 1. 3. (1968) 254; den politischen Charakter des Zuges hebt auch H. CAZELLES hervor: BEThL 54 (1981) 37.

[43] H. TORCZYNER, Lachish I: The Lachish Letters (1938); einige ausgewählte Texte mit Kommentar: KAI Nr. 192–199; Übersetzungen in Auswahl: ANET 321 f.; TGI (³1979) 75–78 (dort auch das im folgenden behandelte Ostrakon Nr. 6). Instruktive Einführungen geben K. ELLIGER, Die Ostraka von Lachis, in: PJ 34 (1938) 30–58 und neuerdings K. A. D. SMELIK, Historische Dokumente aus dem alten Israel, in: KVR 1528 (1987) 108–121.

gedeutet worden[44]. Soviel ist sicher, daß neben den Nachrichten zu militärischen Ereignissen auch Bemerkungen zur Lage im Lande und
nicht zuletzt in Jerusalem gemacht werden. Letzteres ist für die Jeremia-
Forschung von Belang.

Auf Ostrakon Nr. 6 dankt der Absender seinem Herrn Jaosch in Lachisch dafür, daß er Mitteilungen des Königs und seiner obersten Beamten habe einsehen dürfen. Aber diese Mitteilungen seien nicht gut,
sondern geeignet, das Durchhaltevermögen der Widerstandskämpfer in
der Stadt und draußen im Lande zu schwächen. Jaosch möge deswegen
warnende Worte nach Jerusalem schicken. Der entscheidende Passus
lautet: „Aber siehe, die Worte der Beamten sind nicht gut, weil sie die
Hände schlaff machen, weil sie die Hände des Landes und der Stadt
sinken lassen." Fast die gleichen Worte mit Bezug auf Jeremia liest man
Jer 38, 4, nachdem der Prophet von der unausweichlichen Übergabe der
Stadt an die Babylonier gesprochen hatte: „Da sagten die Beamten dem
König: Bringe doch diesen Mann (nämlich Jeremia) um, weil er die
Hände der Kriegsmänner schlaff macht, die in dieser Stadt noch übrig
sind, und die Hände des ganzen Volkes, indem er zu ihnen solche Worte
redet." Daß es also in Jerusalem Männer gab, die nach Auffassung der
obersten Regierungsbeamten die Widerstandskraft des Landes lähm-
ten, beeinträchtigte in den Tagen der babylonischen Belagerung die
Stimmung in der Hauptstadt, und eben dies geht aus dem Lachisch-
Ostrakon ebenso wie aus Jer 38 gleichlautend hervor. Es liegt hier einer
der seltenen Fälle vor, wo biblischer Sprachgebrauch durch aufgefundene gleichzeitige Dokumente bestätigt wird. Wir gewinnen Einblicke
in die Sprache der Zeit und ihre Begriffswelt. Für Jeremia allerdings
wurden seine Worte zum Verhängnis. Sie führten zu seiner Verhaftung.
Er wurde in eine schlammige Zisterne hinabgelassen.

Eine Bestätigung erfährt aus den Lachisch-Briefen auch, was der
biblische Bericht nur vermuten läßt. Zedekia setzte seine Hoffnungen
tatsächlich auf ägyptische Hilfe. Man hatte in Jerusalem erkannt, daß
Widerstand aus eigener Kraft nicht ausreichen würde. Aus dem La-
chisch-Ostrakon 3, 13 ff. erfahren wir, daß einer der Offiziere aus dem
judäischen Heerbann (hebr. *sar haṣṣābā'*) namens Kebarjahu nach
Ägypten geschickt wurde. Über seinen Auftrag erfahren wir zwar
nichts Näheres; aber es liegt auf der Hand, daß es sich um Entsatz für
das schwer bedrängte Jerusalem gehandelt haben wird. Nicht voll-

---

[44] Y. YADIN, The Lachish Letters – Originals or Copies and Drafts?, in:
H. SHANKS/B. MAZAR, Recent Archaeology in the Land of Israel (1981; engl.
Ausgabe 1984) 179–186.

kommen auszuschließen ist, daß sich Jer 37,5 exakt auf die Mission des Kebarjahu bezieht und ein ägyptisches Entsatzheer, unbekannt welcher Größe, die Babylonier tatsächlich von der Belagerung Jerusalems zeitweise abhielt.

Höchstwahrscheinlich im Sommer des Jahres 587[45] gelang den Babyloniern der Einbruch in die Stadt Jerusalem und ihre Einnahme. Erst rund einen Monat später wurden Tempel und königlicher Palast zerstört (2 Kön 25,8). Die militärischen Einzelheiten dieser Vorgänge, das Ausmaß der Zerstörung der Stadt und die Deportation der Bevölkerung interessieren hier nicht. Es geht um Jeremia und sein Schicksal während und nach der Eroberung der Stadt. Die Abläufe sind in geschlossener und relativ abgerundeter Darstellung in dem längeren Prosabericht festgehalten, der in Jer 37 – 44 einen Teil der sog. ›Baruch-Biographie‹ bildet. Geschildert werden die Vorgänge, die mit der Freilassung Jeremias nach Eroberung der Stadt beginnen, die von den Babyloniern vorgenommene Einsetzung des Gedalja als „Statthalter" in Mizpa und die Folgen seiner Ermordung erzählen, die schließlich auch Jeremia und Baruch in den Strudel der Ereignisse hineinzogen. Keine andere Quelle vermag diese Ereignisse zu bestätigen oder zu ergänzen. Sie laufen zu auf die Verschleppung Jeremias nach Ägypten, der auch die dort ansässig gewordenen Judäer warnen muß. Ihnen und den Ägyptern samt dem König Hophra sagt Jeremia in eindeutiger Form Unheil voraus.

Jer 37 – 44 ist ein höchst eigenartiger Bericht, in dem eine Reihe von Vorgängen unmittelbar nach dem Untergang Judas mit dem Schicksal Jeremias verquickt ist. Es besteht kaum ein Zweifel, daß die geschilderten Ereignisse im wesentlichen tatsächlich so aufeinander folgten. Aufgezeichnet und komponiert sind sie aber letztlich wohl nur, um Jeremias Schicksal darzustellen und zu begründen, daß er nicht nach Babel weggeführt wurde, sondern in guter Zuversicht in Juda verblieb. Er nahm sich bewußt der zurückgebliebenen Judäer an oder erblickte darin seine neue, ihm zugewachsene Aufgabe. Letztlich aber behielt Jeremia auch über die Katastrophe hinaus recht und zeigte einmal mehr, daß er ein wahrer Prophet war. Auf diese Weise ist aus Kreisen um den Propheten ein Überlieferungszusammenhang erhalten geblieben, der nicht in Verbindung mit der babylonischen Exulantenschaft entstand, sondern nach Süden wies und sich um das Ergehen der ägyptischen Dia-

---

[45] Über das Jahr der Eroberung Jerusalems 587 oder 586 v. Chr. vgl. aus jüngerer Zeit die Auffassungen von E. KUTSCH, A. MALAMAT und H. CAZELLES; knappe Zusammenfassung der Argumente: S. HERRMANN, Jeremia, in: BK XII/1. Lfg. (1986) 27–33.

spora und ihre möglichen umfangreicheren ersten Phasen ihrer Entstehung rankte. In Begleitung Jeremias wurde auch sein Vertrauter Baruch
ben-Neria nach Ägypten mitgenommen, der tatsächlich an der Entstehung des ganzen Berichts beteiligt gedacht werden kann.

Im einzelnen wird berichtet (Jer 39, 11 ff.), daß der Prophet auf Wei-
sung Nebukadnezars aus dem Vorhof jenes Gefängnisses befreit wurde,
in dem er seit den Tagen Zedekias festgehalten wurde (Jer 38, 13) und wo
er das Ende Judas und Jerusalems überlebte (Jer 38, 28). Er wird dem
persönlichen Schutz des Statthalters anbefohlen. Der babylonische Beamte Nebusaradan hatte ihn in Rama aus einer Gruppe von Judäern, die
für den Abzug nach Babylonien bestimmt waren, herausgerufen und
ihm freigestellt, in Juda zu bleiben oder nach Babylonien mitzuziehen.
Er entschloß sich, in die unmittelbare Nähe Gedaljas nach Mizpa zu
gehen und dort inmitten zahlreicher Judäer sich niederzulassen. Der
Mord an Gedalja durch den babylon-feindlichen Ismael, der möglicherweise mit ammonitischer Unterstützung eine gegen die Babylonier gerichtete Bewegung aufzubauen versuchte oder dazu von den Ammonitern sogar aufgestachelt wurde, änderte die Lage. Der Sieg des Johanan
ben Kareah über Ismael bei Gibeon, den er mit Hilfe der zu ihm überge-
laufenen Judäer aus der Umgebung des Gedalja errang und den
Rückzug Ismaels in ammonitisches Gebiet erzwang, ließ schließlich die
Gruppe um Johanan, zu der nun auch Jeremia gehört haben muß, nachdem er Mizpa verließ, den Entschluß zur Auswanderung nach Ägypten
fassen. Sie fürchteten die Rache der Babylonier, nachdem Gedalja in
ihrem Gebiet umgebracht worden war. Alle Versuche Jeremias, ihnen
die Angst vor den Babyloniern zu nehmen, schlugen fehl. Er und
Baruch wurden von der ganzen Gruppe um Johanan ben Kareah nach
Ägypten mitgenommen. Als erste Station dieser Auswanderer wird
Tachpanches im Nordosten des Nildeltas genannt (Jer 43, 7); als weitere
Orte, in denen Leute aus Juda wohnten, werden neben Tachpanches die
Städte Migdol, Noph und das Land Patros erwähnt (Jer 44, 1)[46]. Dort
nun soll Jeremia die Bedrohung Ägyptens durch Nebukadnezar und

[46] Das „Land Patros" ist mit Oberägypten zu identifizieren. Die übrigen
Orte gehören nach Unterägypten. Noph ist die biblische Bezeichnung für die
alte unterägyptische Hauptstadt Memphis, Migdol die schon aus ägyptischen
Quellen des 2. Jahrtausends v. Chr. bekannte Grenzfeste südlich des späteren Pe-
lusium und östlich von Tachpanches, gleichfalls eine Grenzfestung im östlichen
Deltabereich. Daß ein Großteil der aus Juda gekommenen Leute sich sogleich an
den Grenzen des östlichen Delta festsetzte, ist durchaus glaubhaft. Zu Tachpanches vgl. A. ALT, Taphnaein und Taphnas, in: ZDPV 66 (1943) 64–68; W. F.
ALBRIGHT in Festschr. A. BERTHOLET (1950) 13 f.

die Vernichtung der dem Fremdgötterkult verfallenen Judäer vorausgesagt haben, ein Faktum, das sich so nicht ereignete, das aber zur deuteronomistischen Vorstellungs- und Gedankenwelt paßt.

Es stellt sich nämlich die Frage, die hier nur angedeutet sei, in welchem Ausmaß die Redeabschnitte, die in diesen Prosabericht Jer 36 – 45
eingearbeitet sind, auf Jeremias eigenen Worten basieren oder nicht vielmehr nachträgliche Komposition sind, die maßgebend von deuteronomistischer Theologie und Diktion beeinflußt ist. Wir besitzen keinen
Spruch des Propheten, der etwa auch als poetische Einheit komponiert
wäre und der uns berechtigte, ihn in eine Phase Jeremias nach 587 zu
versetzen. Infolgedessen wissen wir auch nicht mit Sicherheit, wie lange
Jeremia tatsächlich aktiv als Prophet auftrat. Doch kann nicht von vornherein ausgeschlossen werden, daß dies sehr lange der Fall war. Aber an
Hand von Sprüchen, die auf ihn selbst zurückgehen könnten, läßt es
sich nicht nachweisen.

3. Die Wirksamkeit

Die Wirksamkeit Jeremias ist im vorstehenden Abschnitt bereits
soweit in die zeitgeschichtlichen Zusammenhänge eingepaßt worden,
als sie sich mit einiger Sicherheit aus den Texten des Jeremiabuches unmittelbar ablesen läßt. Auffällig ist dabei, daß Daten und biographische
Umstände nur in den Prosatexten festgehalten sind und der Versuch unternommen werden muß, poetische Einheiten und undatierte Sprüche
zu den datierten Passagen in eine möglichst überzeugende Beziehung
zu setzen. Dabei sind formale und inhaltliche Kriterien gleichermaßen
zu berücksichtigen. Denn die Form eines Spruches und seine Sprache
allein reichen nicht aus zu sicherer Datierung und zur Feststellung der
Authentizität der Rede des Propheten. Formale und inhaltliche Gesichtspunkte sollten idealerweise einander entsprechen, um eine zutreffende Interpretation zu ermöglichen. Darin liegt die ausgesprochene
Schwierigkeit der Jeremiaforschung, daß sie keine unbezweifelbar
festen Kriterien zur Verfügung hat, um Sprüche zeitlich zu fixieren und
bestimmten Situationen zuzuweisen. Soweit es sich um Bezugnahmen
auf bestimmte Personen und nähere Umstände ihres Auftretens handelt, wie etwa bei den Königen, läßt sich eine historisch haltbare Interpretation ermöglichen. Weil aber solche Bezugnahmen so gut wie ausschließlich Bestandteile von Prosaberichten sind und einen von der
mutmaßlichen Botschaft Jeremias abweichenden Stil erkennen lassen,
ist die Möglichkeit von Nachinterpretationen durch fremde Berichter-
statter nie auszuschließen. Doch können auch diese Berichte und Nach-

richten auf authentischem Material beruhen, das verarbeitet wurde und dessen Aussagekraft nicht prinzipiell in Zweifel gezogen werden muß. Die Problematik wird handgreiflich bei der Feststellung des Berufungsdatums. Nichts spricht grundsätzlich gegen das in Jer 1,2 mitgeteilte 13. Jahr des Königs Josia, also 627/26 v. Chr.[47]. Unabhängig davon sind, mehr oder minder unter Berücksichtigung exegetischer Überlegungen oder Mutmaßungen, an Hand des Jeremiabuches als mögliche andere Berufungsdaten die Jahre 617/16[48], 615[49], 614–612[50], 609[51] und 605[52] reklamiert und zu begründen versucht worden. Das System, nach dem dies erfolgte, ist in Anbetracht des jeweiligen historischen Hintergrundes schnell durchschaubar. Es werden herausragende Daten der judäischen Geschichte und der mit ihnen verbundenen Ereignisse im Zusammenhang der altorientalischen Geschichte vorausgesetzt und namhaft gemacht, die angeblich dazu beitrugen, Berufung und Auftreten des Propheten zu veranlassen. Daß auch unabhängig von politischen und militärischen Anlässen spektakulärer Art, soweit wir überhaupt davon wissen, ein Prophet beauftragt werden kann, bleibt bei solchen Überlegungen in der Regel außer Betracht.

Das bezeugte Jahr 627/26 ist nur annähernd mit einem außenpolitischen Anlaß in Verbindung zu bringen. Die Berufung Jeremias könnte auf dem Hintergrund des Machtwechsels in Assyrien nach dem Tode Assurbanipals erfolgt sein, der freilich nicht sicher zu datieren ist, aber spätestens 627 erfolgt war. Die Auseinandersetzungen seiner Nachfolger trugen dazu bei, das Gefüge des assyrischen Großreiches zu erschüttern. Die als „Josianische Reform" bekannten Maßnahmen des Königs Josia in seinem 18. Regierungsjahr, also 622, ließen sich noch am ehesten auf dem größeren historischen Hintergrund wachsender Labilität der assyrischen Administration erklären. Doch ist gerade dieses Jahr als Berufungsjahr Jeremias nicht bezeugt und auch von den Exegeten nicht in Anspruch genommen worden, eher im Gegenteil, als Jahr des vorläufigen Endes seines öffentlichen Auftretens.

Das Jahr 616 ist als das 23. Jahr Josias anzusprechen. Auf Grund eines Textfehlers[53] sei in Jer 1,2 anstelle des 13. das 23. Jahr zu lesen. Die Ver-

---

[47] Vgl. die ausführliche Diskussion anderer Lösungsvorschläge bei W. THIEL (1973) 57–61 und das Referat von S. HERRMANN (1986) 19–23.

[48] T. C. GORDON (1932/33); H. BARDTKE (1935).

[49] W. HOLLADAY (1986).

[50] J. P. HYATT (1940; 1942).

[51] F. HORST (1923); C. LEVIN (1981).

[52] C. F. WHITLEY (1964; 1968).

[53] Siehe o. S. 5.

mutung entbehrt jeder überzeugenden Grundlage. Die Jahre 616 und
615 erinnern allenfalls an den Sieg des Meders Kyaxares über die
Skythen, der nunmehr die Assyrer unmittelbar bedrohte. Mit ihnen
hatten sich die Ägypter gegen die Babylonier unter Nabopolassar verbunden, blieben aber erfolglos. Die Ägypter zogen sich zurück. Daß
dieser Ereigniszusammenhang Anlaß zum Auftreten Jeremias gab, ist
wenig wahrscheinlich. Die eigenwillige Argumentation von HOLLADAY
(1981; 1986), der 615 Jeremias Berufung ansetzt, beruht auf der Annahme, daß in diesem Jahre zum ersten Mal nach 622 die vom Deuteronomium nach jeweils sieben Jahren verlangte Wiederholung der Geset-
zeslesung stattfand. Entbehrt schon diese Theorie jeder exegetischen
und historischen Grundlage, so ist auch nicht zu erkennen, welchen
Einfluß diese Gewohnheit auf Jeremias Berufung hätte haben können.

Die Einordnung dieser Berufung in die Jahre 614–612 könnte zum
Niedergang des Assyrerreiches in Beziehung gesetzt werden, der mit
dem Tode des Königs Sin-šar-iškun und der Zerstörung Ninives 612 be-
siegelt war. Aber nicht ein einziger Hinweis im Text des Jeremiabuches
liefert dazu einen Anhaltspunkt.

Noch am ehesten könnte der plötzliche Tod Josias im Sommer 609
Jeremias Hervortreten veranlaßt haben. Die dadurch ausgelösten und
vorauszusehenden Verwirrungen innen- und außenpolitischer Art
könnten in der Tat prophetischen Ruf rechtfertigen. Dieser ließe sich
allerdings besser verstehen, wenn Jeremia eine ausgesprochen starke
Persönlichkeit gewesen wäre, die aus einer überraschenden Niederlage
augenblicklich weitreichende Konsequenzen zu erahnen in der Lage
war. Aber Jeremia war keine solche Persönlichkeit, nimmt man sein
Zögern bei der Berufung (Jer 1,6f.) und seine bedingungslose Leidens-
bereitschaft ernst, die möglicherweise in den sogenannten ›Konfessionen‹, sicherer noch in der Endphase des Kampfes gegen die Babylonier (Jer 37 – 39) und danach ihren Ausdruck fand.

Das Jahr 605 bietet sich als Berufungsjahr an, weil die Entscheidungs-
schlacht bei Karkemisch den Babyloniern die Vormachtstellung in Syrien und Palästina verhieß und der befürchtete „Feind aus dem Norden"
aus Jerusalemer Sicht tatsächlich heranzurücken drohte. Jeremia müßte
dann ähnlich wie Jesaja während des syrisch-ephraimitischen Krieges
als warnende und mahnende Stimme in Erwartung des herannahenden
Feindes verstanden werden. Aber im Jahre 605 waren die Babylonier
unter ihrem neuen König Nebukadnezar eine zwar beachtliche, aber
noch nicht voll etablierte Großmacht, die zunächst noch zu weit von
den Toren Jerusalems entfernt stand, als daß sie sogleich abgründigen
Schrecken in ganz Juda hätte auslösen müssen. Nebukadnezar erschien

vorerst auch nicht vor Jerusalem und dachte nicht daran, dort den Herrscher auszuwechseln, wie es 609 Necho für nötig hielt. Jeremias Gesamtbotschaft wird als Protokoll eines längeren Prozesses ungleich
besser verständlich denn als Ausbruch spontaner Regungen angesichts
einer politischen oder militärischen Zwangslage.

Alle hier kurz durchgeprüften Daten, 627/26 ausgenommen, finden
in den Texten keine überzeugende Stütze; die Last des Beweises liegt
einzig und allein bei den Exegeten, die sie vertreten. Abgesehen von der
seltsamen Annahme, daß man durch eine Zahlenspekulation auf das
Jahr 627/26 als Berufungsjahr verfallen sei[54], wird am häufigsten das
Datum deshalb angezweifelt, weil Jeremia zur Josianischen Reform des
Jahres 622 nichts gesagt habe und man zwangsläufig genötigt sei, nach
einer Frühverkündigung, hypothetisch zwischen 627 und 622, eine längere Pause seines Auftretens anzunehmen, ehe er spätestens nach 609
das Wort von neuem ergriff. Eine Verkürzung des Zeitraumes, in dem
Jeremia aktiv war, erschiene deshalb angezeigt[55].

Es ist zuzugeben, daß es nicht leicht fällt, Jeremias Sprüche, soweit sie
überhaupt sicher abzugrenzen, einzuordnen und zu datieren sind, über
den langen Zeitraum seines Wirkens zwischen 627/26 bis in die acht-
ziger Jahre des 6. Jahrhunderts zu verteilen. Der Umstand, daß die
überlieferten Daten fast ausschließlich[56] in die Zeit nach 609 führen,
unterstützt sozusagen die „Spätdatierung" des Auftretens Jeremias. Betrachtet man ihn aber nicht allein als Propheten für den Tag, als Mann
der aktuellen Stunde, sondern als einen Propheten, der ähnlich Hosea
das Verhältnis Israel-Judas zu seinem Gott neu zu definieren und zu
festigen suchte und, was nicht auszuschließen ist, den Nordreichtradi-
tionen enger verbunden war, deren Geltung er unter Josia zu verbreiten
und zu vertiefen suchte, dann trifft man etwa den theologischen Kern
seiner Botschaft. Dann muß sein Wirken auch nicht auf eine kurze

---

[54] C. LEVIN (1981); die gleiche Rechnung findet sich jedoch schon im Kommentar von W. NEUMANN, Jeremias von Anathoth. Die Weissagungen und Klagelieder des Propheten, 1. Band (1856) 29 f.; s. auch S. HERRMANN (1986) 21.

[55] Ein interessanter Versuch älterer Forschung, die „Reden und Gedichte" Jeremias zeitlich zu ordnen und dabei die Zeit zwischen 622 und 609 auszusparen,
ist die Tabelle bei P. VOLZ, Kommentar (²1928) XXIII f. – Zur historischen Beurteilung des Reformaktes Josias vom Jahre 622 s. o. S. 11–13.

[56] Nur die folgenden Stellen aus dem Jeremiabuch versetzen ausdrücklich
den Beginn der Wirksamkeit Jeremias in die Zeit Josias: Jer 1,2; 25,3; 36,2; eine
Datierung in die Zeit Josias an der Spitze eines Redeabschnittes findet sich nur
3,6, und gerade diese Überlieferung (3,6–13) hat nach Form und Inhalt einen besonderen Charakter; vgl. S. HERRMANN (1965) 223–233; W. THIEL (1973) 83–90.

Phase äußerer Bedrohung Judas beschränkt und seine Hinterlassenschaft nicht unbedingt auf aktuelle Anlässe seines Auftretens hin abge-
klopft werden. Er sprach nach einer langen Zeit religiöser Überfrem-
dung, ausgelöst durch die assyrische Besatzung im Laufe des 7. Jahrhunderts, namentlich unter König Manasse, Jerusalem und Juda auf das an,
was der Gott Israels von ihnen forderte und was so sträflich vernachlässigt wurde. Das schließt nicht aus, daß der Prophet mit seinem Wort zu-
nehmend schärfer und deutlicher werden konnte, als die Umstände es
verlangten. Seine Auseinandersetzungen mit anderen Propheten, sein
Schreiben an die Exulanten, sein Ackerkauf in Anatot sind, obwohl nur
in Erzählungen überliefert, glaubwürdige Vorgänge, die Entschlossen-
heit verlangten und ihn aus einer denkbaren Veranlagung zu Reflexion
und Meditation herausrissen und ihn die Öffentlichkeit nicht scheuen
ließen.

Die Beschränkung der Sprüche über einen aus dem Norden kommenden Feind auf einen bestimmten Gegner, der unmittelbar zu erwarten sei, wie oft angenommen[57], ist nicht zwingend. Die bewegten
Auseinandersetzungen im Großraum von Mesopotamien seit dem Tode
Assurbanipals, in die auch die Ägypter, mindestens seit 616, eingriffen
und dadurch auch das Territorium Israel-Judas wenigstens berührten,
konnten Jeremia anregen, praktisch während der ganzen Zeit seines
Wirkens über drohende Gefahren aus der Nordrichtung zu sprechen[58].

[57] Die Hypothese vom erwarteten „Skythensturm" wurde favorisiert durch
die Kommentare von B. DUHM (1901) und C. H. CORNILL (1905), ferner durch
W. ERBT, Jeremia und seine Zeit (1902), sie geht namentlich auf J. G. EICHHORN,
Die hebräischen Propheten II (1819) 9 ff. zurück. Ausführliche Kritik übte
F. WILKE (1913), der unter dem fremden Volk aus dem Norden die Babylonier
verstanden wissen wollte, was seitdem vielfache Zustimmung gefunden hat. In
neuerer Zeit unternahm H. CAZELLES (1967) den Versuch, die Skythenherrschaft
in Palästina oder jedenfalls skythischen Einfluß etwa von 639/38 an historisch zu
begründen, hielt es aber gleichzeitig für möglich, daß Jeremia in späteren Jahren
anfänglich auf die Skythen bezogene Formulierungen auf den neuen „Feind aus
dem Norden", nämlich die Babylonier, übertrug. Zurückhaltender und frühere
Auffassungen korrigierend urteilt CAZELLES (1981) 25–28.
[58] Vgl. dazu die oben S. 13–15 angestellten Erwägungen über die historischen
Zusammenhänge. Eine kurze forschungsgeschichtliche Übersicht zum Thema
„Feind aus dem Norden" gibt L. G. PERDUE in der Einführung des Sammel-
bandes ›A Prophet to the Nations‹ (1984) 6–10; er unterscheidet dort drei exegetische Positionen, die vertreten wurden: ein Feind, der geschichtlich in Erschei-
nung treten sollte, ein mythischer oder eschatologischer Feind, ein ursprünglich
nicht spezifizierter Feind, der erst später mit den Babyloniern identifiziert

Sprüche, wie sie etwa in Jer 30. 31, aber auch in Kap. 3 aufbewahrt sind und das Verhältnis des Nordreiches Israel zu Juda ins Blickfeld nehmen, lassen sich noch am ehesten mit einer auch auf das Nordreich Israel gerichteten Politik Josias in Verbindung bringen. Zu einem späteren Zeitpunkt wäre dazu kaum mehr ein Anlaß gewesen. Freilich sind, wie noch zu zeigen sein wird[59], gerade diese Israel-Sprüche in deutlich erkennbarer Weise durch Juda-Sprüche ergänzt worden, offenbar um den gesamtisraelitischen Aspekt dieser Botschaften deutlicher hervorzukehren und Juda namentlich in die Heilsabsichten Gottes, die Israel galten, ganz mit einzubeziehen. Solche Überlegungen entsprachen auch der deuteronomisch-deuteronomistischen Denkungsart, die sich auf das ganze Israel richtete und der eine Restitution des Gesamtvolkes vorschwebte. Hier wohl am deutlichsten verbinden sich im Jeremiabuch jeremianische Gedanken mit denen seiner Tradenten, die zu einem wesentlichen Teile in deuteronomistischen Kreisen zu suchen sein werden.

Die unmittelbar an die Könige gerichteten Sprüche sind bei allen Propheten problematisch. Es sind fast regelmäßig Worte, die in Erzählungen eingebettet sind, die über Begegnungen zwischen König und Prophet sprechen oder eine solche Begegnung voraussetzen. So ist es in der Regel auch im Jeremiabuch. Es bleibt völlig offen, ob Jeremia selbst König Jojakim je zu Gesicht bekam und ihn direkt ansprach (vgl. Jer 36). Hingegen hat Zedekia wiederholt Beamte zu Jeremia geschickt (Jer 37. 38, aber auch 21, 1–7), und es ist einmal hinzugefügt, daß der Prophet sich ungezwungen unter dem Volk bewegte, also jederzeit erreichbar war (Jer 37, 3f.). Bemerkenswert und in solcher Deutlichkeit nirgends wieder bezeugt sind heimliche Empfänge des Propheten im königlichen Palast (37, 17–21; 38, 14–28), die allerdings ruchbar werden konnten; für einen solchen Fall war ein fingiertes Communiqué vorbereitet (38, 24–28).

Erfahrungen solcher Art müssen es gewesen sein, die die Redaktoren des Jeremiabuches veranlaßten, eine Sammlung von später sogenannten ›Königssprüchen‹ zu veranstalten (Jer 21, 11 – 23, 8), denen eine Art Prolog an das Haus Davids vorangestellt wurde (21, 11–14 poetisch; 22, 1–9 Prosa außer vv. 6. 7). Die dann folgenden Sprüche an die Könige Sallum = Joahas (22, 10–12), Jojakim (22, 13–19) und Jojachin (22, 20–30)

---

wurde. Eine neue literarische Untersuchung der Gedichte vom Feind aus dem Norden in Jer 4 und 6 legte im Rahmen seines Werkes T. ODASHIMA (1985) 168–216 vor.

[59] In dem selbständigen Abschnitt über Jer 30. 31 unten S. 146–162.

sind teils poetisch, teils in Prosa abgefaßt und tragen stellenweise höchst individuelle und darum möglicherweise authentische Züge. Doch ist gerade an diesen Texten eine intensive Überarbeitung nach dem Muster eines vaticinium ex eventu nicht auszuschließen. In das Wort an Jojakim ist in 22, 15 f. (poetisch) ein positives Urteil über Josia eingefügt, das von rechter Gotteserkenntnis des Königs spricht (vergleichbar Hos 4, 1) und „Recht und Gesetz" erfüllt zu haben ihm nachsagt, was immerhin als eine Anspielung auf königliche Reformmaßnahmen angesehen werden kann.

Stellen dieser Art lassen auf eine tatsächliche Auseinandersetzung des Propheten mit dem Königshaus und den Königen schließen; doch nur Zedekia scheint er persönlich gegenübergetreten zu sein. Gerade über ihn aber fehlt in der Sammlung der ›Königssprüche‹ Jer 21, 11 ff. ein eigenes Wort. Dieser Mangel ist dadurch ausgeglichen, daß in 21, 1–7 eine Botschaft an Zedekia vorausgeht, die den sicheren Untergang der Stadt ankündigt, ein Wort, das, in Prosa abgefaßt, in engerem Zusammenhang mit den Schicksalen Jerusalems vor seinem Ende steht (Jer 37 ff.). Möglicherweise ist der Text 21, 1–10 (Prosa) überlieferungsgeschichtlich dem persönlichen Wort an den Priester Pashur (20, 1–6) verwandt. Jeremia besaß also Kontakte zu obersten Regierungsbeamten und Priestern, die wir aber nur aus der späteren Berichterstattung kennen, nicht aus Materialien, die Merkmale prophetischer Authentizität tragen.

Die Auseinandersetzung Jeremias mit sogenannten „falschen Propheten", wie sie hauptsächlich in der selbständigen Sammlung Jer 26 – 29 erscheint, sollte gerade im Jeremiabuch nicht als klischeehaftes Aufgreifen eines in der Prophetie geläufigen Themas angesehen werden. Im Mittelpunkt steht nicht so sehr die Abwehr fremden Prophetenwortes, sondern der Nachweis der Legitimation, der „echten" Worte aus dem Munde Jeremias. Das Thema hat die Zeit in besonderem Maße beschäftigt, in der stärker als noch im 8. Jahrhundert über die objektive Richtigkeit prophetischen Wortes gegenüber subjektiver Anmaßung nachgedacht wurde. Der aus Dtn 18, 19–22 bekannte Maßstab, daß Prophetie sich an ihrem Eintreffen als richtig erweist, spielt auch in Jer 28 hinein und zeigt Einflüsse deuteronomistischer Denkarbeit auf diesen Fragenkreis. Verständlich genug, daß die als Deuteronomisten eingestuften Überlieferungsträger ein Interesse daran hatten, Jeremias Autorität im Lichte des Deuteronomiums bestätigt zu sehen.

Über das Ende der Wirksamkeit Jeremias zu berichten, ist nicht leicht. Die einzige darüber zur Verfügung stehende Quelle sind die herkömmlich dem Baruch, Sohn des Neria, zugeschriebenen Kapitel Jer 37 – 44,

die eine relativ ausführliche, in sich zusammenhängende Erzählung von
den letzten Tagen Jerusalems bis zur Ankunft Jeremias in Ägypten
bieten. Baruch ben-Neria (der gleiche Name ist auf einem zeitgenössischen Ostrakon bezeugt, ohne daß die Identität der Person mit dem
Schreiber Jeremias bedenkenlos behauptet werden kann[60]), ging zusammen mit Jeremia nach Ägypten (Jer 43,6). Auf welchem Wege
schriftliche Unterlagen seiner Hand zurück nach Jerusalem gelangen
konnten, entzieht sich unserer Kenntnis. Denn wenn Baruch wirklich
Verfasser dieser Texte war, müßte sein Material den jerusalemisch-judäi-
schen Redaktoren des Jeremiabuches zur Verfügung gestanden haben.
Die genauen Angaben über die Orte, an denen sich in Ägypten Israeliten bzw. Judäer aufhielten (Jer 44,1; s. auch oben S. 26), lassen zumindest auf einige Kenntnisse über den Verbleib dieser aus Juda Abgewanderten schließen. Daß diese dem Baruch zugeschriebenen Texte erst
viel später (etwa ab dem 4. Jh. v. Chr.) unter Einbezug von Jer 24 und
21,1–10 mit dem Ziel der Abwertung der Ägypten-Auswanderer und
der Aufwertung der babylonischen Exulanten („golaorientierte Redaktion") überarbeitet wurden[61], besagt zunächst wenig, solange nicht eine
authentische Grundschrift vor aller Bearbeitung nachgewiesen ist.
Über Struktur, Gattung und Absicht von Jer 36 – 44 + 45 ist bisher
kaum gearbeitet worden[62]. So bleibt denn hier nur die Feststellung, daß
Jeremias und Baruchs Spuren sich in Ägypten verlieren, so wenig man
bezweifeln sollte, daß diese Überlieferungen auf Tatsachen beruhen.
Woher sonst sollten diese komplizierten Sachverhalte entlehnt und mit

[60] N. AVIGAD, Hebrew Bullae from the Time of Jeremiah. Remnants of a
Burnt Archive (1986) Nr. 9. AVIGAD rechnet fest mit der Identität des dort be-
zeugten „Schreibers Berechjahu ben Nerijahu" mit dem stets in abgekürzter
Form genannten Baruch ben-Nerija im Buch Jeremia. Tatsächlich lassen sich
allem Anschein nach auch die Namen anderer Persönlichkeiten aus dem Jeremiabuch auf Siegelabdrücken nachweisen, so besonders überzeugend „Jerach-
meel Sohn des Königs" (Jer 36,26; AVIGAD Nr. 8 und die zusammenfassende
Bemerkung ebd. 127–130). Was skeptisch macht, ist die relative Häufigkeit bestimmter Namen in dieser Zeit, etwa des Namens „Nerija", aber auch „Jeremia"
ist (höchstwahrscheinlich) bezeugt (AVIGAD Nr. 78); zu weiteren Belegen des
Namens „Jeremia" vgl. S. HERRMANN, Jeremia, in: BK XII/1, 12 f. Doch bleiben
die Siegelabdrücke auf jeden Fall bemerkenswert und bieten zumindest chronologische Anhaltspunkte für die Namengebung der ganzen Epoche. Zum Vorkommen des Namens „Gemarjahu" (ben Schaphan) Jer 36,12 s. AVIGAD a. a. O.
129 Anm. 164.
[61] K.-F. POHLMANN (1978).
[62] A. WEISER (1961); G. WANKE (1971); M. A. TAYLOR (1987).

welchem Interesse sollten sie in der vorliegenden Form zur Darstellung gekommen sein? Immerhin mögen insbesondere mit dem abschließenden Kapitel 45 die Anfänge einer eigenen, an Baruch interessierten und orientierten Traditionsbildung erkennbar werden, die späterhin in dem apokryphen ›Buch Baruch‹ (wahrscheinlich aus der ersten Hälfte des 1. Jh. v. Chr.)[63] und einigen mit Jeremia und Baruch in Verbindung gebrachten kleineren Schriften[64] ihren weiteren Ausbau erfuhr. Das Buch Baruch setzt voraus, daß sich Baruch nach dem Fall Jerusalems interessanterweise nicht in Ägypten, sondern unter den Exulanten in Babylonien aufhielt, daß er dort ein Buch verfaßte, den exilierten Judäern vorlas und schließlich zusammen mit einer Geldspende zur Bestreitung von Opfern und der Aufforderung, für Nebukadnezar zu beten, im Namen der Exilsgemeinschaft nach Jerusalem sandte. Zweifellos handelt es sich im Buch Baruch um eine späte Schöpfung mit allerlei literarischen Zutaten. Sie setzt aber ein von Jeremia unabhängiges selbständiges Interesse an Baruch voraus, wie es zuletzt noch einmal in der pseudepigraphen syrischen Baruch-Apokalypse massiv hervortrat[65].

Die Anfänge der Tradition vom „schreibenden" Baruch, die ihn im Buch Baruch zur selbständigen und wirkungsvollen Verfasserpersönlichkeit gemacht hat, mögen in Jer 36 gesucht werden. Auch dort tritt der zuerst lesende, dann schreibende Baruch hervor, wenn auch noch als Vermittler jeremianischer, nicht eigener Worte, erzielt aber durch seine Lesung unerwarteten Erfolg, vermittelt das Schriftstück an hochgestellte Beamte, die es ihrerseits dem König zur Kenntnis bringen; dieser freilich verbrennt die Rolle. Baruch ist es, der später nach dem Diktat Jeremias die vom König vernichteten Worte abermals auf-

[63] Vgl. O. Eissfeldt, Einleitung (³1964) 802–805; Neubearbeitung des Textes: W. G. Kümmel (Hrsg.), Jüdische Schriften aus hell.-röm. Zeit (JSHRZ) III Lfg. 2 (1975) 165–181.

[64] Der Brief Jeremias: O. Eissfeldt a. a. O. 805 f.; JSHRZ III, Lfg. 2. (1975) 183–192. Rest der Worte Baruchs (Paralipomena Jeremiae): P. Riessler, Altjüdisches Schrifttum außerhalb der Bibel (1928) 903–919; 1323; JSHRZ I.

[65] O. Eissfeldt a. a. O. 850–853; deutsche Übersetzung mit ausführlichem Apparat zum Text von B. Violet, Die Apokalypsen des Esra und des Baruch in deutscher Gestalt, in: GCS 32 (1924); JSHRZ V Lfg. 2 (1976) 103–191. Jüdischen Ursprungs ist auch die sog. griechische Baruch-Apokalypse, die jedoch unter starken gnostischen Einflüssen steht und christlich überarbeitet wurde. Die syrische Baruch-Apokalypse (um 130 n. Chr.) ist von ihr vorausgesetzt, so daß ihre Entstehungszeit in den späteren Verlauf des 2., wenn nicht in den Anfang des 3. Jh. n. Chr. fällt; O. Eissfeldt a. a. O. 854 f.; Riessler a. a. O. 40–54; 1269–1270; JSHRZ V Lfg. 1 (1974) 15–44.

schreibt, ergänzt durch weitere Reden des Propheten. Es sollte deutlich
sein, daß hier weniger eine Jeremia- als eine Baruch-Tradition begründet
wird. Ihr Interesse war es, diese Persönlichkeit im Schatten Jeremias mit
einem gewissen Maß an Selbständigkeit auszustatten. Vom „Schreiber"
sollte Baruch mindestens zum „Schüler" Jeremias avancieren, was
durch seine Vertrauensstellung, die überall in der Überlieferung durch-
schimmert, gerechtfertigt erschien. Auf diesem Hintergrund wird verständlich, warum Baruch nach ursprünglicher Tradition in Jeremias
Umgebung verblieb und also mit seinem Meister nach Ägypten zog,
daß er nach späterer Auffassung aber auch an den Exilierten in Babylonien eine eigene Mission haben und erfüllen sollte, wo er unabhängig
von Jeremia sich entfalten konnte. Die Tradition hatte Baruch verselb-
ständigt.

In diesem Zusammenhang sei noch ein Wort zu den bekannten und
immer wieder beliebten Versuchen gesagt, den Inhalt der sog. ›Urrolle‹
ermitteln zu wollen[66], also aus dem uns vorliegenden Jeremiabuch jene
Sprüche des Propheten herauszulösen, die mutmaßlich auf der von
König Jojakim verbrannten Rolle standen. Diese zumeist mit Scharfsinn
durchgeführten Analysen[67] setzen eine relativ genaue Datierbarkeit jeremianischer Sprüche voraus, von deren Authentizität hier einmal ganz
zu schweigen! Weil die genaue Datierung nicht möglich ist und darum
auch völlig offen bleibt, welche Sprüche Jeremia vor dem 4. Jahr König
Jojakims (nach LXX vor dem 8. Jahr) gesprochen haben könnte, dürfte
die Rekonstruktion der sog. ›Urrolle‹ ein völlig müßiges und letztlich
auch bedeutungsloses Unterfangen sein. In neuem Licht erscheint das
Problem freilich dann, wenn man erkennt, daß die Verbindung Baruchs
mit einer Schriftrolle, deren Verlust, aber doch möglich gewordene

---

[66] Zu Wesen, Umfang und Erschließung der ›Urrolle‹ in knapper Form
W. RUDOLPH, Jeremia (1968) XVIIIf.; mit eigener These in Verbindung mit
einem forschungsgeschichtlichen Überblick C. RIETZSCHEL (1966); zur Rekonstruktion der ›Urrolle‹ s. auch O. EISSFELDT, Einleitung (³1964) 471–476. Kritisch zu den Versuchen, die ›Urrolle‹ ermitteln zu wollen, J. BRIGHT, Jeremiah
(1965) LXI–LXIII. Mit extremer Entschiedenheit verteidigt W. L. HOLLADAY
die Urrollentheorie, in: VT 30 (1980) 452–467, verarbeitet seine Auffassung im
Zusammenhang seiner „kohärenten Chronologie" (1981) und überträgt sie in
seinen Jeremia-Kommentar Bd. 1 (1986) 4. Gleichzeitig urteilen über die ›Urrolle‹ und ihre Rekonstruktionsmöglichkeiten mit äußerster Skepsis in ihren
Jeremiakommentaren W. MCKANE (1986) LXXXVI–LXXXVIII und R. P.
CARROLL (1986) 665 f.
[67] Vgl. namentlich die in Anm. 66 genannten Übersichten von EISSFELDT
(1964) und RUDOLPH (1968).

Wiederherstellung weniger als Jeremia-Tradition, vielmehr als Baruch-Tradition anzusprechen ist. Nicht, daß Baruch selbst eine solche Tradition begründet haben müßte, aber Baruchs Wirken in Jeremias Umgebung führte dazu, ihm einen besonderen Rang als Tradenten, später sogar als Verfasser selbständiger Texte einzuräumen. Die gleiche Absicht verfolgt bereits das an den Schluß der Prosaüberlieferungen gestellte Trostwort für Baruch (Jer 45), das bezeichnenderweise in 45,1 auf die Situation des Kap. 36 zurückweist und die dazwischenstehenden Kap. 37 – 44 unberücksichtigt läßt. Zwischen Jer 36 und 45 als den die Prosaüberlieferungen rahmenden Kapiteln besteht insofern ein Zusammenhang, als Baruchs Wirken für Jeremia ebenso deutlich wird wie der hohe geistliche und menschliche Rang, den er letztlich nach dem Zeugnis von Jer 45 für sich in Anspruch nehmen durfte. Nicht darauf kam es an, was auf der „ersten Rolle" stand, sondern daß Baruch gewürdigt wurde, ihren Inhalt aufzuschreiben, und zwar in zweiter und damit endgültiger und weiter in Geltung bleibender Form. Das Wort vermitteln, vorlesen und schreiben, das sind die fest mit Baruch und seiner Person verbundenen Elemente, die ihn letztlich nicht nur zum Tradenten, bis zu einem gewissen Grade auch zum Garanten jeremianischen Wortes machen[68].

Über das Ende Jeremias wissen wir nichts. Daß er zu Daphne vom Volk gesteinigt wurde, weil er dort den Judäern ihren falschen Gottesdienst vorwarf, ist ein wahrscheinlich an Jer 44 angeschlossener legendärer Stoff. Daß er durch sein Gebet die Ägypter von einer Schlangenplage befreite und deswegen bei ihnen zu hohem Ansehen gelangte, folgt dem Topos von der Wirkung des fremden Gottes und seines Propheten im Ausland[69].

---

[68] Ähnlich urteilt CARROLL a. a. O. (1986) 44 f.; zu einem vergleichbaren Resultat, teilweise auf breiterem Hintergrund, gelangt J. MUILENBURG, Baruch the Sribe (1970); Neudruck in PERDUE/KOVACS (1984) 229–245.
[69] Prophetenleben 14: RIESSLER, Altjüd. Schrifttum (1928) 875 f.; 1321 f.; vgl. auch Paralipomena Jeremiae 9, 19–32: RIESSLER 919.

II. INHALT UND KOMPOSITION
DES JEREMIABUCHES

In das Jeremiabuch sind Einzelsprüche und Spruchsammlungen, Prosaüberlieferungen prophetischen Inhalts und Erzählungen über den Propheten aufgenommen. Disponiert ist das Material ähnlich wie in den Büchern der anderen beiden großen Propheten Jesaja und Ezechiel in die Überlieferungseinheiten: 1. Unheilsworte gegen das eigene Volk, 2. Fremdvölkersprüche, 3. Heilserwartungen, 4. aus dem 2. Königsbuch übernommene Abschnitte geschichtlichen Inhalts. Exakt diese Reihenfolge ist auch in der griechischen Textfassung des Jeremiabuches in der LXX erhalten geblieben. Den in Jer 25,13 endenden Worten gegen das eigene Volk schließen sich in LXX Kap. 26 – 32 in leicht geänderter Reihenfolge die Fremdvölkersprüche an, die im masoretischen Text die Kap. 46 – 51 ausfüllen[70]. Der masoretische Text hingegen schließt an 25,14 das Wort vom Taumelbecher an, das sich allerdings mit den Fremdvölkern befaßt und jetzt wie eine Einleitung zu Fremdvölkerworten wirkt, diese aber hier nicht folgen läßt. Vielmehr werden in Kap. 26 – 45 fast ausschließlich Prosaerzählungen überliefert, in deren Mittelpunkt Jeremia steht, deren Autor er aber nicht selbst sein kann. Eine Unterbrechung erfolgt lediglich in Kap. 30 – 35, wo Texte verschiedenen Inhalts aufgenommen sind, die vornehmlich auf positive Entwicklungen hinweisen möchten und bedingt als „Heilserwartungen" betrachtet werden können; eine eindeutig selbständige Sammlung bilden die Kap. 30 und 31. Erst in Kap. 46 – 51 bietet sodann der masoretische Text die Fremdvölkersprüche, bevor ein historischer Bericht in Kap. 52 das Buch beschließt.

Somit umfaßt das Jeremiabuch als thematische Großformen eine Textsammlung betreffend Israel und Juda (Jer 1 – 25), an die in den Kapiteln 26 – 29 und 36 – 45 ein Erzählungskranz über Jeremias Wirken und seine Schicksale angeschlossen ist. In Kap. 30 – 35 sind Überlieferungen vornehmlich heilvollen Charakters aufgenommen. Am Schluß

---

[70] Zur Problematik des griechischen Jeremiatextes wird grundsätzlich in Abschnitt IV mehr zu sagen sein, auch dazu, ob der kürzeren griechischen Fassung des Jeremiatextes größere Ursprünglichkeit gegenüber dem vorliegenden hebräischen Text zuerkannt werden kann und darf.

stehen die Fremdvölkersprüche in Kap. 46 – 51 und der abschließende
historische Anhang in Kap. 52.

Authentische Sprüche Jeremias werden abgesehen von Kap. 30. 31
hauptsächlich in Kap. 1 – 25 gesucht. Dieser Teil des Jeremiabuches ist
allerdings äußerst komplex und macht der eingehenden Analyse die
meisten Schwierigkeiten. Ihn jedoch bis auf einige offenkundige Aus-
nahmen für jeremianisches Eigengut zu halten, ist angesichts zahlreicher Unterschiede der Textformen und der sprachlichen Mittel, aber
auch aus inhaltlichen Gründen ausgeschlossen. Es handelt sich um
mehr oder minder zusammenhängende Gruppen von Einzelsprüchen,
die zumeist unter thematischen Gesichtspunkten vereinigt wurden.
Sprache und Kompositionsweise sind verschieden, je nachdem, ob es
sich um poetische Texte oder um Prosa handelt. Keineswegs kann von
der geprägten Sprache eines einzigen Verfassers gesprochen werden.
Der Unterschied zwischen den poetischen Texten und solchen in Prosa,
wie er in der Biblia Hebraica, ed. RUDOLF KITTEL, und ebenso in der
sog. ›Biblia Hebraica Stuttgartensia‹ im Druck zumeist sichtbar gemacht ist, fällt sofort ins Auge und wird durch sprachliche und inhaltliche Kriterien bestätigt. Nicht alle poetischen Texte müssen zwangsläufig authentische Worte Jeremias sein, wie umgekehrt nicht jeder
Prosatext von vornherein dem Propheten abgesprochen oder späterer
Nacharbeit zugewiesen werden sollte. Man hat vielmehr den Eindruck,
daß in den Kapiteln 1 – 25 mehrere kleinere Text- und Spruchsammlungen vereinigt sind, die ihre eigene Geschichte hatten, ehe sie relativ
unverändert in das Jeremiabuch aufgenommen und in eine einigermaßen überzeugende Ordnung gebracht wurden.

Als erste Teilsammlung dürfen die Kapitel 2 – 6 angesprochen
werden, die sich mit Israels und Judas Schuld und ihren Folgen befassen. Die höchst komplexe Textgestalt dieser Kapitelfolge läßt auf ver-
arbeitetes Spruchmaterial aus verschiedenen Zeiten und Situationen
schließen. Es verbietet sich, diese Texte rundweg und ausnahmslos als
Niederschlag von Jeremias authentischer Frühzeitverkündigung zu
verstehen, was noch häufig geschieht.

Als nächste Teilsammlung darf Jer 7 – 9 betrachtet werden, ein weitgehend in Prosa abgefaßter Text, der unter deuteronomistischem Einfluß steht und die Mißachtung der Rechtsordnungen Gottes zum
Thema hat. Dies bedeutet Gefahr für den Fortbestand des Volkes und
seinen Besitz an Grund und Boden, der ihm von Gott zugewiesen ist.

Das Textkorpus der Kapitel 11 – 20 zeichnet sich wiederum durch ungewöhnliche Komplexität aus. Den Mittelpunkt bildet der Gedanke an
Gottes Gericht an Juda und die Unausweichlichkeit seines Geschicks.

An der Spitze steht die Erinnerung an den Bundesbruch (11,1–14). In 11,18 – 12,6 ist das erste Stück der sog. ›Konfessionen Jeremias‹ eingebaut. Eine selbständige Sammlung in Prosa ist das Stück 13,1 – 17,18, an das eine weitere Sammlung ähnlicher Tendenz in Kap. 18 – 20 angeschlossen ist, die Gleichnis- und Bildreden bevorzugt. Hineingenommen in diese Sammlungen sind die jeweils kürzeren Texte der weiteren ›Konfessionen‹ (15,10–21; 17,12–18; 18,18–23; 20,7–18).

Die sog. ›Königssprüche‹ (21,11 – 23,8) bilden zweifellos eine selbständige Sammlung; ebenso der breit ausladende Text 23,9–40 gegen falsche Propheten und frevelnde Priester.

Um dem Leser die Übersicht über diese und die weiteren Überlieferungen zu erleichtern, ihre Komplexität erkennbar zu machen, zugleich aber auch ein besseres Verständnis der im nächsten Abschnitt folgenden Forschungsgeschichte zu ermöglichen, wird jetzt eine detaillierte Übersicht über sämtliche Kapitel des Jeremiabuches und ihre Einteilungen und Inhalte gegeben, verbunden mit zusätzlichen Bemerkungen, namentlich über ihre Gestaltung in Poesie oder Prosa.

Jer 1 Die Eröffnung des Buches

1	(LXX = M)				
		1–3	Die Überschrift	Prosa	redaktionell
		4–10	Die Berufung des Propheten	Prosa	stilisiert, Dtr (D) beteiligt
			Zwei Visionen:		
		11.12	Mandelzweig	Prosa	Dialogstil
		13.14	siedender Topf	Prosa	Dialogstil
		15.16	Die Nordvölker vor Jerusalem	Prosa	16 D-beeinflußt
		17–19	Ermutigung des Propheten	Mischstil	redaktionell

Jer 2 – 6 Israels und Judas Schuld und ihre Folgen. Gottentfremdung. Bedrohtes Land. Feind aus dem Norden

2					
		1–3	Zeit der ersten Liebe	poet.	D-beeinflußt
		4–13	Untaten der Vergangenheit	poet.	
		14–19	Israels Strafe, weil es Gott verließ	poet.	D-Einsprengungen
		20–28	Bilder des Abfalls von Gott	poet.	
		29–37	Israels Gottvergessenheit und falsche Hoffnungen	poet.	
3					
		1–5	Das Land eine geschiedene Frau, die zurückkehren darf	poet.	
		6–11	Die Abtrünnige Israel, die Treulose Juda	Prosa	D-beeinflußt
		12–13	Der Ruf nach Norden. „Ich bin gnädig"	poet./Prosa	D-beeinflußt, redaktionell
		14–17	Die neue Ordnung um den Zion	Prosa	red./D-beeinflußt
		18	Juda u. Israel kehren heim aus dem Norden	Prosa	D
		19–25	Erneute Umkehraufforderung und Einsicht der Schuld (sachl. Fortsetzung von v. 1–5)	poet./Prosa	D-Zusätze (in 24. 25)

				D-beeinflußt
4	(LXX = M)			
	1.2	Umkehraufforderung und Schwur	poet.	
	3.4	Brecht einen Neubruch	poet.	
	5–8	Unheil von Norden her	poet.	
	9.10	Schrecken u. Enttäuschung bei den führenden Schichten	poet.	
	11–13	Vernichtung naht für Jerusalem und „dieses Volk"	poet.	
	14–18	Jerusalem belagert	poet. + Prosa	
	19.20	Kampf. Die Überwältigung des Landes	poet.	
	21–26	Die Folgen für Stadt u. Land nach der Katastrophe	poet.	
	27–31	Verwüstung des Landes und der Tochter Zion	poet.	
5	1–6	In Jerusalem ist der Weg Gottes unbekannt	poet.	
	7–9	Sexuelle Vergehen	Prosa/poet.	
	10–13	Die Untaten der Häuser Israel und Juda	poet.	
	14	Das Wort, das das Volk verzehrt	poet.	
	15–17	Das Volk von fernher, das zerstören wird	poet.	
	18.19	Israels Zukunft in fremdem Land	Prosa	D-beeinflußt
	20–31	Das törichte und gottvergessene Volk	poet.	
6	1–5	Fluchtaufforderung an Jerusalem. Unheil von Norden	poet.	
	6–8	Jerusalems Belagerung	poet.	
	9.10	Zwei Einzelworte	poet.	
	11–15	Der Zorn Gottes	poet.	
	16–21	Die verfehlten Wege des Volkes	Prosa	D-beeinflußt
	22–26	Das Volk aus dem Norden wider Zion	poet.	
	27–30	Das Böse des Volkes – nicht auszuschmelzen	poet.	

Jer 7 – 12 Die … der …ung: … Gefahr für Land und Volk

	(LXX = M)			
7	1–15	Tempelrede (Gottes Rede im Ich-Stil, vermittelt durch den Propheten)	Prosa	D
	16–20	Untaten in Juda und Jerusalem. Der Prophet angesprochen. Gottesspruch v.20	Prosa	D
	21–28	Polemik gegen Opfer (Propheten wirkten vergeblich)	Prosa	D
	29–34	Wehklage über die Judäer: v.29 Einzelspruch	poet.	
		v.30–34 Begründung: Wider die Opfer im Tal Hinnom	Prosa	D
8	1–3	Die verstreuten Gebeine und das Ende der jetzigen Generation	Prosa	D-beeinflußt
	4–9	Die Irrtümer der Jerusalemer	poet.	
	10–12	Zerrüttung des Volkes; kein Friede; falsche Hoffnungen	poet.	
	13–17	Auch kein Schutz vor dem Feind aus dem Norden in festen Städten	poet.	
	18–23	Gottes Klage über sein krankes Volk	poet.	
9	1–5	Beschreibung des verlogenen Volkes	poet.	
	6–8	Gott will es ausschmelzen	poet.	
	9.10	Gottesrede: Unheil über Land und Stadt	poet.	
	11	Anfrage: Warum ist das Land verwüstet?	Prosa	11 b poet.?
	12–15	Gottesrede. Antwort auf v.11	Prosa	D
	16–18	16.17: Gottes Aufforderung zur Klage	Prosa	
		18: Die Klage	poet.	

(LXX = M)				
	19–21	Das Klagelied	poet.	
	22.23	Ein Weisheitsspruch	poet.	
	24.25	Die Heimsuchung der Beschnittenen und der Unbeschnittenen	Prosa	
10	1–16	Eine eingeschobene Sonderüberlieferung		
	1–11	Nichtigkeit der Götterbilder	poet.	nachexilisch
	12–16	= Jer 51,15–19 Gott der Schöpfer im Gegensatz zu den Verfertigern von Götterbildern	poet.	nachexilisch
	17–25	Vermutlich Fortsetzung nach 9,21	poet.	
	17–21	Androhung des Exils. Klage über das vereinsamte Land	poet.	
	22	Das große Beben von Norden her wider Juda	poet.	
	23–25	Die eigene Schuld und die Schuld der Völker	poet.	D-beeinflußt
11	1–14	Die Worte „dieses Bundes" an die Judäer und Jerusalemer. Vorwurf des Bundesbruches Redeeinheiten mit Einleitungsformel: 1–5.6–8.9–10.11–13. 14 (Wendung an den Propheten)	Prosa	D
	15–17	Unerwartete Wende		
		15.16 Bildreden	poet.	
		17 Interpretation	Prosa	
	18–23	1. ›Konfession‹ Jeremias	Prosa	D
		18.19	poet.	
		20		
		21–23 Die Männer von Anatot	Prosa	

12 (LXX = M)		Fortsetzung der 1. Konfession		
	1–6	1–4 Jeremia zu Gott	poet.	
		5 (poet.) 6 (Prosa) Gott zu Jeremia		
	7–13	Jahwes Klage über die Verwüstung seines Eigentums	poet.	
		v. 12 aβb Das Schwert Jahwes	Prosa	
		13　　vielleicht Zusatz		
	14–17	Wider die Nachbarn, die sich an Israels Boden vergreifen	Prosa	alternativer Reflexionsstil D-beeinflußt

Jer 13 – 20 Gottes Gericht an Jerusalem und Juda.
Der angefochtene Prophet

13	1–11	Der verdorbene lederne Gürtel	Prosa	D-beeinflußt
	12–14	Die Weinkrüge, gefüllt zum Verderben	Prosa	D-beeinflußt
	15–27	Das Schicksal der weggeführten Judäer und Jerusalemer	poet.	
14	1–9	Dürre in Juda	poet.	
	10–16	Das irregeleitete Volk	Prosa	D-beeinflußt
		Unterabschnitte 10. 11–12. 13–16		
		Gegen falsche Propheten		
	17–22	Jerusalem und Juda geschlagen	poet.	
15	1–4	Das Volk der Vernichtung preisgegeben (v. 2 poet.)	Prosa	D-beeinflußt
	5–9	Gottes Erbarmen hat ein Ende	poet.	
	10	Ein Klageruf Jeremias	poet.	

(LXX = M)				
	11–14	Rettung aus der Katastrophe für nur wenige	poet.	
	15–21	Die 2. ›Konfession‹, die mit einem positiven Wort Gottes schließt (v. 19–21)	poet.	
16	1–9	Jeremia soll nicht heiraten	Prosa	D-beeinflußt
	10–13	Das Unglück, das dem Land bevorsteht	Prosa	D
	14–18	Der Grund für den Verlust des Landes	Prosa	D
	19–21	Das Exil im Norden und spätere Heimkehr – Gott als Retter – Nichtigkeit fremder Götter	poet.	
17	1–4	Judas Sünde und die Drohung des Landverlustes	poet.	
	5–11	Menschliches Verhalten unter Fluch und Segen	poet.	selbständige Dichtung
	12–18	Die 3. ›Konfession‹	poet.	nachexilisch?
	19–27	Mahnung zur Sabbatheiligung	Prosa	
18	1–12	Das Töpfergleichnis	Prosa	
	1–6	Das Gleichnis	Prosa	
	7–12	Die Interpretation	Prosa	D
	13–17	Gott wendet sich ab von der Jungfrau Israel	poet.	
	18–23	Die 4. ›Konfession‹	poet.	(v. 18 Prosa)
19	1–5	Jeremias Predigt im Tal Hinnom und am Tempel: Jerusalem wird zerbrechen wie ein irdener Krug	Prosa	D
20	1–6	Jeremias Mißhandlung durch Paschhur	Prosa	D-beeinflußt
	7–18	Texte im Stil der ›Konfessionen‹, zerlegbar in v. 7–9. 10–12 (5. ›Konfession‹). 13. 14–18	poet.	

Jer 21 – 23 Wider Könige, Propheten und Priester.
Die Königssprüche (21 – 23,8)

	(LXX = M)			
21	1-10	Wort Jeremias an Zedekia vor Jerusalems Untergang	Prosa	D
	11-14	Gegen das „Haus Davids"	poet.	
22	1-9	Gegen das „Haus des Königs von Juda"	Prosa (v. 6. 7 poet.)	D
		Worte über einzelne Könige:		
	10-12	Sallum (Joahas)	poet. (10) Prosa: 11.12	(D)
	13-19	Jojakim	poet.	
	20-30	Jojachin	poet. (20–23) Prosa (24–30)	D-beeinflußt
23	23, 1-4	Epilog: Über die künftigen Hirten des Volkes	Prosa	D
	5.6	Der kommende Davidide	poet.	D
	7.8	Die Heimholung der Exilierten	Prosa	D
		Gegen Propheten und Priester (23, 9-40)		
	9-24		poet.	
	25-29		Prosa (28. 29 poet.)	
	30-32.33-40		Prosa	D
24	24, 1-10	Vision von den beiden Feigenkörben	Prosa	D

Kap.	LXX	Verse	Beschreibung	Form	D
25	(LXX 25, 1–13, 14 fehlt)	1–14	Ende der ersten Teilsammlung des Jeremiabuches Kap. 1–25, 14. Rückblick. 25,3 Erwähnung des Datums 1,2	Prosa	D
25	(LXX 32, 1–24)	15–38	Einleitung der Fremdvölkersprüche (die in Kap. 46–51 des mas. Textes mitgeteilt werden) 15–29 Das Wort vom Taumelbecher 30–38 Unheil über die Völker und ihre Hirten	Prosa poet.	
			Jer 26 – 29 *Wahre und falsche Prophetie.* *Der Erweis echter Prophetie*		
26	(LXX 33)	1–19 20–24	Jeremias Auftreten am Tempel Urias Botschaft und Tod. Jeremia gerettet	Prosa Prosa	D D
27	(ab 27,2: LXX 34)	1–22	Jeremia als Jochträger: Juda und seinen Nachbarn das babyl. Joch angekündigt. Warnung vor falschen Propheten	Prosa	D
28	(LXX 35)	1–17	Jeremia als Jochträger: Begegnung mit dem falschen Propheten Chananja und dessen Tod	Prosa	D
29	(LXX 36)	1–14	Jeremias Brief an die Exulanten von 597 und die Ankündigung des 70 Jahre währenden Exils	Prosa	D
	(fehlt in LXX)	16–20	Zwischenstück. Unheil für die Davididen und Jerusalem. Hinweis auf prophetisches W…		D

(LXX 36, 15.21–32)	15.21–32	Wort wider falsche Propheten in Babel. Beschwerde über Jeremia	Prosa	D

Jer 30 – 35
Unheil und Trost für Israel und Juda. Die Hoffnung auf Restitution

Jer 30 – 31
Das ›Trostbuch für Ephraim‹

30/31 (LXX 37/38)	1–4	Einleitung: Aufforderung zur Niederschrift der Worte über die Heimholung Israels und Judas	Prosa	D
	5–31,22	Worte über die Errettung Israels, alternierend mit solchen über Juda (sek.?)	poet.	
	31,23–40	Anhang zum Trostbuch: Worte bezüglich der Wiederherstellung Israels und Judas; der „neue Bund" (31,31–34 D)	vorwiegend Prosa	
32 (LXX 39)	1–25	Jeremias Ackerkauf in Anatot	Prosa	D
	26–35	Unheil über Jerusalem	Prosa	D
	36–44	Heil für Jerusalem. Immerwährender Bund	Prosa	D
33 (LXX 40)	1–26	Sammlung von Sprüchen über die Wiederherstellung Israels und Judas. Zusagen über den Bestand des davidischen Königtums und des levitischen Priestertums. Einzelsprüche: 1–9. 10–11. 12–13. 14–18. 19–22. 23–36	Prosa	D-beeinflußt
(14–26 fehlt in LXX)				

34	(LXX 41)	1–7	Wort Jeremias an Zedekia: Jerusalem wird vernichtet. Zedekia stirbt in Frieden (unerfüllte Verheißung)	Prosa	D
		8–22	Die Jerusalemer brechen das Gelübde der Sklavenfreilassung	Prosa	D-beeinflußt
35	(LXX 42)	1–11	Gesetzestreue der Rechabiter	Prosa	D-beeinflußt
		12–17	Die Rechabiter ein Vorbild. Unheil über Juda	Prosa	D
		18–19	Verheißung für die Rechabiter	Prosa	D

Jer 36 – 45
Jeremias Erfolglosigkeit und Leiden.
Das Ende Jerusalems. Jeremias Verschleppung nach Ägypten.
(Kernstück der sog. ›Baruch-Biographie‹)

36	(LXX 43)	1–32	Jojakim verbrennt die Rolle mit Jeremias Sprüchen (sog. „Urrolle") im 5. Jahr im 9. Monat seiner Regierung (etwa Dez. 604). Jeremia diktiert Baruch von neuem seine Sprüche	Prosa	D
37	(LXX 44)	1–21	Jeremia hält an seiner Unheilsbotschaft fest. Sein vergeblicher Versuch, nach Benjamin zu gehen. Verhaftung. Heimliches Gespräch mit Zedekia	Prosa	D
38	(LXX 45)	1–28	Jeremia in die Zisterne geworfen. Errettung durch Vermittlung des Ebed-Melech. Jeremias Gespräch mit Zedekia. Schutzhaft	Prosa	D

	15–18	Wort an Ebed-Melech	Prosa	D
40/41 (LXX 47/48)	1–16	Jeremia frei. Aufenthalt bei Gedalja in Mizpa. Dieser vor Ismael gewarnt	Prosa	D
	41,1–18	Gedalja ermordet. Die Leute aus Mizpa laufen zu Johanan ben Kareah über	Prosa	D
42/43 (LXX 49/50)	1–22	Jeremia warnt erfolglos vor einer Auswanderung nach Ägypten	Prosa	D
	43,1–7	Jeremias Warnung zurückgewiesen. Die Leute um Johanan erreichen Tachpanches in Unterägypten. Jeremia und Baruch mitgenommen	Prosa	D
	8–13	Jeremia kündigt die Unterwerfung Ägyptens durch die Babylonier an (unerfüllte Vorhersage)	Prosa	D
44 (LXX 51, 1–30)	1–30	Den Judäern in Ägypten Unheil angedroht. Rückkehr nach Juda nur einem Rest vorbehalten	Prosa	D
45 (LXX 51, 31–35)	1–5	Jeremias Wort für Baruch, tröstlich endend	Prosa	D

Jer 46 – 51
Sprüche gegen fremde Völker

46 (LXX 26)	1–2	Einleitung	Prosa
	3–12	1. Spruch gegen Ägypten	poet.
	13–24	2. Spruch gegen Ägypten	poet.
	25–28	Anhang	poet. (27.28)

Kapitel	Verse	LXX	Inhalt	Form
47	1–7	(LXX 29,1–7)	Gegen die Philister	poet.
48	1–47	(LXX 31)	Gegen Moab	vorwiegend poet.
49	1–5.6	(LXX 30,1–5)	Gegen die Ammoniter	poet.
	7–22	(LXX 29,8–23)	Gegen Edom	vorwiegend poet.
	23–27	(LXX 30,12–16)	Gegen Damaskus	poet.
	28–33	(LXX 30,6–11!)	Gegen die Kedarener und andere arabische Stämme	poet.
	34–39	(LXX 25,14–26,1)	Gegen Elam	poet.
50/51	1–51,58	(LXX 27/28)	Gegen Babel größere Prosaabschnitte: 50,17–20.38–46 51,46–57	vorwiegend poet.
	51,59–64		Jeremias Auftrag an Seraja	Prosa

Jer 52
Geschichtlicher Anhang

| 52 | 1–34 | (LXX 52) | Bericht über das Ende Jerusalems und Judas. Begnadigung Jojachins
1–3 = 2 Kön 24,18–20
4–27 = 2 Kön 25,1–21 (vgl. Jer 39,1–10)
28–30 fehlen in 2 Kön 25 und in LXX
31–34 = 2 Kön 25,27–30 | |

III. DIE KRITISCHE ANALYSE
DES JEREMIABUCHES

1. Der Verlauf der Forschung und ihre Schwerpunkte.
Eine geschichtliche Übersicht

Die Darstellung des Verlaufs der Jeremiaforschung muß sich hier not-
gedrungen auf die Bemühungen in den letzten hundert Jahren beschränken. Dies ist insofern vertretbar, als die historisch-kritischen
Untersuchungen der alttestamentlichen Literatur insgesamt erst gegen
Ende des 19. Jahrhunderts in jenes Stadium eingetreten sind, von denen
die alttestamentliche Wissenschaft seither lebt. Die zunehmende Verfeinerung der Methoden kann nicht darüber hinwegtäuschen, daß die entscheidenden Fragen, die heute noch die Forschung bewegen, im wesentlichen in den Jahrzehnten WELLHAUSENS und DUHMS, um nur diese zu
nennen, gesehen und im Ansatz zu lösen versucht wurden. Das gilt für
die Pentateuchforschung (allen gegenläufigen Tendenzen zum Trotz),
das gilt nicht weniger auch für die Prophetenforschung und hier insbesondere für das Buch Jeremia, das BERNHARD DUHM zum ersten Male
in einer Weise analysierte und auslegte, die für alle nachfolgenden Exegeten wegweisend bleiben sollte, wie auch immer DUHM selbst Stellung bezog. ›Erträge der Forschung‹ am Buch Jeremia im letzten Jahrhundert müssen sich an DUHM messen lassen, und sie werden auf dem
Hintergrund seiner Beobachtungen erst voll sichtbar in Zustimmung
und Ablehnung.

Die folgende Darstellung setzt bei DUHM ein und versucht den Gang
der Forschung in ihrem zeitlichen Verlauf, aber auch unter Berücksichtigung methodischer Gesichtspunkte vorzuführen, die sich jeweils aus
dem vorangegangenen Stadium der Untersuchungen ergeben haben.
Die den Überschriften beigegebenen Namen sollen als Stichworte
dienen und Richtungen charakterisieren, denen auch noch andere Autoren verpflichtet waren und sind, die in den betreffenden Abschnitten
Berücksichtigung finden.

a) Die ältere Literarkritik und ihre Nachfolger

DUHM – MOWINCKEL – RUDOLPH

Die Forschungsweise BERNHARD DUHMS (1847–1928)[71] basiert auf den wissenschaftlichen Grundüberzeugungen gegen Ende seines Jahrhunderts. Für ihn ist der inspirierte Prophet, der sich poetisch äußert und dessen Lebenswerk mindestens in Bruchstücken sich in dem ihm zugeschriebenen biblischen Buch findet, Ausgang und Mittelpunkt seines Interesses. „Von den prophetischen Dichtungen des vorhergehenden Jahrhunderts unterscheiden sich die jeremianischen vor allem dadurch, daß in ihnen viel mehr als in jenen das eigene Ich, die Gefühle und die oft meisterhaft zum Ausdruck gebrachte Stimmung des Propheten zu Worte kommen. Amos und Jesaja sind die Redner, Jeremia ist der Lyriker; am meisten ist er mit Hosea verwandt, der ihn in seinen Jugendgedichten stark beeinflußt."[72]

DUHM glaubt, daß Jeremia bei seinem ersten Diktat (Jer 36, 1 ff.) die zeitliche Reihenfolge seiner Gedichte in etwa eingehalten hat, daß er dann aber, als er die verbrannte Rolle rekonstruierte, Zusätze machte und einzelne Dichtungen umstellte, so daß sich eine neue Ordnung ergab, die spätere Bearbeiter ihrerseits wieder veränderten. DUHM will ca. 60 Gedichte Jeremias, in der Regel Vierzeiler von drei und zwei Hebungen, namhaft machen, die er zu einzelnen Zyklen zusammenordnet. Dabei spielen inhaltliche Kriterien nicht überall eine entscheidende Rolle. Doch ist er der Meinung, daß dennoch die Anordnung der Gedichte innerhalb des Prophetenbuches eine ungefähre zeitliche Festlegung ermöglicht. Drei Zyklen gehören in die Zeit, in der Jeremia noch in Anatot lebte, darunter sind die „fünf ältesten Skythenlieder" aus Jer 4[73]. Der größte Teil der Gedichte fällt in die Zeit der Jerusalemer Wirksamkeit; einige in die Zeit Josias, die weiteren verteilen sich auf die Regierungsjahre der Könige Joahas, Jojakim und Zedekia. Es gehört zu DUHMS Überzeugung, daß Jeremia die Josianische Reform mit Skepsis beobachtete, weil die „neue Thora", die von den Schriftgelehrten „zur Lüge gemacht wurde" (Jer 8, 8 f.), nichts ausrichtete und nur eine sittliche Umkehr das Volk retten könne.

---

[71] B. DUHM, Das Buch Jeremia, in: KHC XI (1901); vgl. auch die Würdigung DUHMS durch W. BAUMGARTNER im Neudruck des Jesaja-Kommentars von B. DUHM, Das Buch Jesaja, 5. Aufl. (1968) V–XIII.

[72] DUHM, Das Buch Jeremia, XIII.

[73] A. a. O., XIV. Die fünf Lieder: 1. 4, 5–8; 2. 4, 11 b. 12 a. 13. 15–17 a; 3. 4, 19–21; 4. 4, 23–26; 5. 4, 29–31.

Eine ganze Anzahl von Gedichten läßt sich nicht näher bestimmen. Dazu rechnet er das Gedicht über eine große Dürre (14, 2–10), bemerkenswerterweise aber auch jene Texte, die man die ›Konfessionen Jeremias‹ nennt, die Texte über persönliche Anfeindungen und Bedrohungen des Propheten.

Die zweite große Überlieferungsgruppe nach den Gedichten bezeichnet DUHM als „das Buch Baruch", also die im Buch Jeremia dem Baruch ben Nerija (vgl. 32,12; 51,59) zugeschriebenen Aufzeichnungen, die man eine Biographie Jeremias nennen könnte und die mindestens an ihrem Anfang wegen ihrer genauen Datierungen chronikartigen Charakter zeigen (vgl. 26,1; 28,1; 29,1; 32,1; 36,1), dann aber in flüssigen Erzählstil übergehen. Diese „Stücke aus Baruch" stehen in den Kapiteln 26 – 29 und 32 – 45.

Einen dritten Teil der Überlieferungen nennt DUHM „Ergänzungen zu den Schriften Jeremias und Baruchs", rund 850 Verse umfassend gegenüber den rund 500 Versen der Gedichte und des Buches Baruch. Zu den Ergänzungen rechnet er zunächst die großen Predigten des Propheten im Prosastil. Die Absicht der Ergänzer sei es gewesen, „ihrem Jeremiabuch einen Beitrag zu einer Art Volksbibel zu liefern, ein religiöses Lehr- und Erbauungsbuch"[74]. Weitere Ergänzungen bieten kurze Erzählungen von prophetischen Handlungen, „aus Motiven der Schrift Baruchs herausgebildet" (z. B. 21,1 ff.) oder freie Dichtungen (z. B. 13,1 ff.). Unter den Ergänzungen finden sich aber auch tröstliche Ausblicke wie die Kapitel 30. 31, denen 32. 33 „mit ähnlicher Tendenz sekundieren". Schließlich gehören die Fremdvölkersprüche 46 – 51 zu den Ergänzungen, die die „Zertrümmerung der Heidenvölker als Komplement positiver Hoffnung" behandeln.

Mit diesem Dreischritt: 1. Gedichte Jeremias, 2. Buch des Baruch und 3. Ergänzungen, der zugleich den Wachstumsprozeß des Buches Jeremia andeutet, hat DUHM die wesentlichen Elemente und Eigenarten der Überlieferung erfaßt und charakterisiert, die bis auf den heutigen Tag die Forschung beschäftigen, weil sie sich offenkundig aus der Gestalt des Textes selbst ergeben. Allein Verfasserschaft, Datierung und Kompositionsweise der einzelnen Textgruppen regen immer wieder die Exegeten zu neuen Vermutungen und Kombinationen an. Als sachlich problematisch erweisen sich dabei hauptsächlich Jeremias Verhältnis zur Josianischen Reform und zu den Ereignissen seiner Zeit überhaupt. Nach den jeweils getroffenen Entscheidungen richtet sich auch die Einschätzung des theologischen Profils Jeremias und seine Einordnung in

---

[74] A. a. O. XVI.

den Prozeß der geistigen Entwicklung Israels und Judas am Ende der Königszeit.

Das Werk DUHMS ist gleichsam umgeben von zwei weiteren für ihre Zeit bemerkenswerten Kommentarwerken. Bereits 1894 war in erster Auflage im Göttinger ›Handkommentar zum Alten Testament‹ FRIED-RICH GIESEBRECHTS Jeremiakommentar erschienen, der 1907 eine zweite völlig umgearbeitete Auflage folgte[75]. Auch er verteilte den Jere-miatext auf drei Bearbeitungsschichten und nannte sie „Jeremia", „Baruch" und „Bearbeiter", kam dabei in mancher Hinsicht zu anderen Zuweisungen als DUHM, billigte Baruch mehr Material zu und schwankte, welcher von beiden Schichten, der des Jeremia oder der des Baruch, das höhere Maß an jeremianischer Authentizität zukomme. Am liebsten hätte er eine Reihe von Grenzfällen ausgesondert, Texte, die „man zwar nicht im höchsten Sinne als authentisch bezeichnen kann", die „aber doch ihren Ursprung aus Jeremias Geist nicht verleug-nen" können[76].

Nach langen und umfangreichen Vorarbeiten und nach Erscheinen des DUHMschen Kommentars von 1901 schrieb CARL HEINRICH COR-NILL (1854–1920) sein großes Kommentarwerk, das außerhalb jeder Reihe selbständig 1905 in Leipzig erschien, aber keine Neuauflage er-lebte[77]. CORNILL fühlte sich in der Nachfolge des berühmten Kommen-tars von CARL HEINRICH GRAF (1862), dem er nachzueifern suchte. Bei aller Hochachtung vor dem Werk DUHMS ging er seinen eigenen Weg weiter. Er beklagte, daß sowohl die Sammlung der authentischen Worte Jeremias als auch die „Denkwürdigkeiten Baruchs" einer weitgehenden „Diaskeuase" anheimgefallen seien, die zu einer Neuordnung und Überarbeitung des Materials zwang[78]. CORNILL bemühte sich um eine möglichst plausible chronologische Ordnung der Überlieferungen im Jeremiabuch. Seine Auseinandersetzung führte er nicht nur mit DUHM, sondern auch mit dem 1902 erschienenen und viel zitierten Buch von WILHELM ERBT ›Jeremia und seine Zeit‹.

Die Nachwirkungen des Werkes CORNILLS blieben relativ gering trotz ausführlicher Kommentierung und streckenweise akribischer Auseinandersetzung mit dem Detail. Seine Beobachtungen verdienten

---

[75] F. GIESEBRECHT, Das Buch Jeremia, in: HKAT III,2. Göttingen ²1907. Der Umfang der beiden Auflagen ist fast der gleiche, 1. Aufl. 268, 2. Aufl. sogar nur 259 Seiten.

[76] GIESEBRECHT, a.a.O. (1907) XXII.

[77] C.H. CORNILL, Das Buch Jeremia, Leipzig 1905.

[78] Einleitung § 3, a.a.O. XXXVIII–XLV.

vielfach mehr Beachtung und erneute Prüfung, auch wenn man seinem
Gesamtkonzept nicht zustimmt.

Erst SIGMUND MOWINCKELS Untersuchung aus dem Jahre 1914 ist als
unmittelbare Fortsetzung des DUHMschen Ansatzes zu betrachten[79].
Er treibt mit logischer Konsequenz DUHMS (und GIESEBRECHTS) Konzept dreier voneinander zu trennenden Überlieferungsgruppen weiter
und sucht sie sowohl sprachlich-stilistisch als auch inhaltlich-her-
kunftsmäßig genauer zu bestimmen. Nur die Kapitel 1 – 45 seien zu
dem eigentlichen Buch Jeremia zu rechnen; „die Kapitel 46 – 52 sind ein
späterer Anhang, etwa wie Jes 40 – 66"[80]. 1 – 45 sind als Zusammenar-
beitung aus „vier verschiedenen schriftlichen Quellen" zu betrachten[81],
nämlich 1. Quelle A, eine Sammlung jirmejanischer Orakel (in Kap.
1 – 23 bzw. 25); 2. Quelle B, geschichtliche Erzählung über Jeremia als
Werk eines Verfassers, nicht nur eines Redaktors (in Kap. 26 – 44); 3.
Quelle C, Reden, die sich sprachlich und inhaltlich mit dem „Deuteronomisten" berühren und „zwischen den einzelnen Stücken von A und B
verstreut" stehen, also praktisch über das ganze Jeremiabuch verteilt
sind; 4. Quelle D, die allein die Kap. 30 – 31 umfaßt, ursprünglich eine
anonyme Sammlung von Worten, die nachträglich mit einer Überschrift
und einer Abschlußformel versehen wurde. Mit seinen vier „Quellen"
entwarf MOWINCKEL eine über DUHM hinausgehende Theorie, die
ältere Beobachtungen verarbeitete und, möglicherweise angeregt durch
die Pentateuchkritik, die Komposition des ganzen Jeremiabuches aus
einem hinreichend festen Bestand schriftlicher Vorlagen zu erklären
suchte.

Im einzelnen urteilte MOWINCKEL differenzierter, als man vorder-
hand annehmen sollte. Er beobachtete im Buch Jeremia zunächst eine
ganze Reihe von Parallelen und Dubletten, die es ihm fraglich erscheinen ließen, einen einzigen Redaktor für das ganze Buch anzunehmen,
der das Ziel hatte, sein Material in eine einzige klar überschaubare
Ordnung zu bringen. Vielmehr lagen dem Redaktor mehrere schriftliche Quellen, „Sammlungen jirmejanischer Orakel", vor, die die
Spannungen und Unausgeglichenheiten und ihre scheinbare Unord-
nung im Gesamtwerk erklären. Um eine einigermaßen feste Ausgangslage für die Beurteilung der Texte zu gewinnen, suchte MOWIN-
CKEL solche „Orakel" zu finden, die ein „gemeinsames Gepräge tra-

---

[79] S. MOWINCKEL, Zur Komposition des Buches Jeremia: Videnskapsselska-
pets Skrifter II. Hist.-Filos. Klasse 1913 Nr. 5, Kristiania 1914.

[80] A. a. O. 14.

[81] A. a. O. 17.

gen"[82], die eine bestimmte Individualität zu erkennen geben. Er findet
sie zunächst in der „Quelle" A, die er bald auch „Gruppe" A oder
„Sammlung" A nennen kann. Ihr rechnet er die folgenden Stellen zu[83]:
Jer 1,1–16; 2; 3,1–5.19–25; 4; 5; 6; 8,4–23; 9; 10,17–22; 11,15–23; 12,1–12;
13,12–27; 14; 15; 16; 17,1–4.9–18; 18,13–23; 20,14–18; 21,11–14;
22,10–30; 23,5f.9–24.29; 24,1–10 (?); 25,15f.27–38.

Diese Sammlung A mache den Eindruck, „authentische, redaktionell
wenig bearbeitete Überlieferung zu sein", deren Zweck es sei, „eine
möglichst vollständige Sammlung jirmejanischer Orakel zu geben"[84].
Sie zeige fast durchweg metrisch-rhythmische Form, sie zeige alle Zeichen einer wortgetreuen Überlieferung. Es sei jedoch eine reine Sammlung von „Weissagungen", die nichts über die Person des Propheten,
seine Zeit und seine Lebensumstände mitteilen wolle.

Die Sammlung B enthält Stücke, die im Stil „geschichtlicher Erzählung" über den Propheten berichten, nicht von seinem Leben, sondern
von seinen Taten, die sich in seinen Worten manifestieren. Nicht einzelne denkwürdige Erlebnisse sollen mitgeteilt werden, sondern nur
solche Ereignisse, die Anlaß zu denkwürdigen Worten gegeben haben.
„Die Einheit von Wort und Geschichte will der Verfasser geben."[85]
Sammlung B umfaßt folgende Stücke: Jer 19,1 – 20,6; 26; 28; 29,24–32;
(34,1–7 nach RUDOLPH); 36; 37,1 – 38,28a; 38,28b – 40,6; 40,7 –
43,12; 44,15–19.24–30; (45; 51,59–64 nach RUDOLPH).

Die später für diese Überlieferungen geläufig gewordene Bezeichnung ›Baruch-Biographie‹ ist freilich nicht im Sinne MOWINCKELS.
„Ein 'Leben Jir.s', eine Biographie, hat er überhaupt nicht schreiben
können und nicht schreiben wollen, einfach weil ihm die erste begriff-
liche Bedingung dafür fehlte, der Begriff des Bios." Mehr noch kann
man es eine Anekdotensammlung nennen, die aber schließlich in eine
chronologische Ordnung gebracht wurde. Die Verfasserschaft Baruchs
lehnt MOWINCKEL ab. Es sei eine von den Theologen ausgedachte „Ba-
ruchlegende", daß Baruch „Schüler und Privatsekretär (sic!)" des Jeremia gewesen sei[86]. Es handele sich vielmehr um eine Sammlung volks-
tümlicher Erzählungen, die nichts mit Baruch zu tun hatte. Daß das
Buch in Ägypten entstanden sei, wäre das Nächstliegende.

[82] A.a.O. 19.
[83] A.a.O. 20; hier in leicht abgekürzter Fassung wiedergegeben, vielfach
unter Zusammenfassung mehrerer Verse oder Versgruppen.
[84] A.a.O. 21f.
[85] A.a.O. 25.
[86] A.a.O. 30.

Von seiner Sammlung B trennte Mowinckel die ebenfalls in Prosa abgefaßten größeren Reden des Propheten als Quelle C ab, die zugleich eine eigene Gattung bildeten. In der Regel beginnen diese Redeabschnitte mit der Formel: „Das Wort, das von seiten Jahwes erging." Sprachlich und inhaltlich weisen die Reden starke Berührungen mit den deuteronomischen Wendungen auf, wie sie sich in dem später so genannten „deuteronomistischen Geschichtswerk" finden. Mowinckel rechnet der Quelle C die folgenden Stücke zu: Jer 7,1 – 8,3; 11,1–14; 18,1–12; 21,1–10; 25,1–11a; 32,1–2.6–16.24–44; 34,1–7.8–22; 35,1–19; 44,1–14.

Der Unterschied dieser Reden (mit Ausnahme von 21,1–10 und 34,1–8), die durchweg in Prosa geschrieben sind, zu den poetischen Texten der Quelle A ist die Monotonie ihrer Sprache und das Schema ihrer Disposition: 1. Aufforderung zu Buße und Bekehrung; 2. Feststellung der Unbußfertigkeit; 3. unabwendbare Strafe. Die inhaltlichen Berührungen mit den „Deuteronomisten" sind nicht zu übersehen. Die Sünde der Judäer besteht in ihrer Abgötterei, ihrem Dienst für fremde Götter. Das ist zwar auch in Quelle A ein breit ausgeführtes Thema, daneben aber bildet eine ethische Auffassung der göttlichen Forderungen eine stärkere Rolle als in C, wo eine nomistische Betrachtung des göttlichen Willens überwiegt, und zwar im Sinne der Deuteronomisten[87]. Die Warnung vor der Gesetzesübertretung ist die Aufgabe des Propheten im Sinne der deuteronomischen Konzeption von der prophetischen Vermittlung göttlichen Gebotes. So steht denn der Prophet vor der Notwendigkeit, auch Jahwes Handeln ethisch zu begründen. Gott muß so und so handeln und reagieren, weil die Menschen selbst dazu Anlaß geben. Das einzige Mittel, der göttlichen Bedrohung zu entrinnen, ist das Mittel der Bekehrung, der Umkehr. Mowinckel urteilt, daß Quelle C „von der vielseitigen Wirksamkeit des Propheten eigentlich nur seine Tätigkeit als Moral- und Strafprediger herausgegriffen" hat[88]. Von der großen spezifischen Individualität des Propheten Jeremia ist da nichts übriggeblieben. Das beweise nicht zuletzt, daß C eine selbständige Quelle sei. Abschließend urteilt Mowinckel[89]: „A stammt von einem treuen Sammler und Erhalter der prophetischen Tradition, B von einem geschichtlichen Verfasser und einem Bewunderer der Person und des Lebens des Propheten; C dagegen von einem Verfasser, der die Tradition nach einer Theorie und einem Schema umgebildet hat."

---

[87] A.a.O. 35f.
[88] A.a.O. 39.
[89] Ebd.

Mit hoher Wahrscheinlichkeit, obwohl sie nicht die charakteristische Überschrift tragen, sollen nach MOWINCKELS Meinung auch Kap. 27; 29, 1–23; 3, 6–13; 22, 1–5; 39, 15–18 und 45 der Quelle C zugehören. Dafür sprächen Merkmale des Inhalts und der Komposition, vielfach aber auch, daß eine Zuweisung an A oder B ausscheidet und nur C sich empfiehlt.

Unter Zugrundelegung von B habe ein Redaktor die C-Stücke an vermeintlich richtigen Stellen eingearbeitet, aber „ein beabsichtigter Zusammenhang"[90] sei fraglos durch Einbau der selbständigen Kapitel 30 und 31 unterbrochen worden. Die in sich abgeschlossene Sammlung, die diese beiden Kapitel ausmachen, nennt MOWINCKEL Quelle D. Die doppelte Überschrift (30, 1–3 + 4) und der doppelte Abschluß der Sammlung (31, 26 + 27 f.) erheben es zur Evidenz, daß der Endredaktor dieser beiden Kapitel eine fertig abgeschlossene, auch schon mit Überschrift und Abschlußformel versehene Sammlung vorgefunden und in die Gesamtredaktion von 26 – 45 eingeschoben hat, indem er dem ersten noch einen zweiten jeremianischen Rahmen hinzufügte. „Diese Sammlung D hat gar nicht den Anspruch, jirmejanisch zu sein, erhoben; sie ist ursprünglich anonym gewesen, trägt keinen Verfassernamen an der Stirn und gibt somit über ihren Verfasser keine Andeutungen."[91] Dies schließt aber nicht aus, daß in Kap. 31 „ältere Weissagungen über Ephraim durch spätere Bearbeitungen zu Orakeln über Israel und Juda umgebildet worden sind (DUHM)."[92] Die Verse 31, 29–40 beurteilt MOWINCKEL als spätere Interpolationen, die sich den Heilsorakeln anschließen. Sie gehören wohl zu den spätesten Zusätzen zum Buch Jeremia.

Über die sogenannte ›Urrolle‹ aus dem 4. Jahre Jojakims (Jer 36, 1 ff.) sagt MOWINCKEL, daß sie nur Worte aus Quelle A enthalten haben könne. „Die Aufgabe, diese Rolle selbst wieder herzustellen, ist unlösbar."[93] Die meisten der „Orakel" Jeremias sind undatiert und entziehen sich nach Stil und Art genauer zeitlicher Bestimmung. Über die vier Quellen ABCD hinaus beobachtet MOWINCKEL eine ganze Anzahl von Interpolationen und Ergänzungen[94].

In summa: Jer 1–45 sind als das Produkt einer mehr oder minder durchschaubaren redaktionellen Zusammenarbeit aus vier Quellen (R^{ABCD}) und einer Reihe noch späterer Ergänzungen zu betrachten. Die

---

[90] A. a. O. 45.
[91] A. a. O. 47.
[92] Ebd.
[93] A. a. O. 48.
[94] A. a. O. 48–51.

Quellen A und B seien in Kreisen der ägyptischen Diaspora zusammengestellt und fixiert worden. Diese Kreise setzten sich aus Aristokraten zusammen, die sich um Gedalja in Mizpa gesammelt hatten. Die Redaktion erfolgte zwischen 580 und 480. C hingegen trage das Gepräge des „fertigen Judentums" und sei deshalb nicht älter als Esra. D und die Kapitel 46–51 lassen sich zeitlich nicht überzeugend einordnen. Das vorliegende Jeremiabuch, „abgesehen von den in LXX fehlenden Stücken", müsse vor 165 v. Chr. redigiert worden sein.

MOWINCKEL hatte damit ein geschlossenes Konzept vorgelegt, das weithin überzeugen mußte. Dennoch blieb es zunächst ohne spürbare Resonanz. Im Gegenteil: Der umfangreiche Kommentar von PAUL VOLZ (1. Aufl. 1922; 2. Aufl. 1928) setzt sich ausdrücklich von MOWINCKEL ab. „Die große Zahl der Beteiligten (7 Personen, außer 46 – 52)", die an der Entstehung des Jeremiabuches mitgewirkt haben sollen, hält er für unwahrscheinlich[95]. Im großen und ganzen sei Baruch der Verfasser des Jeremiabuches und VOLZ fragt: „Werden wir je imstande sein, das Werden des Jeremiabuches so bis ins einzelne zu verfolgen, wie M. will?" Im übrigen verfolgt VOLZ ein anderes Ziel. Nicht die „formale und phänomenologische Seite des Prophetischen" wollte er herausarbeiten, selbst Textkritik und Stilkritik stellte er zurück, wesentlich war ihm, Jeremias prophetisches Erleben und seine Frömmigkeit „greifbar zu machen"[96]. Jeremia erscheint ihm als ein Redner, Dichter und Schriftsteller. Das Nebeneinander verschiedener Stilformen ist für ihn authentischer Ausdruck des Wirkens Jeremias.

Bemerkenswert ist nun aber ein anderer Vorgang. Unter dem Einfluß der in den dreißiger Jahren in Skandinavien aufgekommenen „traditionsgeschichtlichen Schule" (NYBERG, ENGNELL), die dem Fortwirken der mündlichen Tradition gegenüber der schriftlichen Aufzeichnung den Vorrang gab, meinte MOWINCKEL in seinem Buch ›Prophecy and Tradition‹ (1946) neben grundsätzlichen Erwägungen zum Verhältnis von mündlicher und schriftlicher Tradition auch seine Auffassung zur Überlieferung und Komposition des Jeremiabuches ändern zu müssen. Er suchte der neuen Schulrichtung dadurch Rechnung zu tragen, daß er annahm, bei der Überlieferung der Jeremiaworte seien mündliche und schriftliche Tradition von Anfang an Hand in Hand gegangen[97]. Er stellt sich das so vor, daß 23 Jahre lang (von der Berufung des Propheten bis in Jojakims 4. Jahr, Jer 36, 1 ff.) von und über Jeremia nur mündliche Über-

---

lieferung im Umlauf gewesen sei[98], ehe Baruch sie aufzeichnete (Jer 36).
Neben diesen schriftlichen Zeugnissen sei aber die mündliche Tradition
weitergelaufen und hätte sich in den "deuteronomizing prose speeches"
niedergeschlagen, in denen uns "actual parallels to (variants of) metri-
cally formed sayings" vorlägen, "which obviously have been contained
in Baruch's book roll"[99]. Das sind eben die Texte, die MOWINCKEL im
Jahre 1914 seiner Quelle C zuwies und über die er damals in harter Abgrenzung gegen die Quellen A und B sagen konnte[100]: „Aus den Orakeln sind Schelt- und Drohreden geworden, aus der Mannigfaltigkeit
Monotonie, aus dem Reichtum der Ideen und Gedanken, Formen und
Stimmungen ist sprachliche und inhaltliche Armut, und aus den vielen
persönlichen Ausbrüchen und Empfindungen, aus der ganzen spezifischen Individualität des großen Mannes ist eine Schattenfigur einer
dogmatischen Theorie geworden." Diese Texte trügen das Gepräge des
fertigen Judentums.

Was MOWINCKEL einst „dogmatische Theorie" nannte und möglichst
weit entfernt von der Persönlichkeit Jeremias zu stehen kam, soll nun als
Variante, als aktuelle Parallele echter Worte des Propheten verstanden
werden! MOWINCKEL selbst hat die Wende seiner Auffassung gespürt,
und Anm. 61 seines Buches über ›Prophecy and Tradition‹ darf als Bekenntnis ihres Autors betrachtet werden: "If the word 'source' is here
replaced by 'traditionary circle', most of what the present author said at
that time (sc. 1914), more than 30 years ago, still holds good. The point
of view of the exposition is in fact 'traditio-historical'." Was hier "traditionary circle" genannt ist, heißt anderwärts[101] "a circle of tradition of
their own" und meint die deuteronomistische Jeremiatradition, nicht
aber als eigenständiges Produkt eben dieses Traditionskreises, sondern
als auf Jeremia selbst zurückgehende Überlieferung: "It is evident that
the core, the 'themes' so to say, of these speeches are words by Jeremiah."[102] Aber sie stellten „traditionshistorisch" beurteilt eine parallele
Überlieferung der "memories" über Jeremias Worte dar.

MOWINCKEL, der mit diesen traditionshistorischen Erwägungen in
Anlehnung an die skandinavische Schule seine Position von 1914 eher
verunklärt als verdeutlicht hat, wäre mit seiner alten Auffassung sicherlich vernachlässigt worden, wenn nicht 1947 WILHELM RUDOLPH in

[98] A. a. O. 21 f.
[99] Ebd.
[100] MOWINCKEL, Komposition (1914) 39.
[101] Ders., Prophecy and Tradition 62.
[102] Ebd.

seinem für längere Zeit führenden deutschen Jeremiakommentar
(³1968) ausdrücklich MOWINCKELS Konzeption von 1914 in wenig mo-
difizierter Form wieder aufgegriffen hätte. RUDOLPH, von der älteren
literarkritischen Methode stärker geprägt als von form- und überlieferungsgeschichtlichen Sondierungen und weit entfernt von der traditionshistorischen Vorgehensweise der Skandinavier, mußte in Mo-
WINCKELS Vierquellen-Theorie ein brauchbares, bis dahin wenig er-
probtes Instrument sehen, den Texten des Jeremiabuches gerecht zu
werden.

RUDOLPH ist in der Zuweisung der Texte an die Quellen A, B und C
in allen wesentlichen Einzelheiten MOWINCKEL gefolgt. Er hat aber
Modifikationen angebracht, die für seine eigene Arbeitsweise ebenso
charakteristisch sind wie für einige der sich anbahnenden Tendenzen
der späteren Forschung. Vor allem versuchte er, den Text des Jeremiabuches, soweit angängig, möglichst nahe an die Botschaft des historischen Jeremia heranzurücken, besonders dort, wo MOWINCKEL fremde
Hände vermutete. So werden zu MOWINCKELS Quelle A auch die
Fremdvölkersprüche 46,1–49,33 gerechnet; Jer 30 und 31 gelten nicht
mehr als eigenständige Überlieferung, die man als Quelle D ausgliedern
müßte. Das Material ist weitgehend A zuzurechnen; von Haus aus handelt es sich um Worte über das Nordreich, während die Hinweise auf
Juda sekundär und leicht auszuscheiden sind. Überhaupt legt RU-
DOLPH Wert darauf, daß das jetzige Buch nicht nur Einzelsprüche, sondern auch Spruchkomplexe enthält. Gegen DUHM erklärt RUDOLPH,
daß Prosa kein Zeichen für Unechtheit ist, daß in den poetischen Partien
aber auch kein bestimmtes Metrum allein die Echtheit verbürgt.

Die Fremdberichte der Quelle B seien von einer Hand verfaßt, und
zwar von Baruch, sind aber im jetzigen Jeremiabuch nicht mehr in ihrer
ursprünglichen Reihenfolge überliefert[103].

Hinsichtlich der Quelle C (mit Ausnahme der Erzählungen 18,1 ff.
und 35) urteilt RUDOLPH, daß die in Prosa abgefaßten Reden von deuteronomistischer Hand bearbeitet wurden, aber ursprüngliche Jeremiaworte und Selbstberichte enthielten. In 7,28f.; 11,15f. und 16,16f. seien
ursprüngliche Jeremiaworte wörtlich aufgenommen. Im übrigen beobachtet RUDOLPH aber auch, wie schon MOWINCKEL 1914, Ausdrucks-
armut und sachliche Verschiebungen, die von Jeremias echter Botschaft

---

[103] RUDOLPH glaubt, daß Baruch „zweifellos in chronologischer Ordnung
erzählt hat". Sie sei jetzt mehrfach gestört. Die vermutlich richtige Reihenfolge
der Abschnitte sei diese: 26; 19,1–20,6; 36,1–37,2; 28; 29; 51,59–64; 34,1–7;
37,3–45.

wegführen (z. B. 16, 1 ff.; 18, 1 ff.; 34, 8 ff.) oder seine Meinung geradezu entstellen können (17, 19 ff.). „Am gehaltvollsten und dem echten Jeremia am nächsten" stehend seien die große Rede 7, 1 – 8, 3 und das Stück 22, 1–5. Doch hat man gerade hier den Eindruck, daß RUDOLPH die C-Stücke recht unterschiedlich bewertet, was nicht verwunderlich ist, weil es an Kriterien mangelt, den wirklich „echten Jeremia" überzeugend zu ermitteln.

Damit mag es auch zusammenhängen, daß der Möglichkeit, die ›Urrolle‹ zu rekonstruieren, und zwar durch Ausscheidung einer Reihe von Überlieferungen, die aus zeitlichen und sachlichen Gründen dafür nicht in Frage kommen (laut Jer 36 enthielt die Rolle nur Unheilsweissagungen), ein allzu großes Gewicht beigemessen wird, obwohl keine Form der Beweisführung stichhaltig sein kann[104]. RUDOLPH meint, daß es den Anschein hat, „daß wir in 1, 4 – 6, 30 nach Ausscheidung von 3, 14–18 und 5, 18–20 den ersten Teil der Urrolle noch in ihrem ursprünglichen Zustand vor uns haben"[105]. Eine solche Rekonstruktion erleichtert sich RUDOLPH dadurch, daß er eine ziemlich genaue Vorstellung von der chronologischen Anordnung der Überlieferungen im Jeremiabuch haben will[106]: Kap. 1 – 6 umfaßt die Zeit Josias, 7 – 20 „im allgemeinen" die Zeit Jojakims, 21 – 24 die spätere Periode, gibt aber zu bedenken, daß der Rückblick 25, 1–14 mit dem 4. Jahr Jojakims abschloß. Für die Frühzeit stünde also nur die ›Urrolle‹ zur Verfügung, erst ab Jojakim alle drei Quellen.

Dann aber kommt RUDOLPH zu der bemerkenswerten Feststellung, daß Verknüpfungen zwischen den Abschnitten dort fehlen, wo die Stücke der Quelle C erscheinen (7, 1; 11, 1; 14, 1; 18, 1; [21, 1;] 25, 1). Daraus zieht er den Schluß, „daß Quelle C das Hauptgerüst abgibt", in das das übrige Material eingebaut wurde. Das führt ihn später[107] in Verbindung mit der Beurteilung von 21, 1–10 zu der bedeutsamen Bemerkung weiter, es sei „nicht ausgeschlossen, daß der Verfasser der C-Stücke zugleich der Hauptredaktor des Jeremiabuches war"[108].

Letzteres wird man nun freilich als entscheidende Wende gegenüber DUHM und MOWINCKEL vermerken müssen. Während diese in den sog.

---

[104] Schon MOWINCKEL hielt die Rekonstruktion dieser Urrolle für eine unlösbare Aufgabe; s. o. S. 60.

[105] RUDOLPH, Komm. (1968) XVIII.

[106] A. a. O. XIX.

[107] A. a. O. XX.

[108] An dieser Stelle verweist RUDOLPH a. a. O. XX Anm. 1 auf HYATT (1951) und NIELSEN (1955), die zum gleichen Ergebnis kamen.

›C-Stücken‹ im wesentlichen Ergänzer am Werk sahen und MOWIN-
CKEL sogar eine gewisse Willkür im „Einbau" der Redeabschnitte
meinte beobachten zu können[109], zieht RUDOLPH den Verfasser eben
dieser Stücke als Hauptredaktor in Erwägung. Damit führt er exakt an
jene Konzeption der Forschung heran, die HYATT (1941; 1951) im Sinne
einer deuteronomistischen Redaktion zu erfassen suchte und die THIEL
(1973; 1981) mit eigenen Mitteln umfassender ausbaute. Für NICHOL-
SON (1970) und CARROLL (1981; 1986) taten sich späterhin an dieser
Stelle die Pforten für neue Interpretationswege auf[110].

WILHELM RUDOLPHS Kommentar ist der Abschluß einer großen, auf
literarkritischen Gesichtspunkten basierenden Kommentartradition; er
fügte in durchaus eigenständiger Weise die Resultate DUHMS und MO-
WINCKELS zu einem geschlossenen Bild und ohne Extreme zusammen.
Zugleich trat bei ihm die Literarkritik in den Dienst der Sachinterpreta-
tion und der theologischen Beurteilung der Textaussagen. Insofern
steht RUDOLPH auch VOLZ nahe, kommt aber kraft seiner literarkritischen Nüchternheit zu einer sichereren Einschätzung der Theologie Jeremias als VOLZ, der stärker psychologische und subjektive Elemente in
seinen Kommentar einfließen ließ. RUDOLPH sagt, ähnlich MOWIN-
CKEL, daß die C-Stücke den Redaktor stärker an die jüdische Frömmigkeit heranrücken, möchte aber die Endredaktion des Jeremiabuches
noch in der Exilszeit geschehen sein lassen, von einigen Zusätzen abgesehen wie 23,34–40 und 33,14–26[111].

Gleichzeitig aber und ganz unbeabsichtigt weist RUDOLPHS Kommentar mit der Annahme, daß eine deuteronomistische Redaktion
möglich sei, in die Zukunft, und die Aufgaben zeichnen sich ab, die sich
der künftigen Forschung stellten. Die Prosapartien des Jeremiabuches
werden zum brisanten Problemfall, ob sie nun neben den poetischen
Überlieferungen tatsächlich auch authentische Äußerungen Jeremias
enthielten oder nicht. Sprachen etwa Jeremia, Baruch und die Deuteronomisten die gleiche Sprache, verfügten sie über ein vergleichbares
Idiom, oder muß nicht doch mit unterschiedlichen Traditionsträgern
gerechnet werden? Wer Jeremia und die deuteronomistische Sprache

---

[109] MOWINCKEL (1914) 54 f.
[110] Dem Versuch von CHR. RIETZSCHEL (1966), sich die Komposition des
Jeremiabuches durch Aneinanderreihung von „Überlieferungsblöcken" mit je
eigener Entstehungsgeschichte zu denken und also eine einheitliche Redaktion
des ganzen Buches nicht in Frage komme, steht RUDOLPH, Komm. (1968) XXI,
kritisch gegenüber.
[111] RUDOLPH ebd.

allzu eng miteinander verbindet, weist Jeremia unwillkürlich mehr Eigengut in unserem Jeremiabuch zu als diejenigen, die die Deuteronomisten entschieden von Jeremia trennen. Sie haben es ungleich schwerer, den echten Jeremia aus einem weit schmaleren Textbestand herauszufinden. Interessanterweise haben sich in Zustimmung und Abwehr gegenüber dem deuteronomistischen Anteil am Jeremiabuch geradezu Frontstellungen herausgebildet, und das Wort „deuteronomistisch" ist zum Schibboleth der neueren und neuesten Jeremiaforschung geworden. Zunächst soll der Weg der Befürworter deuteronomistischer Arbeit am Jeremiabuch weiter verfolgt werden. Davor aber steht die Frage nach dem Verhältnis des Propheten Jeremia zum Deuteronomium überhaupt.

b) Jeremias Verhältnis zum Deuteronomium und die deuteronomistische Redaktion

HYATT – CAZELLES – ROWLEY – HERRMANN – THIEL

Die Frage nach dem deuteronomischen oder deuteronomistischen Anteil am Jeremiabuch stellt sich komplizierter dar, als es zunächst scheint. Sie ist zwangsläufig verkoppelt mit dem historischen und sachlichen Problem, wie sich Jeremia zur Josianischen Reform stellte, genauer gesagt, wie er das Deuteronomium einerseits und die darauf basierende königliche Reform andererseits beurteilte. Ältere und jüngere Forschung haben es dabei weitgehend als unumstößliche Tatsache angesehen, daß die Reform spätestens mit dem 2 Kön 22 f. mitgeteilten Geschehen einsetzte, das in das 18. Jahr Josias, also 622/21 v. Chr., datiert wurde. Als weitere Voraussetzung galt und gilt, daß das aufgefundene Buch tatsächlich Texte enthielt, die mindestens dem Grundbestand des heute vorliegenden Deuteronomiums entsprachen. Daß Jeremia am Reformwerk des Königs, wie auch immer es sich abgespielt haben mag, keinen Anteil nahm, daß es zumindest ohne spürbare Wirkungen auf seine Botschaft geblieben sein könnte, ist kaum vorstellbar.

Differenzierter ist freilich die Frage, ob Jeremia ganz oder teilweise dem Reformwerk zustimmte, genauer, wie er das Deuteronomium beurteilte und wie das Vorgehen des Königs, der sich zwar auf das Deuteronomium berief, aber seine Anwendung nach eigenen Grundsätzen handhabe, vor allem hinsichtlich der Kultzentralisation. Denn während das Deuteronomium selbst mit keinem Wort den geographischen Ort nennt, an dem Jahwe kultisch zu verehren sei, überträgt Josia die

Forderung der zentralen Kultstätte souverän und, wie es scheint, wider-
spruchslos auf Jerusalem. Sollte Jeremia tatsächlich ein Parteigänger der
Reform gewesen sein, so hätte er sicher klarer und entschiedener auf das
Deuteronomium Bezug genommen, als es jetzt erscheint, und die Kultzentralisation und die Rolle Jerusalems ausdrücklich unterstützt und
hervorgehoben. Deuteronomischer Sprachgebrauch würde sich auf sol-
chem Hintergrund fast von selbst verstehen. Sollte er ein Gegner der
Reform und des Königs gewesen sein, so müßte man eine ausdrückliche
und scharfe Kritik an deuteronomischen Vorstellungen bei ihm finden;
das meinte man in Einzelfällen erkennen zu können, obgleich der Ge-
samteindruck des Jeremiabuches nicht auf eine generelle Abkehr des
Propheten von deuteronomischen Prinzipien schließen läßt. Die ganze
Fragestellung ist nicht neu. Jeremias Verhältnis zum Deuteronomium bewegte schon verschiedene Gelehrte des 19. Jahrhunderts, worauf J. Philip
Hyatt (1942) und Henri Cazelles (1951) in ihren Arbeiten über Jeremia
und das Deuteronomium ausdrücklich hingewiesen haben[112].

Der Gang der Forschung hat zur Lösung der anstehenden Probleme
einen selbständigen und nicht unbedingt geradlinigen Weg genommen.
Es wäre konsequent gewesen, das Verhältnis Jeremias zum Deuteronomium auf der Basis überzeugender sprachlicher Untersuchungen und
Analysen näher zu bestimmen. Diese Notwendigkeit ist schon früh
erkannt worden; doch hat diese Einsicht nur relativ selten dazu geführt,
Zusammenstellungen einzelner Begriffe und Wendungen vorzunehmen, die den Vergleich zwischen dem Jeremiabuch und dem Deuteronomium erleichterten. Duhm hat sich solchen statistischen Untersuchungen nicht unterzogen. Später waren es vor allem S. R. Driver in
seinem Kommentar von 1906 und Hölscher in seinem bekannten
Buch über ›Die Profeten‹[113], die den Sprachgebrauch auflisteten, aber
doch noch unvollständig blieben. Es war die Zeit, in der historische und
exegetische Erwägungen im Vordergrund standen und denen man mehr
an Beweislast zutraute als einer Sprachstatistik. Heute hat sich das Verhältnis umgekehrt; Statistik soll Exegese stützen. Diese Wende vollzog
sich jedoch erst allmählich. Die historisch-exegetische Argumentation

---

[112] Hyatt (1942) 113f. (zitiert nach dem Neudruck bei Perdue/Kovacs,
A Prophet to the Nations, 1984); Cazelles (1951), Neudruck ebd. 89f.

[113] Driver (1906) XLI–LI; Hölscher (1914) 382 Anm. 2; vor ihnen
befaßten sich in ähnlicher, wenn auch weniger differenzierter Weise mit Wortschatz und Stil des Jeremiabuches Movers, Zeitschrift für Philosophie und
katholische Theologie, Cahiers 1. 2. 4 (1840) und Zunz, Zeitschrift der Morgen-
ländischen Gesellschaft (1873) 670–673.

herrschte noch in den Arbeiten von Hyatt (1942), Rowley (1950) und
Cazelles (1951) vor; auch Rudolph in seinem Kommentar von 1947,
der Mowinckels Prinzipien vielfach folgte, stellte sprachliche und
formgeschichtliche Überlegungen zurück. Erst mit den Untersuchungen von Hyatt über die ›Deuteronomic Edition‹ (1951) und
J. Bright über ›The Date of the Prose Sermons‹ (1951) erschienen Arbeiten, die namentlich die Prosaüberlieferungen des Jeremiabuches
sprachlich intensiv durchleuchteten, ohne freilich zugleich historische
und theologische Probleme mitzulösen. Zu nennen ist in diesem Zusammenhang allerdings die Arbeit von J. W. Miller, ›Das Verhältnis
Jeremias und Hesekiels‹ (1955), mit dem bezeichnenden Untertitel
„sprachlich und theologisch untersucht, mit besonderer Berücksichtigung der Prosareden Jeremias".

Es ist ein ganzes Geflecht von Gesichtspunkten, das bei genauerer
Prüfung dieser Arbeiten sichtbar wird. Während Rowley und Cazelles das Jeremiabuch noch weitgehend einheitlich betrachteten und
den Feststellungen Duhms und Mowinckels nur gelegentlich Beachtung schenkten, begann bereits 1942 bei Hyatt ein stärkeres literarisches
Interesse sich bemerkbar zu machen, das er 1951 mit seiner ›Deuteronomic Edition‹ entschieden erweiterte und überzeugender begründete.
Seine Feststellungen führten unmittelbar auf die umfassende Darstellung der deuteronomistischen Redaktion des Jeremiabuches zu, die
Winfried Thiel rund zwanzig Jahre später in zwei Bänden vorlegte
(1973/1981). Es empfiehlt sich, zunächst diesen Weg der Forschung genauer zu betrachten. Denn die Aufstellungen J. Brights (1951) fügen
sich besser in einen anderen Zweig der Untersuchungen ein, der die
sprachlichen Beobachtungen dazu nutzen möchte, nicht eine literarische Differenzierung innerhalb des Jeremiabuches vorzunehmen, sondern das deuteronomisch-deuteronomistische Idiom zu einer gängigen
Sprachform des ausgehenden 7. und beginnenden 6. Jahrhunderts
v. Chr. zu machen. Dieser Auffassung und ihren Konsequenzen soll der
nächste Abschnitt gewidmet werden.

Hyatts Aufsatz von 1942[114] versuchte der Problematik des Verhältnisses Jeremias zum Deuteronomium auf eigenwillige Weise beizu-
kommen. Auf der Grundlage historischer Erwägungen, die er kurz
zuvor vorgetragen hatte[115], glaubte er, Jeremias Auftreten erst rund
zehn Jahre nach Josias Reform ansetzen zu sollen, etwa in die Zeit zwi-

---

[114] Siehe o. Anm. 112.
[115] Hyatt, The Peril from the North in Jeremiah, in: JBL LIX (1940)
499–513.

schen 614 und 612. Damals habe der Prophet weder die Grundsätze des Deuteronomiums noch die Methoden der Josianischen Reform zu billigen vermocht. Das Jeremiabuch aber, wie es uns heute vorliegt, sei von den Deuteronomisten rezipiert und erweitert worden. Ihr Ziel war es, den Propheten als Kritiker der Reform und ihrer Durchführung erscheinen zu lassen, vor allem aber das Deuteronomium selbst durch Jeremia sanktionieren zu lassen. Denn Josias Reform, so HYATT, verlief nicht erfolgreich, so daß sich der Prophet immer wieder herausgefordert sah, im Sinne des Deuteronomiums gegen fremdes Kultwesen, das Josia beseitigt zu haben hoffte, erneut anzugehen.

Als Textgrundlage seiner Erwägungen rechnete HYATT einerseits mit einem ›Urdeuteronomium‹ (Dtn 12 – 18), das Josia vorlag, andererseits mit einem Bestand echter Jeremiaworte, aus denen hervorgeht, daß Jeremia tatsächlich von diesem ›Urdeuteronomium‹ Kenntnis gehabt haben muß. HYATT gesteht selbst zu, daß diese seine Voraussetzungen nicht unbedingt zutreffen müssen und weitgehend subjektivem Ermessen unterliegen, sieht aber darin einen methodischen Ansatzpunkt. Auffällig ist nur, daß die Forschungen DUHMS und MOWINCKELS mit keinem Wort Erwähnung finden und HYATT offenbar die von diesen Gelehrten gesetzten Maßstäbe völlig ignoriert[116].

Sein Hauptinteresse widmete er der Tätigkeit der "Deuteronomic Editors" oder "Deuteronomists", d.h. solchen Redaktoren, die vom Stil und Denken des Deuteronomiums beeinflußt waren und Jeremia im Nachhinein zu einem Befürworter der Josianischen Reform und des Deuteronomiums machen wollten. HYATT nannte eine ganze Reihe von Stellen, die deutlich die Sprache des Deuteronomiums sprechen, darunter den vielverhandelten Abschnitt Jer 11,1–8. Aber sie alle wollte er als nachträgliche Einschübe in einen originalen Jeremiatext verstanden wissen, insbesondere solche Passagen, die das Exil als Folge des Ungehorsams Israels erklären möchten[117], andererseits aber auch eine Wiederherstellung Israels nach dem Exil und eine glückliche Zukunft voraussagen[118]. Interessant ist, daß für Jer 28, aber auch noch für eine

---

[116] Gründe dafür sind schwer auszumachen. Daß ihm die Werke im Jahre 1942 nicht zur Verfügung standen, trifft kaum zu.

[117] Jer 5,19; 9,11–13; 16,10–13; 22,8–9 zu vgl. mit Dtn 29,21–27 und 1 Kön 9,8.9. HYATT a.a.O. 124f.

[118] Hingewiesen wird beispielsweise auf folgende Stellen: Zu vergleichen sind Jer 3,17 mit Dtn 29,13; Jer 3,18c mit Dtn 1,38; 3,28; 12,10; 19,3 und 31,7; Jer 29,10–14 mit Dtn 4,29 und 30,3.5. Weitgehend sekundär erscheint das Gebet Jeremias in Jer 32,16–44; HYATT (1942) 125.

Reihe weiterer Stellen, HYATT damit rechnet, daß Formulierungen aus dem Buche Jeremia die Deuteronomisten beeinflußten oder wenigstens ein Zusammenhang zwischen den Bearbeiterkreisen bestand[119].

HYATTS Ausführungen von 1942 sind nicht mehr als ein knapper Entwurf, aber sie enthalten Probleme, die die Jeremiaforschung der Folgezeit schärfer ins Auge faßte: Jeremias Spätberufung gegen Ende der Regierungszeit Josias, sein gespaltenes Verhältnis zur Josianischen Reform, vor allem aber das Problem einer deuteronomistischen Redaktion mit der bewußten Zielsetzung, Jeremia nachträglich gegen seine ursprüngliche Konzeption zum Träger deuteronomischen Gedankengutes zu machen und das Reformwerk des Königs durch ihn legitimiert zu sehen.

Fast gleichzeitig und in umfassenderer Form nahmen H.H. ROWLEY (1950) und H.CAZELLES (1951) die Frage auf, wie sich Jeremia zum Buche Deuteronomium verhielt, verbunden mit dem Problem, ob Jeremia Gegner oder Befürworter der Josianischen Reform war, und das heißt konkret, wie er sich zur Kultzentralisation im Sinne von Dtn 12 stellte und welchen Einfluß das Deuteronomium überhaupt auf die künftige Ordnung Israels nehmen konnte. In diesem Zusammenhang warf ROWLEY noch einmal die Frage nach dem Alter des Deuteronomiums und der Annahme auf, ob es Josia tatsächlich als Grundlage seiner Reform diente. Was Jeremia angeht, müsse gefragt werden, wie er überhaupt Kenntnis vom Inhalt und Wortlaut des Deuteronomiums erhielt und ob er vielleicht schon vor der Reform mit dem Text in Berührung kam. ROWLEYS Resultat lautete, daß alle Wahrscheinlichkeit dafür spricht, daß das Gesetzbuch Josias das Deuteronomium war und Jeremia Kenntnis hatte von seinem Inhalt und Ziel, möglicherweise aber nicht den genauen Wortlaut zur Verfügung hatte. Zunächst habe er die Reform des Königs verteidigt, aber später erkannt, daß sie hinter den Absichten des Deuteronomiums, die eine geistige und religiöse Erneuerung Israels einschlossen, zurückblieb. Darin traf sich ROWLEY mit HYATT, daß er ebenfalls mit der Erfolglosigkeit, wenn nicht sogar mit einem Scheitern der Reform rechnete[120]: "It means that there was an inner failure of the Deuteronomic reform even before the death of Josiah dealt it its final blow, and it is the less surprising that it had no vitality to survive that event."

Schärfer als ROWLEY stellte CAZELLES die methodische Frage. Er prüfte zuerst jene Stellen, die eine Verwerfung des Deuteronomiums

---

[119] HYATT (1942) 126f.
[120] ROWLEY (1950) 174.

durch Jeremia nahezulegen scheinen[121], dann jene, die Jeremias Abhängigkeit vom Deuteronomium verdeutlichen könnten[122], und kommt zu dem Resultat, daß alle herangezogenen Stellen eine Ablehnung des Reformwerkes nicht zwingend erkennen lassen. Die Gedanken Jeremias zeigen vielmehr eine unbestreitbare Konformität mit dem Deuteronomium, so daß der Schluß sich nahelegt, Jeremia müsse von allem Anfang an das Reformwerk Josias unterstützt, ja sogar zu seinen Wegbereitern im Lande gehört haben. CAZELLES versucht an einer Reihe von Hauptbegriffen den engen Zusammenhang zwischen Jeremia und dem Deuteronomium aufzuzeigen und weist auch auf literarische und gedankliche Berührungspunkte mit Hosea hin. Er unternimmt es sogar, Jeremias enge Beziehungen zu den Trägern des Reformwerkes Josias und seiner Parteigänger nachzuweisen: Ahikam, Gedalja, Elnathan, Achbor und Gemarja[123].

Weitere Überlegungen fügt CAZELLES hinzu. Jeremia habe Anatot zum Zeitpunkt der Reform verlassen, indem er sich der königlichen Anordnung von 2 Kön 23, 8 fügte und nach Jerusalem zog, nachdem die Höhenheiligtümer von Geba bis Beer-Seba geschlossen waren und die Priester der Landstädte in Jerusalem Zuflucht fanden. CAZELLES setzt hier ohne nähere Begründung voraus, daß Jeremia als Priestersohn selbst Priester war und entsprechend handelte. Ob freilich Jeremia, der in seinem Berufungsbericht als „junger Mann" (na' ar 1, 6 f.), vermutlich noch ohne feste Anstellung, angesprochen wird, je Priesterdienst ausübte, ist dem Jeremiabuch an keiner Stelle zu entnehmen. Aus seinen Überlegungen leitet CAZELLES die Erklärung dafür ab, warum nach der Auffindung des Buches im Tempel nicht Jeremia, sondern Hulda befragt wurde. Jeremia sei damals noch unbekannt gewesen und wohnte wahrscheinlich noch nicht in Jerusalem.

Ein weiteres Argument soll nach CAZELLES die Aufgeschlossenheit Jeremias für das Deuteronomium stützen. Nach Auffassung einiger Gelehrter wie ROWLEY, VON RAD "and all of the Catholics"[124] war der Zweck des Deuteronomiums nicht die Kultzentralisation und die religiöse Reform, es war das Heil für das erwählte Volk. "Deuteronomy saw salvation in obedience to the revealed Law, preserved in the ark of the covenant in the temple of Jerusalem."[125] Dieses über die Pflege des

---

[121] CAZELLES (1951) bei PERDUE/KOVACS (1984) 98–101.

[122] Ebd. 101–106.

[123] Ebd. 106–108.

[124] Ebd. 110.

[125] Ebd.

Kultus hinausführende Programm sei zugleich das Programm Jeremias gewesen, der die Zukunft des erwählten Volkes nur in der Umkehr zu seinem Gott erblicken wollte.

Hinsichtlich der literarischen Gestalt des Deuteronomiums beruft sich CAZELLES allein auf STEUERNAGELS Unterscheidung von D^1 und D^2 und einem Redaktor (R), wie sie dieser schon im Jahre 1900 in seinem Deuteronomium-Kommentar für richtig hielt, und fügt unter Berufung auf die Jerusalem-Bibel von 1950 hinzu[126]: "Perhaps it will suffice to admit a double edition of the book, one pre-Jeremianic and the other post-Jeremianic."

Zweifellos behalten CAZELLES' Erwägungen ihren Wert in sich, aber sie fügen sich der damals geführten speziellen wissenschaftlichen Debatte um die literarische Erschließung des Jeremiabuches nicht zufriedenstellend ein. Sie führen vielfach in ein fast unauflösbares Dilemma zwischen literarischem Befund und daraus so oder anders rekonstruierbaren historischen Zusammenhängen. Über Ermessensfragen führt das vielfach nicht hinaus.

Die vielfältigen Überlegungen von ROWLEY und CAZELLES entbehren vor allem einer präzisen Unterscheidung der verschiedenen Überlieferungsformen im Buche Jeremia, namentlich der Berücksichtigung des Wechsels von Poesie und Prosa. Die in dieser Hinsicht geleistete Vorarbeit von DUHM und MOWINCKEL blieb bei ihnen ohne spürbare Resonanz und wurde wohl als methodisch möglicher Zugang gar nicht erkannt.

Um so bedeutsamer hebt sich davon J. PH. HYATTS Untersuchung von 1951 über die ›Deuteronomic Edition of Jeremiah‹ ab. Ungewöhnlich ausführlicher und präziser als in seinem knappen Entwurf von 1942 arbeitete HYATT jetzt den Textbestand aus dem Jeremiabuch heraus, den er dem „Deuteronomisten" zuwies "or the 'school' of writers we call the Deuteronomists". Auf eine weitere Differenzierung innerhalb dieser Texte, etwa einen D^1 oder D^2, verzichtete er und benutzte im Hinblick darauf, daß hier eine Schultradition am Werke sei, das einfache Symbol D. D sei ebenso verantwortlich für die erste und die späteren Redaktionen des Deuteronomiums wie des sog. Deuteronomistischen Geschichtswerkes, umfassend die Bücher Josua bis 2 Könige. Die Uniformität des Stils und der Gedankenführung läßt D relativ leicht von den umgebenden Texten abheben. Seine wichtigsten Begriffe und Wendungen listete HYATT auf, wenn auch nur in vorläufiger, knapp orientierender Form. Der Hauptteil seiner Untersuchung bestand in einem

---

[126] Ebd. 93.

Durchgang durch die Kapitel 1 – 45 des Jeremiabuches und dem Nachweis der Texte, die auf D zurückzuführen sind, an denen D mitwirkte oder auch nur ordnend eingriff.

Über das Ziel der Redaktion von D dachte er ebenso wie schon 1942. D wollte zeigen, daß Jeremia im Sinn der deuteronomistischen Schule redete und handelte, während der Prophet selbst zu seinen Lebzeiten das Deuteronomium kritisch beurteilte, besonders aber die Art, wie es Josia verstand und politisch ummünzte. Die Ideen, die D leiteten, faßte HYATT in knapper Form so zusammen[127]: Jahwe allein ist in Israel zu verehren; zu beseitigen sind alle Fremdgötter. Einzig legitime Opferstätte ist der Tempel in Jerusalem. Die größte Sünde in Israel ist der Abfall von Jahwe. D arbeitete eine Theologie der Geschichte aus, deren Schwerpunkt auf der göttlichen Vergeltung liegt: Jahwe straft die Abtrünnigen und belohnt, die auf seinen Wegen gehen. Verlangt ist ein humanes Vorgehen gegenüber den benachteiligten Gliedern der Gesellschaft und damit die Herstellung sozialer Gerechtigkeit.

Diese Grundideen werden in den D-Stücken in einer von zahlreichen feststehenden Wendungen geprägten Sprache und in einem oft paränetisch wirkenden Stil vorgetragen. Seine Selbständigkeit wird am deutlichsten gegenüber den poetisch abgefaßten Sprüchen, die anderen Ursprungs sein müssen.

D ist nicht die allerletzte und abschließende Redaktionsstufe des Jeremiabuches, aber doch diejenige, die älteres Material von und über Jeremia zur Verfügung hatte, es bearbeitete, ordnete und fallweise mit eigenen Zusätzen versah. Drei Quellen standen D nach HYATT zur Verfügung:

1. ›Baruchs Rolle‹, enthaltend Jeremias Sprüche bis zum Jahre 604, die der Prophet dem Baruch diktierte, nachdem die erste Rolle durch König Jojakim verbrannt worden war (Jer 36)[128];
2. eine Sammlung, oder auch Sammlungen, von Worten des Propheten, die Baruch und/oder andere zusammenstellten, hauptsächlich die Sprüche des Propheten nach 604 enthaltend[129];
3. Baruchs ›Memoiren‹, im wesentlichen das, was man bisher die ›Baruch-Biographie‹ nannte[130].

---

[127] HYATT (1951) 252.

[128] HYATT a. a. O. 265 sucht diese Texte innerhalb der ersten 6 Kapitel des Jeremiabuches: 1, 4–14. 17; 2; 3, 1–5. 12b–14a. 19 – 25; 4; 5, 1–17. 20–30; 6.

[129] HYATT a. a. O. 265; er rechnet dazu auch die Konfessionen 11, 18 – 12, 6; 15, 10–21; 17, 14–18; 20, 7–18.

[130] HYATT a. a. O. 265f. Er weist den Begriff „Biographie" zurück, da es sich

HYATT ist sich dessen bewußt, daß sich dieses Material im heutigen Jeremiabuch nicht klar voneinander scheiden läßt. Was er „Quellen" nennt, will nicht im Sinne MOWINCKELS verstanden sein. Es sind „Quellen" nach Art von Stoffsammlungen oder Vorlagen, die D zur Verfügung standen, die er zu einem Gesamtwerk komponierte und fallweise redigierte. HYATT legt Wert darauf festzustellen, daß Baruch nicht mit D identisch zu denken ist. Baruch war mehr als ein Redaktor, er war Jeremias Schüler und Gefolgsmann und ein eigenständiger Autor.

D war nicht der Endredaktor des Jeremiabuches. HYATT zählt Material auf, das er "post-Deuteronomic additons" nennt und also später als D gesammelt oder verfaßt wurde, aber dennoch Aufnahme im Jeremiabuch fand[131].

Diesen noch immer knappen Entwurf seiner Vorstellungen von der Komposition und Redaktion des Jeremiabuches ausführlich zu begründen, fand HYATT im 5. Band von ›The Interpreters Bible‹ (1956) Gelegenheit, wo er das Jeremiabuch einleitete und exegetisch bearbeitete. Es versteht sich fast von selbst, daß sich dort keine Veränderungen der Grundkonzeption finden und Abweichungen in Einzelheiten geringfügig sind. HYATTS Kommentar stellte nach der 1. Auflage von RUDOLPHS ›Jeremia‹ im HAT (1947) die ausführlichste Begründung einer deuteronomistischen Redaktion des Jeremiabuches dar und untermauerte wenigstens partiell, was schon RUDOLPH vermutet hatte, nämlich „daß es nicht ausgeschlossen ist, daß der Verfasser der C-Stücke zugleich der Hauptredaktor des Jeremiabuches war"[132].

Eine auf die Heilserwartungen im Jeremiabuch eingeschränkte Begründung des deuteronomistischen Charakters einer Reihe von Texten versuchte S. HERRMANN in seiner Leipziger Habilitationsschrift von 1959, die erst 1965 im Druck erschien[133]. Zwar verzichtete HERRMANN

---

nicht um eine volle Lebensbeschreibung Jeremias handelt, sondern nur um Einzelthemen aus Jeremias Leben, seine Konflikte mit Priestern und Propheten und die „Leidensgeschichte" (VOLZ) am Ende seines Lebens.

[131] A. a. O. 266. Dazu rechnet HYATT in erster Linie die Fremdvölkersprüche Jer 46 – 51; aber auch die Sammlung in 30. 31 sei in ihrer gegenwärtigen Form erst später als D vollendet worden. An einigen Stellen zeige sich deuterojesajanischer Einfluß (30, 10–11; 31, 7–14. 35–37) und in 31, 38–40 möglicherweise sogar Einwirkung aus der Zeit Nehemias. Als genuin jeremianisch könnten 30, 12–15; 31, 2–6. 15–20 angesehen werden. Zu weiteren Stellen siehe a. a. O.

[132] RUDOLPH, Komm. (1947) XVIII f.; 3. Aufl. (1968) XX f.

[133] S. HERRMANN, Die prophetischen Heilserwartungen im Alten Testament. Ursprung und Gestaltwandel, in: BWANT 85 (1965). Das Buch vereinigt die theologische Dissertation von 1957 mit der Habilitationsschrift und widmet der

auf eine Auseinandersetzung mit der damaligen Forschungssituation, insbesondere mit den Aufstellungen von HYATT. Das Ziel seiner Untersuchungen war letztlich nicht eine literarische Analyse, sondern eine exegetisch-theologische Näherbestimmung der Heilserwartungen Jeremias. Zwangsläufig mußten dabei aber jene Texte und Gedankengänge hervortreten, die mit Vorliebe als nicht-jeremianisch eingestuft wurden. Es war dem Verfasser zunächst selbst eine Überraschung, daß diese Heilserwartungen im wesentlichen sprachliche und gedankliche Gemeinsamkeiten aufwiesen, die auf einer selbständigen überlieferungsgeschichtlichen Tradition beruhen mußten. Die Nähe zu D trat stark hervor, wenn auch mit unübersehbaren Varianten. Der Gedanke an die Selbständigkeit eines besonderen deuteronomistischen Idioms im Jeremiabuch drängte sich auf, gleichzeitig aber auch die grundlegende Einsicht, daß diese Gedankenwelt in ihrer eigentümlichen Sprache ohne das Deuteronomium nicht denkbar sein konnte. In einem Punkt allerdings gehen die Texte im Jeremiabuch einen Schritt weiter: Sie beziehen den Zukunftshorizont Israels in die Überlegungen ein. Es bleibt nicht bei der Definition und Beschreibung der Schuld Israels, die für die Katastrophen der Vergangenheit verantwortlich ist, sondern es wird auch die Möglichkeit der Überwindung der Schuld erkannt und letztlich zur Gewißheit erhoben.

In dieser Hinsicht verdient bereits der letzte Vers des zentralen Berufungsberichtes in Jer 1, 10 besondere Beachtung. Hier ist Jeremias Auftrag „über die Völker und Königreiche" als ein Reden vom „Ausreißen und Einreißen, Vernichten und Umstürzen", aber auch vom „Bauen und Pflanzen" umschrieben. Diese Formulierungen beziehen ausdrücklich die Entfaltung einer positiven Botschaft des Propheten bereits in den Berufungsbericht ein, stehen aber zu dem eigentlichen Berufungsbericht in 1, 4–9 in einer gewissen Spannung. Vers 10 bringt selbständige Formulierungen von unerwarteter Weitsicht. In ihnen wird das Resultat einer Denkarbeit erkennbar, die über den engeren, gleichsam „tagespolitischen" Auftrag des Propheten an Juda und Jerusalem hinausführt. Der sprachlich und inhaltlich abgesetzte v. 10 verleiht dem Berufungsbericht eine ihm anfänglich unbekannte universale Dimension, die jedoch einigen anderen Stellen im Jeremiabuch entspricht.

Die Wendungen aus Jer 1, 10 finden sich in fast gleichem Wortlaut in einem jeweils charakteristischen Kontext Jer 24, 6b; 31, 28; 42, 10 und 45, 4 wieder. Sie sind in Prosatexte deuteronomistischer Formung auf-

---

literarischen und theologischen Problematik des Jeremiabuches einen unverhältnismäßig großen Abschnitt (159–241).

genommen und wirken wie Rückbezüge auf den prophetischen Auftrag, wie konkrete Anwendungen eines dem Propheten eigenen und
ihm verordneten Prinzips[134].

Darüber hinaus findet sich die gleiche Begriffsreihe, mehr oder minder
fest mit dem umgebenden Text verschmolzen, in Jer 12, 14–17 und 18, 7–10.
11. 12 und wird dort zu einem Ausdrucksmittel besonderer Art. In der Verbindung mit Konditionalsätzen oder konditionalen Wendungen beschreiben die Begriffe Möglichkeiten Gottes im Umgang mit Völkern und
Menschen. Je nach Art des menschlichen Verhaltens kann Gott alternativ
so oder anders handeln. Folgt man den Wegen Gottes, so vermag er den
Menschen aufzuhelfen durch „Einpflanzen und Aufbauen"; tut man es
nicht, so wird Gott „einreißen, ausreißen und vernichten". Dies ist in
strengem Sinne keine konkrete, auf Bestimmtes bezogene Botschaft, es
sind Reflexionen über Gottes Handeln mit einem paränetischen Unter-
ton. Denn gangbar allein kann nur Gottes Weg sein.

Für Jer 12, 14–17 und 18, 7–12 trifft zu, daß diese konditional vorgetragenen Alternativen gerade auf Jahwes Handeln an den Völkern zu beziehen sind, wie es auch in 1, 10 ausdrücklich der Fall ist. So scheint denn
die Begriffsreihe samt ihren Anwendungen Bestandteil einer Denkstruktur in ganz bestimmten Überlieferungen zu sein. Sie wurde von
einem Verfasser mit Vorliebe verwendet, dem an der Universalität und
Folgerichtigkeit des göttlichen Handelns lag. Sowenig man mit Hilfe
dieser Begriffsreihe allein einen bestimmten Verfasser ausmachen kann,
die Kontexte, in denen die Wendungen vorkommen, sind durchweg in
Prosa verfaßt und zeigen die Merkmale von D. War also D nicht selbst
der Erfinder dieser Begriffsreihe, so war er es wohl, der sie kannte, übernahm und kontextbezogen einzusetzen wußte[135].

S. HERRMANNS Untersuchungen haben sich neben anderem auch um
den Nachweis bemüht, einen so geschlossenen Text wie Jer 31, 31–34 als
durch und durch deuteronomistische Komposition zu verstehen. Die
Aufnahme des Bundesgedankens, die Erinnerung an den Auszug aus

---

[134] Man kann die Formulierungen und Begriffe aus Jer 1, 10 geradezu als den
Versuch verstehen, die Gesamtbotschaft Jeremias auf einen einzigen Nenner zu
bringen. Vgl. Einzelheiten bei R. BACH, Bauen und Pflanzen: Studien zur Theologie der alttestamentlichen Überlieferungen (Festschrift G. VON RAD), hrsg.
von R. RENDTORFF und K. KOCH (1961) 7–32; S. HERRMANN a. a. O. 163–169.

[135] S. HERRMANN (1965) 162–169; ders., Kommentar (1986) 40.68–72;
W. THIEL (1973) 69–71; 163–168; 215–218; gegen die deuteronomistische Her-
kunft der Begriffsreihe HELGA WEIPPERT (1973) 191–202; zur Kritik an ihr
S. HERRMANN (1986) 71 f. Deuteronomistische Tradition stellt ebenfalls in Frage
J. M. BERRIDGE (1970) 55–62 u. ö.

Ägypten, die Betonung des Thora-Begriffs, die Bewertung des menschlichen Herzens und die Vergebungsbereitschaft Gottes bilden ein Konzentrat von Begriffen und Vorstellungen, das sich zu einem Gesamtbild
von Theologie fügt, wie es in keinem Verhältnis zu den Aussagen der
poetischen Überlieferungen im Jeremiabuch steht. Unschwer aber ist
zu erkennen, daß die Voraussetzungen dieser theologisch so kompri-
mierten Textfassung im deuteronomisch-deuteronomistischen
Denken liegen und unter dem Stichwort des „neuen Bundes", den
Gott zu schließen gedenkt, die hier ausgesprochenen Prinzipien für
alle Zukunft ihre Geltung behalten sollen und werden. Aus dem deuteronomischen Grundansatz wird eine Zukunftserwartung abge-
leitet, in der deuteronomisches Denken als Regulativ wirksam
bleiben soll, und dies in einer höchst idealen Weise. Hier liegt am allerwenigsten prophetische Botschaft im Sinne aktueller Einflußnahme
auf ein bestimmtes Geschehen vor, es ist theologische Reflexion, die
unter prophetische Autorität gestellt ist[136].

Diese Beurteilung von Jer 31,31–34 führt weiter zu der Frage, welche
Funktion der Text im Rahmen von Jer 30 und 31 hat und wie überhaupt
über Entstehung und Bedeutung der Gesamtkonzeption dieser beiden
Kapitel zu denken ist. Steht sie in einem erkennbaren Verhältnis zu anderen Stücken ähnlicher Art im Jeremiabuch? Tatsächlich erweist sich
ein Vergleich mit dem ebenfalls höchst komplexen Kap. 3 als aufschlußreich. Die Frage ist, ob Jeremia zu seiner Zeit überhaupt eine selbstän-

---

[136] Die Herkunft des berühmten Abschnittes ist vielfach verhandelt worden.
Seine deuteronomistische Grundlage und Stilisierung wurden und werden noch
immer mit Skepsis begleitet. G. VON RAD, Theologie des Alten Testaments II
(⁶1975) 222 f. schloß sich weitgehend der Auffassung von E. ROHLAND (1956)
66–68 an, der den Text für jeremianisch hielt; von den Deuteronomisten sei er
nur geringfügig überarbeitet worden. Zurückhaltung zeigte VON RAD ebd. 223
Anm. 29 gegenüber S. HERRMANN (1965) 179–185. An Jeremias Verfasserschaft
hielt W. RUDOLPH, Kommentar (³1968) 201–204 mit Entschiedenheit fest und
lehnte deuteronomistische Herkunft rundweg ab (ausdrücklich gegen S. HERR-
MANN ebd. 203 Anm. 1). Ähnlich HELGA WEIPPERT (1979). Weitgehend im
Sinne deuteronomistischer Be- oder Überarbeitung mit unterschiedlicher Ak-
zentuierung der Gesichtspunkte urteilten L. PERLITT (1969) 180; P. DIEPOLD
(1972) 169–173; S. BÖHMER (1976) 74–79; W. THIEL (1981) 24–28. In weitere
theologiegeschichtliche Zusammenhänge bei Jeremia, im Alten Testament und
darüber hinaus stellte CHR. LEVIN (1985) den Text; vgl. zu solcher Sichtweise
auch R. P. CARROLL (1981) 215–223 und im Kommentar (1986) 609–614. Die Einzigartigkeit des Textes betont jetzt R. C. CLEMENTS, Kommentar (1988) 189–192,
ohne seine Gestaltung durch deuteronomistische Sprache und Theologie in Frage
zu stellen.

dige und begründete Heilserwartung haben konnte und wo deren überzeugender Ansatzpunkt lag.

Die Kapitel 30 und 31 enthalten nach allgemeiner Auffassung eine
Heilserwartung für das Nordreich Israel, insbesondere in Jer 31,2–22.
Das ›Trostbuch für Ephraim‹ hat man häufig die beiden Kapitel genannt. Dasselbe Thema, Hoffnung für das Nordreich, verbunden mit
der Aufforderung des Gesinnungswandels, behandelt der Komplex Jer
3,1 – 4,4. Wie in 30–31 sind auch hier die Worte für Israel mit solchen an
Juda verknüpft. Die Schuld der beiden Teilreiche wird gegenüberge-
stellt und verglichen; daran schließt sich in 3,12.13 a ein verheißendes
Wort an, das sich in erster Linie an Israel richtet. Es ist ein Wort von
singulärer Art. Im Ich-Stil bringt Gott seine gnädige Gesinnung zum
Ausdruck: „Denn ich bin gnädig, Spruch Jahwes, nicht zürne ich immer-
fort." HERRMANN glaubte, in diesem Wort den „echten" Jeremia wieder-
zuerkennen, der über aller Problematik seiner Zeit zu der ungeheuren und
außergewöhnlichen Erfahrung des gnädigen Gottes gelangt sei[137].

Grundsätzlich ist eine solche Erfahrung bei Jeremia nicht auszuschließen, und es bleibt zu fragen, warum ein so fundamentales Wort
nirgends wiederkehrt. Was jedoch die Exegese erschwert, ist der unein-
heitliche Charakter des Kapitel 3. Schon häufig ist die Fortsetzung nach
3,5 in 3,19 festgestellt worden. 3,6–18 wäre dann ein Einschub, aber
nicht von einheitlicher Gestalt. Eine begrenzte Durchsichtigkeit des
Kapitels ergibt sich dann, wenn man die einzelnen Abschnitte im
Wechsel an Israel und Juda gerichtet sein läßt: 3,1–5 an Israel; v. 6–10 an
Juda; v. 11–13 an Israel; v. 14–17 an Juda; v. 18 an beide zugleich, wahrscheinlich D-Komposition; v. 19–25 an Israel[138].

Ein solcher Wechsel der Adressaten läßt sich in vergleichbarer Weise
in 30 – 31 beobachten. Dort ist sogar die redaktionelle Bearbeitung noch
deutlicher zu belegen. Die Einleitung der ganzen Sammlung in 30,1–3
scheint sich zunächst nur auf Israel bezogen zu haben, kündigt aber in

[137] S. HERRMANN (1965) 225.
[138] W. THIEL (1973) 83–93 weist Jer 3,6–13 D zu, beobachtet aber innerhalb
von 3,6–18 einen literarischen Entwicklungsprozeß in mehreren Stufen, der von
3,12 aβ–13 b α, der Einladung der Bewohner des Nordreiches zur Umkehr, seinen
Ausgang nahm. Jer 3,6–11 greift in Verbindung mit 12,14–17 W. McKANE (1980),
Neudruck PERDUE/KOVACS (1984) 269–284 auf, um daran erneut das Verhältnis
von Poesie und Prosa im Jeremiabuch zu beleuchten. Die Texte 3,12 aβ–13 b α und
3,21–25 weist neuerdings T. ODASHIMA (1989) 161–226.288–295 der von ihm herausgearbeiteten sog. vordeuteronomistischen Bearbeitung im Jeremiabuch zu, und
zwar im Rahmen der vordeuteronomistischen Heilsworte in Jer 2. 3. 6 und 10.
Näheres zur vordeuteronomistischen Bearbeitung s. u. S. 119–124.

v. 3 die Heimkehr für die Bewohner beider Teilreiche an, und zwar mit ähnlichen Worten, wie sie in der summierenden Bemerkung 3, 18 stehen. Es ist nicht auszuschließen, daß das in 30, 3 und v. 4 nach „Israel" stehende „und Juda" in beiden Fällen ergänzt wurde, um den gesamtisraelitischen Charakter des Textes sicherzustellen (ebenso „Haus Juda", 31, 31). Daß diese bewußte Ausweitung der Gedanken auf Juda wie überhaupt die Berücksichtigung der beiden Teilstaaten durch redaktionelle Arbeit erfolgte, erscheint angesichts der Kompositionsweise in 30–31 ebenso sicher wie in Kap. 3. In den Blick genommen ist das „ganze Israel", und beide, Israel und Juda, sollen sich in gleicher Weise als die Adressaten der Verheißungen fühlen. Das ist „deuteronomisch" gedacht, und den Deuteronomisten schwebte folglich ebenso die Idee eines einheitlichen Gesamtvolkes „Israel" vor. Es verwundert darum nicht, daß es D daran lag, die Schuld der beiden Teilreiche aufzudecken, gleichzeitig aber auch die Vergebungsbereitschaft Gottes ihnen beiden zu eröffnen.

Diese Überlegungen schließen es darum nicht aus, daß das Wort vom „gnädigen Gott" in 3, 12, dort an Israel gerichtet, tatsächlich auf ein wirkliches Wort Jeremias zurückgehen könnte, auch wenn es nur als Zitat redaktionell eingearbeitet sein sollte. Freilich wäre es auch nicht auszuschließen, daß hier ein D nahestehender Gedanke aufgenommen und mit der Heilserwartung an Israel verbunden wurde.

Sachliche Erwägungen dieser Art, die sich im einzelnen sehr kompliziert darstellen, aber an den Texten selbst sich orientieren, an ihrer Diktion und ihrer inhaltlichen Zielrichtung, bestärkten HERRMANN darin, die Mitwirkung deuteronomistischer Schultradition am Jeremiabuch nicht in Frage stellen zu dürfen. Doch blieb HERRMANN gegenüber dem Gedanken einer weitgehenden deuteronomistischen Gesamtredaktion in Jer 1–45 auf Distanz. Hinzu kam eine latente Skepsis gegenüber der Einheitlichkeit des deuteronomistischen Idioms im Jeremiabuch und seiner uneingeschränkten Vergleichbarkeit mit Sprache und Stil des Deuteronomiums und des deuteronomistischen Geschichtswerkes. Es schien so, als ob im Jeremiabuch nicht mehr als ein Zweig dieser Schulrichtung erkennbar würde. Die Notwendigkeit einer gründlichen Untersuchung der „Prosaüberlieferung Jeremias unter dem Gesichtspunkt deuteronomistischer Gestaltung" zeigte sich immer deutlicher[139], nicht zuletzt unter dem Eindruck der noch immer vorläufig wirkenden Aufstellungen von HYATT und BRIGHT (beide 1951).

Die von HERRMANN ins Auge gefaßte systematische Untersuchung des deuteronomistischen Idioms im Jeremiabuch empfahl er seinem

---

[139] S. HERRMANN (1965) 193 Anm. 74.

Schüler WINFRIED THIEL, der das Material in umfassender Weise aufarbeitete und ergänzte, und dabei die deuteronomistische Redaktion innerhalb der Kapitel Jer 1 – 45[140] unter Beweis zu stellen suchte. Zu kurz kam dabei freilich die wichtige Aufgabe, die Komplexität und Differenziertheit des deuteronomistischen Idioms in sich genauer aufzuzeigen. Dieses partielle Desiderat konnte späterhin die Frage auslösen, ob THIELS D als einheitliche Größe auch wirklich ausreichend von ihm begründet worden sei.

Trotz solcher Skepsis ist es doch aber beachtlich, daß HYATT und THIEL zu weitgehend übereinstimmenden Resultaten gelangten. Deshalb erscheint es hier angemessen und interessant zugleich, in synoptischer Übersicht die von HYATT und THIEL dem D zugewiesenen Stellen aufzuführen, in Einzelfällen ergänzt durch die Abschnitte und Verse aus dem Bereich der Heilserwartungen, die HERRMANN (1965) für deuteronomistisch hielt.

	HYATT 1951/56	THIEL 1973/81	HERRMANN 1965
1	15. 16. 18–19	1–3	
	17 "being genuine"	7 b β	10
	15. 16 "counterpart of 25, 1–13 a"	9. 10. 16. 17–19	
2		5 b. 20 b. 26 b	
3	6–14, "incorporated a genuine oracle of the prophet: 12 b–14 a"	6–13	18
4		3. 4	
5	18–19	18–19	
6		16–21	
7	7, 1–8, 3 mit Parallelen zu anderen D-Stellen	7, 1–8, 3	
8	19 b "D gloss"	19 b	
9	12–16	11–15	
11	1–17	1–14. 17	
	15. 16 Jeremias eigene Worte	Kap. 11, 18–12, 6: von D überarbeitet	
12		14–17	14–17
13	11 D-Zusatz	1–11 von D überarbeitet	
		12–14 von D überarbeitet	

---

[140] Unter dem Titel ›Die deuteronomistische Redaktion des Jeremiabuches‹ legte W. THIEL bereits 1970 seine Berliner Dissertation vor, die später in zwei Bänden erschien, der Titel jeweils leicht verändert: ›Die deuteronomistische Redaktion von Jeremia 1–25‹ (1973) bzw. ›von Jeremia 26–45‹ (1981).

14	11–12.	11.12.13–16	
	13–18 "very likely genuine"	17–22 von D zusammengestellt	
15	1–4	1–4	
16	1–13.18	1–13.18.	14.15
	16.17 Jer.s eigene Worte	16 f. eigenes Wort Jer.s	
17	2 b–3 a gloss by D	2 f.	25 f. von D
	19–27 style and diction of D	19–27	beeinflußt
18	7–12	7–12.13.18	7–10.11.12
19	2 b–9.11 b–13	Kap. 19.20:	
		„von D zu Kap. 18 parallel gestaltete große Einheit"	
21	1–12	1–10	
22	1–5.8–9.24–27	1–5.8–9.11–12.	
		17 b.25–27.30 b	
23		1–4.7.8.27.32	7.8
24	von D gestaltet	von D gestaltet	
25	1–13 a "in their original form"	25,1–13 freie D-Komposition	
26	von D gestaltet	3–5.6.12–15	
27	von D gestaltet	5–8.9.12–15.	21.22
		16–22 Entwurf des ganzen Kap. von D	
28		16 bβ	
29	10–20	2.4 b.8 f.10–14.	10–14
		15.16–19.20.21–23 (von D überformt)	
30		1–3	1–3
31		27–34	31–34.40
32	16–44	16–44	15.36–44
33	1–13 von D überarbeitet; im Ganzen später als D	1–13 post-dtr Nachtrag zu Kap. 32	10.11.18.19
34	8–22	1.2.8–22 (von D bearbeitet)	
35	12–17 von D überarbeitet; 18–19 eigene Worte Jer.s	1.7 bβ.13–17.18	18.19
36	von D überarbeitet	3.7.31	
37	1.2	1 f.19	
38	2.23	2.23.28 b	
39	1–2.4–13.15–18	1.2.4–10.11 f.	
		13 f.15–18 (?)	
40	1–6	1–6; Rekonstruktion des urspr. Textes: 39,11 f.; 40,2 a.1 b.2 b α.4.5.6	
42	7–22 von D rev.; 9–14 Jer.s eigene Worte	1–5.7–9 a.17 von D bearbeitet; 10–22	
43		1 a β.4.7	
44	von D überarbeitet	verfaßt von D 1–14.20–23 überarbeitet 15–19.24–30	
45	von D gestaltet	1.2–5 (von D bearbeitet)	

Die Bewertung von D

Die Übersicht zeigt hochgradige Übereinstimmungen zwischen HYATT und THIEL, die auf weitgehend gleichen Beobachtungen und Einschätzungen sprachlicher und literarischer Art beruhen. Man könnte THIEL eine gewisse Abhängigkeit von HYATT nachweisen wollen. Aber dies wäre ein allzu oberflächliches Urteil. Die ungleich ausführlichere Begründung seiner Zuweisungen an D, die THIEL gegenüber HYATT vorgenommen hat, beweist, daß THIEL HYATT nicht kopierte, sondern von eigenen Erfahrungen geleitet war. Mehr noch als HYATT charakterisierte THIEL die D-Überlieferung als eine dem Propheten gegenüber selbständige Leistung mit eigenen literarischen Gestaltungsprinzipien und klar definierbaren theologischen Leitgedanken[141].

Die Feststellung THIELS sollte nicht übersehen werden, daß D an einigen Stellen Einzelsprüche prophetischer Herkunft benutzte und an geeigneten Stellen in das Textmaterial einordnete (z.B. 4,3aβb; 7,18abα.21b; 21,4.9 = 38,2)[142], wie er umgekehrt „große Zusammenhänge eigener Formulierung schuf", in die er prophetisches Material „in nicht geringem Umfang inkorporierte". Allerdings stellt er auch fest, daß ein großer Teil der D-Texte „ausschließlich aus redaktionellen Formulierungen" besteht[143]. Der größere Teil dieser Kompositionen lehnt sich jedoch an überlieferte Prophetenworte an[144]. THIEL glaubt, daß Stil- und Sprachdifferenzen eine solche Scheidung von originalem Prophetenwort und redaktionellem Kontext ermöglichen und also in Einzelfällen D den originalen Jeremia nicht verleugnen könne. Auch wenn D die Ich-Berichte dazu benutzte, eigenes Gedankengut einfließen zu lassen und entsprechend zu formulieren, lag D doch auch an einer weitgehenden Wahrung der Tradition. „Prinzipiell liegt es eher in der Tendenz der Arbeit von D, die prophetischen Überlieferungen durch Überarbeitung, d.h. durch teilweise recht umfangreiche Zusätze, zu aktualisieren als durch Unterdrückung von Überlieferungsstoff. Die Wiedergabe der jeremianischen Traditionen durch D beruht also wohl nicht auf einer Auswahl, sondern eher auf dem Bestreben nach einer möglichst umfassenden Überlieferung."[145]

[141] THIEL (1981) 103–112.

[142] Ebd. 105.

[143] Z.B. Jer 11,1ff.; 17,19ff.; 24,1ff.; 25,1ff.; THIEL ebd. 105.

[144] Z.B. Jer 3,6ff.; 7,1ff.; 18,1ff.; 19,1ff.; 21,1ff.; 27,1ff.; 29,1ff.; 32,6bff.; 34,8ff.; 35,1ff.; 42,10ff.; 44,1ff.; vgl. THIEL ebd.

[145] THIEL a.a.O. 105f.

Andererseits, so stellt Thiel fest, habe aber auch die Redaktion „das Gesamtbild der Verkündigung Jeremias durch Einfügung eigener Texte einschneidend verändert"[146]. Solche Veränderungen und Hinzufügungen seien die Bundestheologie, die Exodustradition, die Betonung des deuteronomischen Gesetzes, die deuteronomistische Interpretation der Geschichte, die Umkehrforderung und eine Reihe von Heilserwartungen. In allen diesen Themen macht sich das systematisierende Denken von D bemerkbar, aber auch die veränderte Zeitsituation, in der die prophetische Botschaft neu verstanden und aktualisiert wurde.

Solche Begründungen, die ein lebendiges Fortwirken jeremianischer Tradition bei D feststellen und die mit Bezug auf die Heilserwartungen Herrmann auf je eigene Weise herauszuarbeiten suchte[147], entreißen die Problematik der Komposition des Jeremiabuches der rein sprachlichen und literaturwissenschaftlichen Argumentationsebene und führen weiter zu historisch-geistesgeschichtlichen Überlegungen, die die Vielfalt im Jeremiabuch, aber auch eine streckenweise zu beobachtende Monotonie der Begründungszusammenhänge, namentlich in den redaktionellen Redeabschnitten, die D zuzuweisen sind, angemessen erklären können. Die theologischen Leitgedanken und wesentlichen Anliegen der deuteronomistischen Redaktion vermögen das zu verdeutlichen.

Es geht, so stellt Thiel fest[148], um zwei Gesichtspunkte der deuteronomistischen Redaktion, auf die sie sich konzentriert: Gestaltung der Gegenwart und Erwartung für die Zukunft. Dem rechten Verständnis der Gegenwart diente die theologische Aufarbeitung der Katastrophe von 587, die als das Gericht Jahwes über die Sünde des Volkes verstanden wurde. Sie bestand hauptsächlich in dem permanenten Abfall des Volkes von Jahwe, in der Verehrung fremder Götter und im Übertreten des Gesetzes. Das Deuteronomium wird zum Maßstab der Beurteilung Israels gemacht. Die Warnungen der Propheten werden mißachtet und Israel war nicht zur Umkehr zu bewegen.

Das Problem der individuellen oder kollektiven Vergeltung, das sich in der Exilszeit allgemein stellte und im Jeremiabuch (31,29) mit dem gleichen Sprichwort wie Ez 18 aufgenommen ist, erfährt bei D nach Thiel eine mittlere Lösung[149]. In Geltung bleibt auch für die Zukunft

---

[146] Ebd. 106.
[147] S. Herrmann (1965) passim, bes. 188–195; 223–233.
[148] Thiel (1981) 107.
[149] Ebd. 108 f.

der Grundsatz individueller Haftung, wie er Dtn 24,16 für das Straf-
recht formuliert ist. Andererseits wird der Grundsatz kollektiver Vergeltung unter Aufnahme des Dekalogtextes ausdrücklich im Sinne der
individuellen Verantwortlichkeit korrigiert (Jer 32,18 f.).

Die Rolle der Propheten wird von D im Sinne von Dtn 18, insbesondere der vv. 15 und 18, gesehen. Aufgabe der Propheten ist es, das deute-
ronomische Gesetz auszulegen und zur Umkehr zu rufen, aber auch das
Gericht anzukündigen. Auf die Propheten wird in den geschichtlichen
Rückblicken von D wiederholt verwiesen[150]. Jedoch blieb ihr periodi-
sches Auftreten ohne jeden Erfolg. Jeremia wird als der letzte in dieser
Reihe verstanden, dessen Gerichtsbotschaft nun freilich vor aller Augen
in Erfüllung ging. Die Erfolglosigkeit seiner Umkehrbotschaft machte
das Gericht unvermeidlich. D hat infolgedessen dieses Motiv prophetischer Erfolglosigkeit besonders betont (Jer 7,27; 18,11 f.) und die
Umkehrforderung zu einer Schlüsselfrage gemacht (26,3 f.13; 36,3.
7.31).

Auf diesem Hintergrund erscheint die harte Auseinandersetzung
mit falscher Prophetie, die einen recht breiten Raum im Jeremiabuch
einnimmt. Es ist anzunehmen, daß der Prophet selbst einen entschie-
denen Kampf gegen die Heilspropheten führte und eine Reihe von
Texten dieses Inhalts D vorgegeben war. Die Redaktion hat das
Material im wesentlichen in drei großen Blöcken zusammengefaßt, in
denen sich Elemente jeremianischer Sprüche finden mögen, aber auch
anderes einschlägiges Spruchgut verarbeitet sein kann. Die drei
Blöcke sind Jer 14,13–16; 23,9–32; 27 – 29[151]. Die Heilspropheten,
die in ungebrochener Zuversicht über die Sünde des Volkes hinweg-
sahen und die auswärtigen, für Israel bedrohlichen Mächte unter-
schätzten oder die von ihnen ausgehende Gefahr herunterspielten,
mußten die natürlichen Gegner Jeremias sein. Deshalb konnte ihnen
auch ein hohes Maß an Schuld am Gericht zugewiesen werden. Das
ist der Grund, warum das Jeremiabuch, sonderlich in der Bearbeitung
durch D, die irrende Prophetie zu einem herausragenden Gegenstand
des Nachdenkens machte.

Ein anderes Problem stellt die Haltung von D gegenüber dem Kult
dar. Das Heiligtum spielt bei ihm eine untergeordnete Rolle. Schließlich
war der Tempel zerstört und konnte darum auch ferner nicht von konstitutiver Bedeutung für das Wohl des Volkes sein. THIEL legt Wert auf
die Feststellung, daß die Erwähnung des Tempels in den D-Texten in

---

[150] 7,25; 25,4; 26,5; 29,19; 35,15; 44,4; vgl. 2 Kön 17,13 f.
[151] Vgl. die Einzelheiten bei THIEL (1981) 110.

keinem Fall Eigengewicht besitzt, sondern „anderen Themen und Gedanken untergeordnet" wurde[152]. Besonders auffällig ist das in Kap. 7, dem Wort, das den Tempel relativiert gegenüber der Befolgung ethischer Forderungen, die der Prophet, hier in der Sprache von D, erhebt. Ähnlich verhält es sich mit der Einschätzung der Opfer (Jer 6,20; 7,21 b; 11,15 f.; 14,12 a) bis hin zu ihrer vergeblichen Ablehnung durch Jahwe seit Wüstentagen (7,22 f.). Ein einziger Text (17,19–27) bildet eine Ausnahme. Der Sabbat wird gefordert, der Tempel ebenso wie die Opfer, die dort darzubringen sind; als Bestandteile einer neuen Ordnung werden sie anerkannt, in der man in Zukunft wieder ein normales Leben führen wird. Freilich ist gerade die Beurteilung dieses Textes umstritten, nicht zuletzt, weil die dort ausgesprochenen Grundsätze und Erwartungen in der Sache den Texten des Jeremiabuches nicht voll entsprechen und der späteren nachexilischen Zeit näher zu stehen scheinen.

Ausführlich hat THIEL die Form der „Alternativ-Predigt" untersucht[153] und sie als einen möglichen Typ der Predigt in der Exilszeit hingestellt. Die einschlägigen Texte, insbesondere die D-Texte Jer 7,1–15; 22,1–5 und 17,19–27, stellen den Judäern die Alternative vor Augen, daß es an ihnen selber und an ihrem Rechttun liegt, wie sich ihre Zukunft gestalten wird, sei es, daß es ihnen wohlgeht oder sie mit Vernichtung und Zerstörung in und um Jerusalem rechnen müssen. THIEL schließt nicht aus, daß die von D formulierten Anklagen und Ankündigungen nicht nur retrospektiv für die Generation vor der Katastrophe gesprochen sind, sondern auch der eigenen Zeit von D gelten könnten. Die Gefahr eines Rückfalls in den Kanaanismus sei nach 587 gegeben gewesen und hätte neue Schuld für Juda heraufbeschwören können. Es sei bezeichnend, daß sich die Heilserwartung von D wesentlich auf die babylonischen Exulanten stützte.

Diese Heilserwartung hat über das Deuteronomium und die Verfasser des deuteronomistischen Geschichtswerkes (Dtr) hinausgehend bei D eine ganze Reihe von Sprüchen hervorgebracht, wie sie in solcher Ausführlichkeit und Prägung nicht auf Jeremia selbst zurückgeführt werden können. Hauptsächlich sind zu nennen Jer 23,3 f.; 24,4–7;

---

[152] Ebd. 111.
[153] THIEL (1973) 290–295; vgl. auch S. HERRMANN (1965) 189 f.; 191 f., wo dieses Prinzip, daß der Prophet das Volk vor Alternativen stellt und ihm damit die Entscheidung über seine Zukunft anheimstellt, angesprochen und mit deuteronomistischer Denkweise in Verbindung gebracht ist. Gegen den Begriff „Predigt" zur Klassifizierung der Prosareden im Jeremiabuch HELGA WEIPPERT (1973) 230 f.

29,10–14; 30,3; 31,27.31–34; 32,36–41. Im Unterschied zu Jeremia sah D offenbar die babylonische Herrschaft für begrenzt an, so daß er auch eine Sammlung der unter die Völker Zerstreuten im Mutterlande kommen sah oder wenigstens für möglich hielt. Dies führte weiter zu der Vorstellung der Wiederinbesitznahme des Landes, der Herstellung eines einzigen wiedervereinigten Volkes unter einem Herrscher davidischer Provenienz und nicht zuletzt zur Erwartung eines neuen Gottesverhältnisses in Gestalt eines neuen Bundes.

So ergibt sich am Ende ein überaus geschlossenes Bild der Vorstellungen und Erwartungen von D, das sich in solcher Systematik schwerlich aus Jeremias eigener Botschaft ableiten ließ. Nach Stil und Sprache erscheint es als Fortentwicklung jeremianischer Ansätze und als konsequenter Ausbau eines Gedankengutes auf deuteronomisch-deuteronomistischer Grundlage. Es muß nicht so sein, wie HYATT sagte, daß es das Ziel von D war zu zeigen, daß Jeremia mit den Ideen der Deuteronomistischen Schule einverstanden war[154]. Auch das Umgekehrte mag gelten, daß D aus seiner Sicht den Propheten zu bestätigen suchte und seine Botschaft in Verbindung mit der deuteronomistischen Denkungsart verbreitete und bis zu einem gewissen Grade theologisch abrundete.

Wie HYATT so hat auch THIEL D um das Jahr 550 v. Chr. angesetzt, also zu einem Zeitpunkt, als der Niedergang Babylons sich abzuzeichnen begann und das Deuteronomistische Geschichtswerk (Dtr) bereits als fertige Größe vorlag. Beide jedoch, HYATT und THIEL, rechneten schließlich mit einer post-deuteronomistischen Redaktion, die in Einzelfällen innerhalb des deuteronomistisch bearbeiteten Materials hervortritt, die aber vor allem die Fremdvölkersprüche hinzufügte[155].

Überschaut man den hier dargestellten Verlauf der Forschungsgeschichte hinsichtlich der deuteronomistischen Arbeit am Jeremiabuch, ausgehend von MOWINCKEL (Quelle C), weitergeführt von HYATT (Deuteronomic Edition, D) und von THIEL (Deuteronomistische Redaktion, D) zu einem gewissen Abschluß gebracht, erscheint die Annahme einer deuteronomistischen Redaktion des Jeremiabuches (D) als gut begründet. Nicht nur der D zugewiesene Anteil, auch seine Merkmale im einzelnen scheinen sich zu einem so geschlossenen Bild zusammenzufügen, daß man meinen sollte, diese Hypothese müßte überzeugen und könnte inzwischen als gut etabliert in der Jeremiaforschung gelten. Aber so ist es nicht. Ein anderer Grundansatz, eine ihrem Wesen nach andere Konzeption führte zu einem anderen Resultat, obwohl

---

[154] HYATT (1951) 264 (Neudruck bei PERDUE, 1984).
[155] HYATT ebd. 266.

auch sie letztlich mit MOWINCKELS Anregungen zusammenhängt. Diesem anderen Weg der literarischen Betrachtungsweise muß nun volle Aufmerksamkeit zugewandt werden.

c) Auf der Suche nach der Sprache Jeremias. Poesie und Prosa

ROBINSON – BRIGHT – HOLLADAY – WEIPPERT

Die wesentlich von B. DUHM ausgegangene literarische Betrachtungsweise des Jeremiabuches, nicht unbeeinflußt von der zu seiner Zeit in Blüte stehenden Quellenkritik am Pentateuch, war auf eine historische Differenzierung der Überlieferungen von und über Jeremia gerichtet. Die „Gedichte" Jeremias bildeten den Grundbestand des Buches, sie wurden ergänzt durch die Aufzeichnungen Baruchs und durch Zutaten weiterer Redaktoren („Schriftgelehrter"). So liefert die Form des Buches zugleich den Ausgangspunkt für die Beurteilung der literarischen Entstehungsverhältnisse, die sich über einen größeren Zeitraum hin erstreckten. S. MOWINCKEL (1914) präzisierte diese Betrachtungsweise durch genauere Herausarbeitung einzelner Schichten, die er „Quellen" nannte und die jeweils einer bestimmten Zeitstufe zugewiesen wurden, so daß auch bei ihm die Entstehungsgeschichte des Jeremiabuches als ein Prozeß erschien. Die eigenen Sprüche Jeremias standen am Anfang; sie wurden von MOWINCKEL als solche erkannt, nachdem er die Erzählungen über Jeremia und die Reden Jeremias in deuteronomischer Bearbeitung ausgeschieden hatte.

Dieser Erhellung der Entstehung des Jeremiabuches durch Annahme eines längeren, womöglich stufenweisen Werdeganges, dieser sozusagen „diachronen" Betrachtungsweise, trat die andere gegenüber, die die unterschiedlichen Stile und Sprachformen nicht zur Rekonstruktion eines literarischen Wachstumsprozesses benutzte, sondern es für möglich hielt, daß diese zur Zeit Jeremias nebeneinander existierten. Der deuteronomistische Sprachstil müßte also bei dieser Sicht nicht automatisch spät angesetzt, sondern könnte als ein Idiom zu Lebzeiten Jeremias angenommen werden. Das Deuteronomium mag weitgehend dem 7. Jh. seine Entstehung verdanken. Seine Sprache kann auf die allgemeine Umgangssprache eingewirkt haben. Sie kann zumindest zur Entstehung eines gehobenen Prosastils beigetragen haben, der die Literatur der Zeit beeinflußte und ebenso von Jeremia selbst wie von Baruch und anderen Autoren benutzt wurde. Daraus läßt sich konsequent folgern, daß Jeremia sich durchaus poetisch geäußert haben kann; doch hindert das nicht anzunehmen, daß er wie ein versierter Schriftsteller sich auch des gehobenen Prosastils seiner Zeit zu bedienen wußte. Baruch mag sich bei Abfassung seiner Berichte an die jeremianischen Stilformen angepaßt haben, insbesondere dann, wenn er, verständlich genug, auch bei Wiedergabe der Reden Jeremias der Sprechweise und den Formulierungen seines Meisters nahebleiben wollte.

Eine weitere Folgerung aus diesem methodischen Ansatz wäre, daß das Jeremiabuch nicht als kompliziertes Gebilde aus verschiedenen Verfasserkreisen oder Redaktionsstufen entstanden gedacht werden muß, sondern weil Poesie und Prosa gleichzeitig nebeneinander in der überlieferten Form existierten, auch beide als authentisches Zeugnis entweder Jeremias selbst und seiner Redeweise, zumindest seiner Zeit anzusehen seien. Das soll nicht heißen, daß wir in jedem Fall den ipsissima verba des Propheten begegnen, doch aber in Poesie und Prosa authentisches Wort Jeremias vernehmen. Nicht also hat erst spätere Zeit ein Jeremiabild geschaffen und seine Worte redaktionell überarbeitet oder gar die deuteronomistische Schulrichtung ihn für sich reklamiert und geradezu zum Kronzeugen deuteronomistischen Ideengutes gemacht. Stil und Sprache zwingen nicht zur Annahme eines weitgespannten literarischen Prozesses, sondern haben je auf ihre Weise Anspruch auf Glaubwürdigkeit und prophetische Authentizität.

Tatsächlich haben solche Überlegungen eine respektable Anhängerschaft namentlich in der englischsprechenden Welt gefunden und noch keineswegs an Attraktivität verloren. Ein wichtiger Einsatzpunkt für die hier kurz umrissene Position ist zweifellos der zunächst als Vortrag gehaltene Beitrag von THEODORE H. ROBINSON aus dem Jahre 1924, der in der ZAW unter dem Titel ›Baruch's Roll‹ Aufnahme fand. Er unterschied zunächst vier bzw. drei Typen prophetischer Rede, die er auch in anderen prophetischen Büchern zu erkennen glaubte. Er nannte als die auch für Jeremia wichtigen Typen:

A. Oracular poetry.

B. Biographical and historical prose.

C. Autobiographical prose and literary poetry.

Zunächst gibt ROBINSON eine grobe Übersicht über die Stellen im Jeremiabuch, die er diesen Typen jeweils zuweist. Zu A. "Oracular poetry"[156] bemerkt er, daß die von ihm genannten Texte keineswegs

---

[156] ROBINSON (1924) 215. Er rechnet dazu folgende Stellen: Jer 1,14 – 3,5; 3,19 – 6,30; 8,4 – 10,25; 11,15 – 12,17;13,15 – 14,10; 14,17 – 17,18; 18,18–23; 20,7–17; 21,11 – 23,40; 25,30–38; 30,4 – 31,22; 46–51.

schon sichere Rückschlüsse auf ihre Autorschaft einschließen. Zu B. "Biographical and historical prose"[157] zählt er solche Abschnitte, die mit einem bestimmten Ereignis oder mit einer zeichenhaften Handlung verbunden sind und gleichzeitig Botschaften Jeremias für sein Volk enthalten. In C. finde sich das verbleibende Material, das ROBINSON als "autobiographical prose and literary poetry" klassifiziert[158]. Darin wird die erste Person nicht durchweg verwendet, vielfach herrscht die dritte Person vor, vor allem in den einleitenden Abschnitten. Doch sind oft Weissagungen des Propheten in die Prosaüberlieferungen aufgenommen worden; in diesen begegnet man dann der ersten Person.

ROBINSON selbst erkannte die relative Übereinstimmung seiner Analyse mit den Aufstellungen MOWINCKELS, namentlich in der Herausarbeitung dreier formal vergleichbarer Schichten. Er stellt auch in C die Beziehungen zum deuteronomistischen Sprachstil nicht prinzipiell in Frage, möchte aber deswegen nicht an eine späte Abfassung solcher Formulierungen glauben, wie sie MOWINCKEL annahm und den Deuteronomisten zuwies. Er hält es außerdem für unwahrscheinlich, daß die Autoren dieser Texte mit Hilfe deuteronomistischer Prinzipien die hohe Autorität Jeremias zu stützen suchten. Er äußert überhaupt Skepsis gegenüber einer deuteronomischen oder deuteronomistischen Schultradition, die sich im Jeremiabuch niedergeschlagen haben soll. Er glaubt an die Selbständigkeit jeremianischer Formulierungen auch innerhalb der Prosaüberlieferungen und besonders der in Prosa abgefaßten Reden, die am deutlichsten den deuteronomistischen Einfluß erkennen lassen. So kommt er letztlich zu der überraschenden, weil MOWINCKEL sozusagen auf den Kopf stellenden Auffassung[159]: "I believe that in the main we have in these C sections of the book of Jeremiah passages which are substantially the genuine work of the prophet himself, different as they are in style from the lyric utterances which we find in the oracles."

Mit diesen Worten läßt ROBINSON das Pendel, das DUHM und MOWINCKEL in Bewegung gesetzt hatten, wieder zurückschlagen. Schließlich hatten diese beiden auch die sprachlichen Differenzierungen im Jeremiabuch ähnlich wie ROBINSON erkannt, aber sie hatten sie gleichzeitig zum Ausgangspunkt einer historischen Differenzierung der

---

[157] Die ebd. genannten Stellen sind: 19,1 – 20,6; 21,1 – 10; 26 – 29; 30,1–3; 33 – 34; 36 – 45; 52.

[158] C sollen hauptsächlich diese Texte zuzuschreiben sein: 1,1–13; 3,6–18; 7,1 – 8,3; 11,1–14; 13,1–14; 14,11–16; 18,1–12; 24,1 – 25,29; 31,23 – 32,44; 35.

[159] ROBINSON a. a. O. 218.

Überlieferungen gemacht. Jetzt werden von ROBINSON die historischen Elemente ihres Argumentationsganges mit einem Handstreich beseitigt und der Prophet selbst ergreift allenthalben wieder das Wort. Damit behalten wohl die von DUHM und MOWINCKEL beobachteten Stilunterschiede im Jeremiabuch ihre Geltung und werden anerkannt. Aber es sind im Prinzip lediglich Unterschiede, die man auch in anderen Prophetenbüchern in ähnlicher Weise beobachten kann, worauf ROBINSON mit Recht hinweist. Was zeichnet aber nun den jeremianischen Stil aus und was hilft zu seiner Erkenntnis? Darauf gibt ROBINSON lediglich die Auskunft[160]: "These C sections are clearly a literary work, and are written in a deliberately artificial prose style." Daran schließt sich folgerichtig der weitere Gedanke an: Warum soll dieser Prosastil nicht auf den Propheten selbst zurückgehen? Nur am Rande klingt der Gedanke an, Jeremia selbst könne Sprüche, die ursprünglich poetisch formuliert waren, in Prosa umgesetzt haben. Doch wozu sollte das geschehen sein? ROBINSON glaubt ohnehin nicht, daß Jeremia selbst seine Sprüche aufschrieb. Er diktierte seine Worte dem Baruch. Infolgedessen ist für ROBINSON ›Baruch's Roll‹, also die vom Propheten 604 diktierte Sammlung, eine Art Grundbestand der Jeremia-Überlieferung; er ist von Baruch und Späteren lediglich erweitert und überarbeitet worden. So erklären sich die verschiedenen Formen im Jeremiabuch: die poetischen Sammlungen, Baruchs Berichte und die später überarbeiteten Reden. Jedenfalls will ROBINSON, auch wenn er mit einer Überarbeitung der prophetischen Überlieferung rechnet, das Werk selbständiger Autoren im Sinne der Deuteronomisten ausschließen und den Propheten letztlich auch an der Gestaltung dieser deuteronomistisch wirkenden Abschnitte beteiligt sehen, sofern sie die authentische Substanz seiner Reden enthalten, die im Stil seiner Zeit abgefaßt sind[161].

Man muß abschließend fragen, ob ROBINSON tatsächlich die Jeremiaforschung mit seiner rein formalen Unterscheidung der Überlieferungen wirklich vorangebracht oder ob er sie auf einen Stand zurückgeworfen hat, wie er vor DUHM mehr oder minder schon erreicht war.

---

[160] Ebd.

[161] A. a. O. 221: "C artistic poetry or literary prose written in the first person, and generally containing oracular matter which has been worked over to such an extent that its original form is seldom discernible. These seem to have been the result of the literary activity of the Prophets themselves." Noch einmal wird am Schluß des Aufsatzes über die ›C sections‹ betont gesagt: "Their authenticity has been doubted, but on the whole there seems to be sufficient reason for accepting them as the work, in the main, of Jeremiah himself."

Denn seine synchrone Betrachtungsweise der Überlieferung, die möglichst viel dem Propheten selbst zusprechen oder überlassen möchte und keinerlei Anlauf macht, innerhalb des Buches inhaltliche Differenzierungen vorzunehmen und sie mit dem Wachstumsprozeß sowohl des Propheten wie auch seiner Tradenten in Verbindung zu bringen, läuft letztlich auf eine pietätvolle Nacherzählung des Buchinhaltes hinaus. Alle genaueren Datierungsversuche bleiben unbewiesen und völlig in der Schwebe; das gilt auch für die Verifikation der Daten, die das Jeremiabuch selbst enthält und deren Quellenhaftigkeit Anspruch auf Nachprüfbarkeit hat. Es mag offenbleiben, ob und in welchem Umfang ROBINSON letztlich von einer mehr oder minder fundamentalistischen Betrachtungsweise geleitet war und zugleich ein gewisser Widerspruch gegenüber MOWINCKEL dabei eine Rolle spielte.

Nichtsdestoweniger haben ROBINSONS Intentionen weitergewirkt, sei es, daß man sich direkt an ihn anschloß oder nicht. In seinem knappen Entwurf finden sich jedenfalls Elemente, die nach weiterer Untersuchung verlangten, am deutlichsten in dem Satz[162]: "Possibly a more thorough study of the language of these C passages would yield other instances of the same kind." Merkwürdigerweise wird allein die Untersuchung der C-Stücke empfohlen, die im wesentlichen mit MOWINCKELS C übereinstimmen, wenn auch nicht ausschließlich, ohne daß sie ROBINSON deuteronomisch oder deuteronomistisch nennen möchte. Das erweckt zumindest den Anschein, als ob man hinsichtlich der poetischen Sprüche und der Baruch-Erzählungen weniger Bedenken bezüglich ihrer Authentizität anmelden müßte.

Die von ROBINSON verlangte sprachliche Untersuchung der von ihm "C passages" genannten Stellen hat nach ihm JOHN BRIGHT (1951) in einer hinreichend umfassenden Studie vorgenommen. Ihr Titel markiert die anstehende offene Frage: The Date of the Prose Sermons of Jeremiah. Aber die Stoßrichtung dieser Bemühungen war eine besondere. Es ging nicht darum, die Stilarten und Überlieferungsformen innerhalb des Jeremiabuches auf ihre jeweils sprachlichen Eigentümlichkeiten zu untersuchen und etwa Abgrenzungen zwischen Poesie und Prosaversionen vorzunehmen. Es sollte vielmehr die Auffassung von H. G. MAY (1942) zurückgewiesen werden, die Prosa des Jeremiabuches sei nicht das Werk einer Schule, sondern eines einzelnen, den MAY "the Biographer" nannte und der nicht früher als in der ersten Hälfte des 5. Jahrhunderts schrieb. Er war beeinflußt von einem Bearbeiter des Deuteronomiums (D₂), ferner von Deuterojesaja, vom Herausgeber des Buches

---

[162] A. a. O. 217.

Ezechiel und vom ersten Sacharja und hatte literarische Berührungen mit Obadja, Esra und Nehemia.

BRIGHT vermochte einer solchen Konzeption nicht zu folgen. Zwar sah auch er die Notwendigkeit einer intensiveren Untersuchung der Prosaüberlieferungen im Jeremiabuch, aber wollte dabei nicht auf die besonderen Rahmenbedingungen verzichten, die der Inhalt dieser Überlieferungen selbst an die Hand gab, nämlich die Zeit Jeremias mit ihren Ereignissen und das Exil. Vor allem hielt er MAYS methodischen Weg nicht für gangbar, einzelne, um nicht zu sagen: vereinzelte Wendungen aus der nachexilischen Literatur dem Nachweis dienstbar zu machen, ein Autor des 5. Jahrhunderts habe diese Jeremiaüberlieferungen geschaffen. BRIGHT fand auch nicht den mindesten Hinweis darauf, daß die Prosaüberlieferungen im Jeremiabuch von der postexilischen Literatur abhängig sein könnten und also ihre Entstehung in diese späte Zeit verlegt werden müßte. Durch sprachstatistischen Vergleich der charakteristischen Wendungen der Prosastücke aus dem Jeremiabuch mit dem Deuteronomium, dem deuteronomistischen Schrifttum (Dtr) und den nachexilischen Werken[163] wies er nach, daß die Beziehungen dieser Prosastücke zum Deuteronomium, vor allem aber zu Dtr ungleich enger sind als zu allen anderen Überlieferungen aus nachexilischer Zeit[164].

Was BRIGHT zur Klärung der anstehenden Probleme verlangte, war eine genaue sprachliche, und das heißt in erster Linie, wortstatistische Untersuchung der Prosaüberlieferungen im Jeremiabuch, die er als einheitliche und eigenständige Größe in einem ihr eigenen Sprachgewand beurteilt wissen wollte ("the prose sermons are one"), und das heißt, auch unabhängig davon, was „genuin" jeremianisch genannt werden könne und was nicht. Die Frage der ipsissima verba des Propheten verwies er in den Bereich subjektiven Ermessens. Damit glaubte BRIGHT die Prinzipien für eine unabhängige literarische Untersuchung definiert zu haben. Die Prosaüberlieferungen betrachtete er als geschlossenes

---

[163] BRIGHT (1951) 207–211 (zitiert nach dem Neudruck bei PERDUE and KOVACS, 1984) führt in einer Liste 47 der charakteristischen Ausdrücke aus den Prosaabschnitten des Jeremiabuches auf und teilt dazu Parallelen mit.

[164] Die von BRIGHT a. a. O. 203 f. gegebene Analyse seiner als Appendix A bezeichneten Liste macht einen etwas zwiespältigen Eindruck. Einerseits will sie ein relativ geringes Vorkommen von Ausdrücken feststellen, die Jeremia und Dtr gemeinsam haben; andererseits muß zugegeben werden, daß der dtr. Anteil doch relativ hoch ist. Aber es fällt schwer, eindeutig Abhängigkeiten nachzuweisen. Sicherlich ist ein solcher Nachweis auf rein statistischer Grundlage, ohne Berücksichtigung inhaltlicher Kriterien, schwer zu führen.

Corpus, das unvoreingenommen mit der nachexilischen Literatur verglichen werden müsse.

BRIGHTS Resultat lautete, daß ein nachexilisches Datum für die jeremianische Prosa nicht in Frage komme, daß die nächste Verwandtschaft zu den "exilic Deuteronomists (D₂)" besteht. Aber diese deuteronomistischen Überlieferungen betrachtete BRIGHT nicht als feststehende Größe, sondern selbst wiederum als ein Produkt längerer Entwicklung. Dieser Prozeß setzte, so war seine Meinung, bereits mit der Entstehung des Deuteronomiums ein oder begleitete sie, prägte die Sprache des Deuteronomiums selbst und brachte einen Stil hervor, der allgemeine Aufnahme und Verbreitung fand. Was wir davon im Jeremiabuch antreffen, ist ein Stil eigener Prägung, verwandt mit Dtr, aber keineswegs seine sklavische Imitation. Da es außerordentlich schwierig ist, gegenseitige Beeinflussungen der Stilformen festzustellen und vor allem zu ermitteln, in welchen Fällen Jeremia sich lediglich dem Sprachstil der Zeit anpaßte und was als sein „genuines" Eigengut zu betrachten ist, kam BRIGHT zu der Auffassung, daß beide, der Stil des Dtr und der Stil der jeremianischen Prosa als „Beispiele rhetorischer Prosa des ausgehenden 7. und des frühen 6. Jh. in Juda" anzusehen sind[165].

Damit ist, wenn auch nicht mit gleicher Absicht und auf anderen Wegen, in etwa dasselbe erreicht und bestätigt, was ROBINSON bereits "a deliberately artificial prose style" nannte, von BRIGHT allenfalls unter stärkerer Betonung des durch das Deuteronomium beeinflußten dtr Stils, eine Frucht der inzwischen forschungsgeschichtlich stärker ins Bewußtsein getretenen dtr Gestaltung weiter Teile der alttestamentlichen Literatur[166]. Aber dieser Stil müsse nicht erst in die Exilszeit verlegt werden, sondern habe schon im ausgehenden 7. Jh. Sprache und Bewußtsein bestimmt. Mit der Abwehr der Spätdatierungen MAYS hatte BRIGHT im wesentlichen sein Ziel erreicht; er hat aber gleichzeitig die Basis für großzügige Datierungen der Jeremia-Überlieferungen selbst

---

[165] BRIGHT a. a. O. 204. Mit dieser Meinung schließt sich BRIGHT OESTERLY and ROBINSON, Introduction to the Books of the Old Testament (1934) 304 f. an; siehe auch W. F. ALBRIGHT, in: BASOR 70 (1938) 17; H. L. GINSBERG, in: BASOR 111 (1948) 24 n. 1.

[166] Namentlich M. NOTHS These vom „Deuteronomistischen Geschichtswerk" belebte die Diskussion: M. NOTH, Überlieferungsgeschichtliche Studien I (1943), seitdem unverändert nachgedruckt und ins Englische übersetzt. Zur frühen Kritik an NOTHS Auffassung vgl. O. EISSFELDT, Geschichtsschreibung im Alten Testament. Ein kritischer Bericht über die neueste Literatur dazu (1948).

stark erweitert. Dtr ist eben nicht ausschließlich als Spätprodukt anzusehen, das erst im Nachhinein Jeremias Worte und Taten schildern und
legitimieren wollte, sondern eine mit dem Propheten gleichzeitige
Sprachform. Das ermöglicht die Folgerung, daß die Prosaüberlieferungen uns ein Bild Jeremias zeigen, das nicht wesentlich verschieden ist
von dem der poetisch überlieferten Texte. "The prose sought, as well as
it understood him, to present Jeremiah as he was."[167]

Mochte MAYS ›Biographer‹ damit erfolgreich aus dem Felde geschlagen worden sein, für die Jeremia-Forschung und das tiefere Verständnis
der prophetischen Aussagen war damit nicht viel Neues gewonnen. Der
historischen Tiefendimension eines im Jeremiabuch dokumentierten
Denkprozesses war kaum Bemerkenswertes hinzugefügt, was wohl auch
nicht beabsichtigt war. Allenfalls läßt sich sagen, daß BRIGHT in der Nachfolge MOWINCKELS keinen prinzipiellen Abstand von den „Quellen" oder
Überlieferungsgruppen A, B und C nahm, ihnen aber eine eigene und vielfach auch unabhängige Geschichte zuschrieb, eine Überzeugung, die er
später in seinem großen Kommentar (1965) beibehielt[168]. Vor allem wurde
das deuteronomistische Element nicht unterdrückt, so wenig mit Sicherheit zu beweisen ist, daß Jeremias ipsissima verba in ihrer Prosaform das
deuteronomistisch genannte Idiom bevorzugten.

In der Tat hatte die starke Konzentration der Forschung auf die Prosapartien im Jeremiabuch und die mit ihnen zusammenhängenden Datie-
rungsfragen die Untersuchung der poetischen Sprüche in den Schatten
gerückt, wohl auch infolge der Meinung, hier noch am ehesten finde
man den „echten" Jeremia, an dem alles übrige zu messen sei. W. L.
HOLLADAY (1960) erkannte zu Recht, daß die Beziehung der Prosa zu
den poetischen Texten im Jeremiabuch stärker beachtet werden müsse,
wenngleich seine Behauptung übertrieben ist, "that no one has yet
raised the question"[169]. HOLLADAY versuchte deutlich zu machen, "that
many of the characteristic phrases of the prose sections of the book of
Jeremiah are a reshaping in prose of phrases which either are original to
the genuine poetry of Jeremiah or, though not new to Jeremiah, were
employed by him in his poetic oracles in an original fashion"[170]. Diesen

---

[167] BRIGHT a. a. O. 207.

[168] J. BRIGHT, Jeremiah (1965) LXIII–LXXIII. Immerhin beschließt er
diesen Abschnitt mit den Worten: "My own conviction is that, in spite of unde-
niable verbal differences, the contrast between the Jeremiah of the poetry and
the Jeremiah of the prose (and, one might add, between Jeremiah and the 'Deuteronomists') has been, by many scholars at least, badly exaggerated."

[169] HOLLADAY (1960) 351.

[170] HOLLADAY ebd.

"new approach", das Problem der Verwendung von Poesie und Prosa im Jeremiabuch zu lösen, stellte HOLLADAY unter die Stichworte "prototype and copies", wobei er zwangsläufig voraussetzte, daß in keinem Falle prophetische Authentizität a priori in Frage gestellt werden darf. Er sagt allerdings, was er ausschließen möchte, nämlich "any a priori assumptions as to whether the style is 'Deuteronomic' or not" oder wer auch immer der Verfasser sei. Was er leisten will, ist "a purely literary analysis"[171]. MOWINCKELS Unterscheidung zwischen den Quellen B und C wird bewußt vernachlässigt, weil einzelne Wendungen sowohl in B als auch in C nachweisbar sind.

An Hand von zwanzig in Prosa bevorzugten Wendungen kann HOLLADAY zeigen, daß sie wiederholt auch in den poetischen Sprüchen vorkommen und also dort als Prototypen für entsprechende Formulierungen in Prosa dienten. Genauer gesagt: Es handelt sich bei diesen "phrases" sowohl um längere Ausdrücke wie etwa „die Propheten, die Lügen prophezeien in meinem Namen", aber auch um so knappe Wendungen wie „Tore von Jerusalem", „der Nacken und nicht das Gesicht", „Städte von Juda und Straßen von Jerusalem". HOLLADAY räumt ein, daß es bei einem Vergleich der Stellen in Poesie und Prosa oft schwer ist, ihr Verhältnis zu bestimmen und die Priorität eindeutig zu ermitteln. Es gibt auch Fälle, wo Prosaüberlieferung auf die Poesie eingewirkt haben kann[172]. Schwierig ist es, Vorgeschichte und Verwendung von Begriffsreihen zu analysieren, die häufiger vorkommen, aber nicht eindeutig als ursprünglich poetisch oder prosaisch anzusprechen sind. Die Analyse kommt dann an ihre Grenzen[173]. In vier Fällen werden schließlich nach der gleichen Methode vor-jeremianische Prototypen nachgewiesen[174].

HOLLADAYS eigene Konsequenzen aus seiner "purely literary analysis" fallen auffällig knapp aus. Er hoffte, mit seinen statistischen Nachweisen dem Poesie-Prosa-Problem im Jeremiabuch einen wichtigen weiteren Anstoß zu seiner Lösung gegeben zu haben, forderte aber im übrigen die Nachprüfung jeder einzelnen Wendung und ihrer Eigenart, gestand jedoch auch zu, daß viele Prosapassagen der Prototypen ermangeln. Die gewichtige Frage, in welchem Umfang das jeremianische Prosamaterial auf den "Deuteronomic style" Einfluß nahm

---

[171] Ebd. 353.

[172] HOLLADAY gibt a. a. O. 354–361 seine Übersicht von zwanzig Beispielen, muß aber mehrfach Einschränkungen machen und Variationen einräumen.

[173] A. a. O. 361–364. Es handelt sich hier um Begriffsreihen wie „Könige, Beamten, Priester, Propheten"; „Schwert, Hunger und Pest"; „Ausreißen, Einreißen, Bauen, Pflanzen".

[174] A. a. O. 364–366.

und wieviel es von der "D-tradition" übernahm, wird am Ende als
Frage formuliert, offenbar weil die ganze Untersuchung darauf noch
keine Antwort geben konnte oder wollte[175]. So blieb das Unternehmen
nach der Ermittlung von "prototyp and copy" letztlich im Rang einer
bloßen Voruntersuchung stecken, deren weitere Konsequenzen abzuwarten waren. Soviel war aber deutlich, daß HOLLADAY unter allen Umständen eine Abgrenzung gegenüber den Vertretern deuteronomischen
und deuteronomistischen Einflusses auf Jeremia und sein Buch vorzunehmen suchte und dies auf dem Wege der Wortstatistik und eines
mechanischen Vergleichsverfahrens zu rechtfertigen gedachte.

Eben diese Intention verfolgte auch HELGA WEIPPERT (1973) mit
ihrer Untersuchung der Prosareden des Jeremiabuches und lieferte, gewollt oder nicht, die gleichsam deutsche Spielart der von ROBINSON,
BRIGHT und HOLLADAY vertretenen Richtung, wortstatistisch die Dominanz einer deuteronomistischen Einwirkung auf das Jeremiabuch zu
entkräften, und sie nahm sich dabei die beiden Arbeiten zur Zielscheibe
ihrer Angriffe, die damals zuletzt und am deutlichsten das deuteronomistische Konzept im deutschen Sprachraum vertreten hatten, die Bücher von S. HERRMANN (1965) und W. THIEL (1973/1981)[176]. WEIP-
PERTS Arbeit ähnelt auch formal der von HOLLADAY, weil sie ebenso in
exemplarischer Weise eine Reihe von formelhaften Wendungen heraus-
greift und ihre Verwendung bei Jeremia und stellenweise darüber hinaus
prüft und im wesentlichen mit der Wortstatistik argumentiert. Sie führt
insofern über HOLLADAY hinaus, als sie Roß und Reiter nennt, gegen
die sie kämpft, eine deuteronomistische Schultheologie, vertreten durch
HERRMANN und THIEL, und anders als HOLLADAY stärker die Kontexte
hinzunimmt und berücksichtigt, in denen die von ihr ausgewählten
Begriffe stehen[177].

Besonders interessant ist, daß MOWINCKELS Quellentheorie von
H. WEIPPERT nicht gänzlich verworfen wird, aber doch eine ganz andere Beurteilung und zeitliche Umorientierung erfährt. Zumindest in
ihrer schriftlichen Fixierung falle der Quelle C vor der Quelle B die

---

[175] A. a. O. 367.

[176] W. THIELS Untersuchung lag zu diesem Zeitpunkt noch nicht gedruckt
vor, sondern lediglich als Dissertation in Maschinenschrift: Die deuteronomistische Redaktion des Buches Jeremia, Diss. theol. Humboldt-Universität Berlin
1970.

[177] Allerdings handelt es sich um eine exemplarische Untersuchung, keineswegs um eine die ›Prosareden des Jeremiabuches‹ fortlaufend besprechende und
umfassend behandelnde Darstellung. Der Titel des Buches kann irreführen.

Priorität zu[178]. Diese Auffassung wird möglich, weil Verbindungen der Prosa-Überlieferungen zu den Deuteronomisten ausgeschaltet werden und Sprache und Stil der entsprechenden Passagen als Sprachformen der Zeit charakterisiert werden. Ganz in den Bahnen ROBINSONS, der die "C sections", also im wesentlichen die autobiographische Prosa, "written in a deliberately artificial prose style" findet[179], spricht nun H. WEIPPERT von „Kunstprosa"[180]. Es erinnert schließlich an HOLLA-DAYS Intentionen, wenn als Fazit der Untersuchung von Jer 21,1–7 fest-gestellt wird, daß „die Verwurzelung der Kunstprosa in der metrisch gehaltenen Prophetenverkündigung und ihr Herauswachsen aus authenti-schen (sic!), poetischen Texten des Jeremiabuches nachgewiesen" werden konnte. Zurückgewiesen wird an Hand von Jer 34,8–22 die Annahme, „daß bereits der Aufbau der Prosareden ihre deuteronomistische Her-kunft bewiese" und die Alternativformulierungen, wie sie sich bei-spielsweise in Jer 18,7–12 finden, auf ausschließlich deuteronomisch-deuteronomistische Denkformen schließen lassen. Ähnliches finde sich auch bei anderen Propheten, sei aber eine „typisch jeremianische Denk-form"[181].

Das Resultat dieser Überlegungen kann nicht mehr überraschen: „Negativ formuliert muß man daraus das Fazit ziehen, daß die oft postulierte deuteronomistische Verfasserschaft für diese Texte nicht in Frage kommt. Umgekehrt zwingt alles zu dem Schluß, daß die Prosa-reden eine Tradition vertreten, die Jeremia näher steht als die Fremd-berichte, die sogar so nahe an Jeremia heranzurücken ist, daß man sie als jeremianische Tradition bezeichnen muß."[182]

HOLLADAY (1960) hatte seine Untersuchung über ›Prototyp and Copies‹ vorsichtig als rein literarische Analyse verstehen wollen und es offengelassen, wo auch immer die Verfasser dieser Texte zu suchen seien, dabei allerdings das „deuteronomistische Vorurteil" ausschalten wollen. Entschiedener noch und fast apodiktisch nennt H. WEIPPERT es als Ziel ihrer Arbeit, „die Betrachtung der Prosareden frei zu machen von Prämissen, die in der Deuteronomiumforschung des 19. Jahrhun-derts ihre Wurzeln haben"[183]. Warum das geschehen muß, wird freilich

---

[178] WEIPPERT (1973) 228.

[179] ROBINSON (1924) 218.

[180] Die Bezeichnung ist schillernd. Der Gegensatz wäre wohl „Gebrauchs-prosa". Was WEIPPERT meint, ist ein von poetischen Wendungen durchsetzter Text; diese jedoch erscheinen in der „Kunstprosa" „entmetrisiert". Dazu s. u. 98 f.

[181] WEIPPERT a. a. O. 228.

[182] A. a. O. 228 f.

[183] A. a. O. 234.

nicht gesagt. Wenn H. WEIPPERT wiederholt feststellt, daß ihre Ergebnisse dennoch viele Fragen offenlassen, so dürfte einer der Gründe
dafür sein, daß das Verhältnis von Poesie und Prosa im Jeremiabuch,
dem HOLLADAY vor allem nachspüren wollte, zu wenig in den Blick
kommt. Poetische Überlieferung ist für WEIPPERT authentische Überlieferung. Das hohe Maß kritischer Sezierarbeit müßte füglich aber
auch auf die poetischen Passagen angewandt werden.

Verständlicherweise begrüßte HOLLADAY (1975) in einer breit ange-
legten Besprechung WEIPPERTS Arbeit aufs wärmste, weil sie noch
gründlicher darlegte, was er selbst 1960 zu zeigen versucht hatte. Nicht
nur, daß fünf der formelhaften Wendungen, die zu wesentlichen Teilen
bereits in HOLLADAYS Liste von 1960 vorgekommen waren[184], nun
noch einmal akribisch auf ihre sprachliche Beschaffenheit und die syntaktischen Zusammenhänge hin untersucht wurden, sie lieferte auch
neue Stichworte und Erklärungsversuche zum Thema "prototyp and
copies". Den Weg vom poetischen Spruch zur Prosafassung erklärte
H. WEIPPERT als einen Vorgang von „Entmetrisierung". Er wird zum
einen durch die bei Jeremia zu beobachtende thematisch breitere Entfaltung einzelner Problemkreise begünstigt, zum anderen ist er begleitet
von einer damit zusammenhängenden Auflösung der knappen Formen
prophetischer Gattungen, wie sie die klassische Prophetie entwickelt
hatte[185]. Eben diese Vorgänge brachten jene „Kunstprosa" hervor,
deren Merkmale letztlich aus der Auflösung fester poetischer Gestal-
tungsformen resultieren, ohne sie restlos zu verleugnen. Dies trifft zu
für den Parallelismus membrorum und andere Formen von Wiederholung und Intensivierung der Ausdrucksmittel, etwa der Bildung von
Wortgruppen, die poetischen Ursprungs sein mögen, aber „entmetrisiert" in anderen Kontexten zu „rhetorischer Prosa" gesteigert werden
können. „Ausreißen, Einreißen, Bauen, Pflanzen" ist dafür ein interessanter und ausbaufähiger Grenzfall. Bezeichnenderweise meint HOL-

---

[184] Es handelt sich im einzelnen um folgende Wendungen, die jeweils eng bei-
einander stehen (Stellenangaben nach WEIPPERT 1973, 107 ff.; Parallelen nach
HOLLADAY 1960): Jer 27,10. 14–16 „Lüge prophezeien die Propheten (in meinem
Namen) – „sie prophezeien Lüge, und ich habe sie nicht gesandt"; HOLLADAY
354 f. Nr. 2; 357 Nr. 10. Jer 35,15 „Aussendung meiner Knechte, der Propheten"
– „Umkehr von bösem Weg" – „nicht hören, das Ohr nicht zuneigen"; HOL-
LADAY 355 Nr. 3. Jer 34,17–20 „Schwert, Hunger, Pest"; HOLLADAY 361 f.
Nr. 22. Jer 18,7–10 „Ausreißen, Einreißen, Bauen, Pflanzen"; HOLLADAY 363 f.
Nr. 23. Jer 32,29 b–32 „andere Götter" – „beleidigen" o. ä. (Wurzel k'ʿs hi); von
HOLLADAY nicht aufgenommen.

[185] WEIPPERT (1973) 78.

LADAY den Begriff „Kunstprosa" mit "formal prose" übersetzen zu
können, um anzudeuten, daß innerhalb dieses Prosastiles auf feste
Formmerkmale nicht verzichtet wird[186]. Doch mag man ihn und
H. WEIPPERT fragen, ob zur Ausbildung dieser „gehobenen Prosa" tatsächlich ein poetisches Vorstadium unerläßlich ist und der Rückschluß
von rhetorischen auf poetische Formen zuverlässig und zwingend ist.
Tatsächlich erscheint der deuteronomistische Stil viel weniger als Produkt eines aus poetischen Formen hervorgegangenen Umsetzungspro-
zesses, sondern eher als die höchst gekonnte sprachliche Konzentration
und Raffung inhaltlich klarer Vorstellungen, wie sie das Deuteronomium und die Deuteronomisten als Reflex geprägter und traditionell
gefestigter Geschichts- und Glaubensvorstellungen schufen.

Dies war einer der Gründe, der dazu führte, den Stil des Deuteronomiums, aber auch der jeremianischen Prosa als „predigtartigen Prosastil"[187] oder als „liturgisch-paränetische Predigtform"[188] zu bezeichnen. Den Begriff „Predigt" lehnt jedoch WEIPPERT für die Prosareden
des Jeremiabuches strikt ab, weil sie den Eindruck vermeiden möchte,
diese Prosapartien seien Worte des Propheten. In Wirklichkeit sei es das
„Wort Jahwes", und dafür sei der Terminus „Predigt" nicht am
Platze[189]. Auch dort, wo wir in den Prosareden paränetische Züge zu
entdecken meinen, die zweifellos vorhanden sind, liege doch nicht Ver-
mahnung von seiten des Propheten vor, sondern jeremianische Verkündigung. Bis zuletzt legt H. WEIPPERTS Untersuchung Wert darauf,
Fremdeinwirkungen auf die Prosareden durch D als Verfasser oder Redaktor auszuschalten und in diesen Reden das zuverlässige prophetische Wort als Wort Gottes wiederzufinden.

So viel Selbstgewißheit hat selbst HOLLADAY überrascht und ein
wenig skeptisch gemacht. "It may come as a surprise, then, that WEIP-
PERT has in fact identified as many features of Jeremiah's own diction
and thought in the *Kunstprosa* as she has. One might still wish to have a
clearer conception of the *Sitz im Leben* of the poetic oracles on the one
hand and of the *Kunstprosa* on the other."[190]

Worin liegen Schwierigkeit und Schwäche, aber auch das relative
Recht der bei ROBINSON beginnenden und über BRIGHT und HOL-

---

[186] HOLLADAY (1960) 233.

[187] O. EISSFELDT, Einleitung in das Alte Testament (³1964) 474.

[188] A. WEISER, Kommentar (⁵1965) XXXVII Anm. 1; in der 6. Aufl. (1969)
heißt es ebd. „belehrend-paränetische Predigt".

[189] WEIPPERT (1973) 230 f.

[190] HOLLADAY (1975), zitiert nach PERDUE and KOVACS (1984) 228.

LADAY zu WEIPPERT führenden Forschungsweise und ihrer Methodik? Gegen den statistischen Nachweis von Begriffen und Wendungen, sei es im Jeremiabuch, im deuteronomistischen Geschichtswerk, in Poesie oder Prosa des Jeremiabuches ist nichts einzuwenden. Der Aufweis linguistischer Materialien und ihre Verwendungsweise ist legitim und aufschlußreich. Wozu aber kann er dienen? Der Rückschluß auf Verfasser, Verfasserkreise und Traditionsträger ist möglich, wenn nicht geboten, aber er erfordert mehr als nur Wortstatistik, Nachweis syntaktischer Fügungen und Vergleichbarkeit mit approximativ zeitgenössischer Literatur. Es kann nicht abgesehen werden von der Form der Aussagen und ihrer Intention, in deren Kontext sie erscheinen. Wer in möglichst unvoreingenommener Weise den hebräischen Text des Buches Jeremia kursorisch liest, wird unwillkürlich auf ein bald hohes, bald weniger stark hervortretendes Maß von Uneinheitlichkeit stoßen, auf unterschiedliche Sprachformen, auf Stilbrüche und schwer entwirrbare Zusammenhänge in Poesie und Prosa gleichermaßen. Solche Erscheinungen können nicht bedenkenlos als Ausdruck ein und derselben Zeit und eines einzigen Traditionsstromes allein verstanden werden. Die Verwendung ein und desselben Wortes, statistisch mit leichter Hand erfaßbar, garantiert noch keineswegs den gleichen Sinngehalt. Zwar ist es deutlich, daß über Worte und Ereignisse eines bestimmten begrenzten Zeitabschnittes in der jeremianischen Prosa berichtet wird und dabei geprägte Wendungen eine Rolle spielen. Aber mit fast gleichen Ausdrucksmitteln werden auch Sachverhalte dargestellt, die anders zu interpretieren sind und Nuancen enthalten, die auf einen gedanklichen Fortschritt schließen lassen, der nur aus dem Wachstumsprozeß der Jeremia-Überlieferungen und ihrer weiteren Verarbeitung verständlich wird.

Für die hier charakterisierte Forschungsarbeit von ROBINSON zu WEIPPERT ist gerade dies typisch, daß das exegetische Detail fast völlig in den Hintergrund tritt zugunsten des numerischen Aufweises sprachlicher Elemente, die die ganze Beweislast der Hypothesen tragen sollen. Nicht auszuschließen ist leider auch der Verdacht, daß vorgefaßte Meinungen oder Polemiken Einfluß auf methodische Schritte nahmen. Bezeichnenderweise wird das Verhältnis zur deuteronomistischen Literatur unterschiedlich gesehen. Während BRIGHT dem Dtr noch einen möglichen und legitimen Einfluß zugesteht, möchte ihn HOLLADAY aus methodischen Gründen ausschließen, um nicht einem Vorurteil zu erliegen. H. WEIPPERT möchte ihn grundsätzlich bestreiten und alles, was scheinbar für ihn sprechen könnte, als jeremianische Botschaft, sei es poetisch oder in Kunstprosa, möglichst für Jeremia selbst reklamieren.

Einseitigkeiten dieser Art verstellen letztlich den Blick für Nuancen im Text, die nur aus dem historischen Gefälle literarischer Verarbeitung verständlich werden.

Damit soll nicht gesagt werden, daß diese Forschungsrichtung von ROBINSON zu WEIPPERT nicht bemerkenswerte Einsichten in die Textgestaltung vermittelt hätte und auch einer allzu pauschalen Zuweisung von Prosapartien an D oder eine so ausgerichtete Redaktion nicht erfolgreich entgegentreten kann, aber sie vermag doch dem Buche Jeremia nicht jene volle sachgemäße Interpretation zuteil werden zu lassen, die es als ein Werk verschiedener Bearbeitungsphasen von längerer Entwicklung verständlich macht. Die jüngere Phase der Jeremiaforschung wird daran zu messen sein, ob sie die Resultate der Sprachstatistik, der Formkritik und Überlieferungsgeschichte und der historischen Hintergründe jeremianischer Botschaft und ihrer Verarbeitung überzeugend zu verbinden vermag.

d) Die Konsequenzen: Methodenvielfalt und die unterschiedliche Interpretation des Buches Jeremia

NICHOLSON – CARROLL – LUNDBOM – HOLLADAY

Die Voraussetzungen für solch eine glückliche Verbindung der Methoden waren und sind noch keineswegs gegeben. Der vorliegende Textbestand, der im Buche Jeremia Aufnahme gefunden hat, ist trotz der Mannigfaltigkeit seiner Ausdrucksformen eine relativ isolierte literarische Einheit, die weitgehend aus sich selbst heraus interpretiert werden muß. Andererseits ist es allerdings bemerkenswert zu beobachten, daß Versuche des Vergleichs in sprachlicher und sachlicher Hinsicht zwischen den Büchern Jeremia und Ezechiel durchgeführt worden sind, ohne daß sie freilich bisher genügend Beachtung gefunden haben. Zu nennen sind namentlich die Bücher von J. W. MILLER[191] und R. LIWAK[192], die allerdings in unterschiedlicher Weise dem Stoff gerecht geworden sind[193]. Letztlich geht es auch hier wieder um das Problem

---

[191] J. W. MILLER, Das Verhältnis Jeremias und Hesekiels sprachlich und theologisch untersucht (1955).

[192] R. LIWAK, Überlieferungsgeschichtliche Probleme des Ezechielbuches. Eine Studie zu postezechielischen Interpretationen und Kompositionen, Inauguraldiss. Bochum 1976.

[193] J. W. MILLER nimmt die von TH. H. ROBINSON (1924), später auch von

der Einschätzung der Prosaliteratur in ihren verschiedenen Formen, besser gesagt, um die genauere Erfassung dessen, was man „deuteronomistisch" nennen darf oder wie auch immer man diesen Sprachstil mit seinen sachlichen Implikationen einordnet und klassifiziert[194].

O. EISSFELDT (Einleitung, 1934; [3]1964, 19–21) erwogene Möglichkeit auf, daß die nach Jeremias Diktat geschriebene zweite Rolle (Jer 36,32) nicht dessen poetische Sprüche, sondern die Prosareden enthalten habe. Diese Prosareden könnten dem Ezechiel zu Gesicht gekommen sein. Denn in ihnen findet sich das Parallelenmaterial zwischen Jeremia und Ezechiel. MILLER meint, Ezechiel habe sich der jeremianischen Gedankenwelt erinnert und sie seinen Landsleuten auch begrifflich genau ins Gedächtnis zurückzurufen versucht. Diese Überlegungen MILLERS erscheinen aber recht künstlich. Viel besser lassen sich die Gemeinsamkeiten beider Prophetenbücher aus einer einzigen, sie beide betreffenden redaktionellen Tätigkeit erklären, der es daran lag, wichtige Gedanken exilischer Prophetie festzuhalten, die ebenso im Buche Jeremia wie im Ezechielbuch einen berechtigten Platz einnehmen konnten. Vgl. auch S. HERRMANN (1965) 284 f. R. LIWAK hat seine Untersuchung scheinbar auf das Ezechielbuch beschränkt, tatsächlich aber seine Beziehungen zum Heiligkeitsgesetz, zur Priesterschrift, zum Deuteronomium und zum Jeremiabuch ebenso berücksichtigt. In einer schematischen, aber im Vergleich mit MILLER methodisch strafferen Analyse arbeitet LIWAK die deuteronomisch-deuteronomistischen Elemente in Ez 1,1–3; 2,2 b – 3,11; 5,4 b–17; 6; 11,14–21; 20 heraus und stellt prinzipiell die Frage nach „der deuteronomisch-deuteronomistischen Traditionsverarbeitung im Kontext exilisch-nachexilischer Beispiele". LIWAKS Erwägungen, die im einzelnen zwei verschiedene Denkrichtungen deuteronomistischen Geschichtsverständnisses im Ezechielbuch erkennbar werden lassen, sind auch von W. ZIMMERLI in ihrer Bedeutsamkeit erkannt und bewertet worden (ZIMMERLI, Ezechiel, in: Bibl. Komm. Altes Testament XIII/1, [2]1979, XIII f.; XVI f.), allerdings mit der Einschränkung, daß er den „Deuteronomismus" im Buche Ezechiel bis zuletzt als eine offene Frage betrachtet wissen wollte. Er war der Überzeugung, daß das heute vorliegende Buch Ezechiel seine Entstehung einer „Schule" verdankt (a. a. O. 109*). Es wäre nun leicht vorstellbar gewesen, dieser „Schule" eine deuteronomistische Komponente zuzuerkennen, die sich stellenweise unmißverständlich Gehör verschaffte. Aber so weit ist ZIMMERLI nicht gegangen, und er hat es auch nicht mehr unternommen, das Verhältnis der von ihm postulierten „Ezechiel-Schule" zum „Deuteronomismus" weiter zu klären. Zur Ezechiel-Schule vgl. auch S. HERRMANN (1965) 291.

[194] Die Diskussion darüber ist noch nicht zum Ende gekommen und wird vermutlich auch nie ein Ende finden. Die Wortstatistiker und diejenigen, die die deuteronomistische Denkstruktur aus sachlichen Voraussetzungen in Verbindung mit bestimmten sprachlichen Ausdrucksformen definieren, werden sich grundsätzlich nicht einigen können. Das Verhältnis der Redaktionstätigkeit in den Büchern Jeremia und Ezechiel zum Deuteronomistischen Geschichtswerk

Die Geister scheiden sich also letztlich an der Verständnisweise der literarischen Tatbestände. Wer mit Sicherheit den deuteronomistischen Sprachstil im Buche Jeremia (und vergleichsweise auch an verschiedenen Stellen des Buches Ezechiel) wiedererkennt, wird auch einen entsprechenden theologischen Einfluß in Anschlag bringen. Wer dies nicht tut, sondern auf der Sprachstatistik beharrt und in unbestimmter Weise an der Ausformung eines allgemein verwendeten Idioms im Ausgang des 7. und zu Anfang des 6. Jh. festhält, allenfalls noch zur „Kunstprosa" gesteigert, muß auch andere Konsequenzen ziehen, muß zu einer anderen Einschätzung des ganzen Prophetenbuches und der darin enthaltenen Botschaft Jeremias gelangen. Es ist auffällig, daß die umfangreiche literarische und literaturwissenschaftliche Debatte der letzten Jahrzehnte kaum zu einer tieferen sachlichen und theologischen Erfassung auch nur einzelner Partien im Jeremiabuch geführt hat, weil die Unsicherheit der literarischen Zuweisungen eine überzeugende Beurteilung des nun tatsächlich im Text Gesagten verhinderte oder dazu führte, Bekanntes zu wiederholen. Konsequenzen aus geläuterten literarischen Einsichten blieben die Ausnahme. Auch die großen Kommentarwerke seit W. RUDOLPH (1947), die insbesondere HYATT (1956) und BRIGHT (1965) schrieben, haben von ihren literarischen Voraussetzungen, denen sie jeweils folgten, doch nur begrenzten Gebrauch für die Einzelauslegung des Jeremiabuches gemacht.

Einen entschieden anderen Weg schlug E. W. NICHOLSON (1970) ein, der bewußt auf der deuteronomistischen Idiomatik der Prosaabschnitte und der Reden im Jeremiabuch aufbaute, bei aller Umsicht ihren Charakter als ein Produkt nachprophetischer Aktivität beurteilte und die Ansicht vertrat, daß in diesen Texten die Auseinandersetzung eben der Zeit sich spiegele, in der sie selbst entstanden. NICHOLSON machte ernst damit, daß in den Prosaüberlieferungen des Jeremiabuches sich eine Tradition finde, die nicht an der Mitteilung von Reden des historischen Jeremia interessiert war, sondern an der Interpretation seines prophetischen Wortes für die eigene Zeit. Dieser hermeneutische Prozeß fand seinen Ausdruck in einem Predigtstil und gegebenenfalls auch in einer aktiven Predigttätigkeit, die sich an die Menschen der Exilszeit und insbesondere an die Exilierten selbst richtete. Die Absicht war, "to present

ist bisher erst ansatzweise untersucht worden (vgl. L. STULMAN, 1986; s. u. 178 f.). In diesem Zusammenhang wäre auch zu berücksichtigen, ob die neuerdings von einigen Exegeten namhaft gemachten Schichten im Deuteronomistischen Geschichtswerk (Dtr^G, Dtr^P und Dtr^N) sich u. U. im Vergleich mit anderen deuteronomistisch redigierten Texten, etwa in den Prophetenbüchern, bestätigen lassen.

an interpretation of his (sc. Jeremiah's) prophetic ministry and preaching on the basis of theological concerns and interests which were of vital importance for them in the age in which they lived"[195]. NICHOLSON will zwar nicht ausschließen, daß echtes Jeremiawort in diesen Überlieferungen aufbewahrt ist, rechnet aber viel mehr damit, daß Prediger und Lehrer als Träger der Tradition über Jeremia an der Ausformulierung des endgültigen Wortlautes wesentlichen Anteil hatten.

Der rhetorische Stil der Prosaabschnitte hat seine Parallelen im deuteronomistischen Geschichtswerk, und hier folgt NICHOLSON Anregungen von P. R. ACKROYD[196], wenn er den Stil und die Technik der Darstellung im Geschichtswerk mit der Gestaltung entsprechender Abschnitte im Jeremiabuch vergleichbar findet. Unterstützung für seine Auffassung erkannte NICHOLSON in dem Werk von ENNO JANSSEN[197], der die in den Jeremiareden zutage tretende rhetorische Praxis bereits mit der Traditionspflege in Verbindung brachte, die der aufkommenden Synagoge und ihrer Predigtpraxis zu verdanken ist. Allerdings folgte NICHOLSON nicht ganz JANSSENS Frühdatierung synagogaler Aktivitäten, aber er legte allen Wert auf das rhetorische Element einer aktiven Predigttradition und grenzte sich ab gegen die Annahme rein literarisch entwickelter Stilformen. Deshalb möchte er auch Baruch nicht die Rolle eines Biographen zuweisen, der ohnehin nicht das Leben Jeremias in seiner Vollständigkeit beschrieb, auch nicht die Absicht hatte, eine „Leidensgeschichte" Jeremias zu konzipieren. Man müsse vielmehr die szenischen Darstellungen aus Jeremias Leben in Jer 26–36 als „didaktische" Beispielerzählungen betrachten, die auf einen "circle of traditionists" zurückgingen, der an den vitalen Fragen prophetischer Existenz interessiert war, wie etwa der Autorität prophetischen Wortes, dem Problem der falschen Prophetie und des Gehorsames gegenüber dem göttlichen Gesetz. Was die „Leidensgeschichte" angeht, so scheinen die Texte in Kap. 37 und 38 einen Schein des Rechts für diese Bezeichnung abzugeben, nicht aber in gleicher Weise die folgenden erzählenden Kapitel 39 – 44, in denen der Prophet nicht durchweg den Mittelpunkt bildet und sein Geschick eingebunden ist in das einer ganzen Gruppe.

Unbefriedigt läßt NICHOLSON allerdings seine Leser, wenn er als historischen Hintergrund für die Entstehung der Prosaüberlieferungen

---

[195] NICHOLSON (1970) 4.
[196] P. R. ACKROYD, The Vitality of the Word of God in the Old Testament, in: ASTI 1 (1962) 7–23; NICHOLSON a. a. O. 5–10.
[197] E. JANSSEN, Juda in der Exilszeit. Ein Beitrag zur Frage der Entstehung des Judentums, in: FRLANT 69 (1956) 20 f., 105–115.

nicht das palästinische Mutterland, sondern Babylonien und die dort Exilierten annimmt. Gegen NOTH und JANSSEN ist er der Meinung, daß das deuteronomistische Geschichtswerk ebenfalls in Babylonien konzipiert wurde[198] und glaubt darum auch das jeremianische Prosagut dorthin verlegen zu müssen. Kernfragen der deuteronomistischen Literatur sind in jedem Fall, eine Erklärung zu finden für den Fall Jerusalems und Judas, nach NICHOLSON 586 v.Chr., und, nach dem Verlust des Tempels, die Rolle der Thora und die Art, wie ihr zu entsprechen sei, neu zu bestimmen. Als weitere Fragen nennt NICHOLSON das Problem der „falschen Prophetie", das im Exil und während der Exilszeit im Rückblick auf das Ende Judas grundsätzlich zu bedenken und zu definieren war. Solche Probleme und die Versuche, sie zu klären, paßten nach NICHOLSON weit besser in den babylonischen Raum, wo das Schicksal des verlorenen Landes viel heftiger die Gemüter erregte als im Mutterland, das ohnmächtig an sich erfuhr, was als Folge der Katastrophe hingenommen werden mußte. Die deuteronomistisch geprägten Prosapartien, besonders in Kap. 26 – 36, ließen außerdem deutlich erkennen, welche Überzeugung in den Kreisen dieser Tradenten die Dominante war, daß nämlich die Exilierten jenes Israel repräsentierten, mit dem Gott handelte und das auch für alle Zukunft die Verantwortung für das Schicksal des Gottesvolkes trug. Schwerlich hätte man im Mutterland so denken können.

Man wird diese Erwägungen NICHOLSONS bei aller scheinbar stringenten Beweisführung doch mit Vorsicht betrachten müssen. Ob tatsächlich die Auseinandersetzung um Jeremias Leben und Wirken, eines Propheten, der nicht unter den Exilierten weilte und nach seinem Brief an die Exulantenschaft (Jer 29), soweit ihm Authentizität zukommt, zweifellos ein umstrittener Mann blieb, so intensiv gewesen sein kann, daß man dort zu einer um seine Person kreisenden Schultheologie mit deuteronomistischem Vorzeichen gelangte, ist schwer einsehbar. Hinzu kommt, in welchem Maße diese Theologie geeignet war, in Predigtform jene Erklärung überzeugend abzugeben, warum Jerusalem fallen mußte, ohne daß gleichzeitig ein Wort über seine mögliche Wiederaufrichtung gesagt wurde. Hätte eine solche im Exil „gepredigte" Botschaft nicht auch in einen spürbaren Kontrast treten müssen zu allem, was in nächster Nähe Ezechiel den Exilierten vortrug und eindrucksvoll verteidigte?

Dennoch bleibt es NICHOLSONS Verdienst, mit allem Nachdruck die deuteronomistische Traditionsbildung zum Gegenstand umfassenden

---

[198] Siehe auch E. W. NICHOLSON, Deuteronomy and Tradition (1967).

theologischen Nachdenkens gemacht zu haben, auch wenn die „Verortung" dieser Traditionsbildung in Babylonien nicht unbedingt glaubhaft erscheint. Es hindert nämlich umgekehrt nichts, in den Bahnen NOTHS eben diese selbe traditionsverarbeitende Tätigkeit sich auch im Mutterland vorzustellen, wo nicht weniger mit einer ähnlich gerichteten inneren und äußeren Auseinandersetzung um die Folgen des zerstörten Landes gerechnet werden muß, wo die unmittelbare Erinnerung an den Propheten weiterlebte und die Redaktion auch anderer Prophetenbücher nachweislich erfolgte. Es bleibt also die Frage, ob diese jeremianischen Prosapartien als Predigt an die Exilierten tatsächlich richtig verstanden sind. Denn alle im Exil ventilierten Fragen mußten das Mutterland ebenso erregen und waren dort von einem nicht weniger vitalen Interesse, solange an eine Heimkehr der Exilierten nicht zu denken war und die Hoffnung auf das baldige Ende babylonischer Herrschaft mehr und mehr schwinden mußte. Das Mutterland war auf sich selbst gestellt; und namentlich die ältere Generation mochte in der Anknüpfung an das vom Deuteronomium ausgehende Konzept eine tragfähige Grundlage für das eigene Selbstverständnis in Vergangenheit und Zukunft erkennen, wenn nicht ganz neu entdecken.

Mit seiner Auffassung der Prosaüberlieferungen als ›Preaching to the Exiles‹ hat NICHOLSON sich selbst eine „Schwachstelle" in sein Konzept eingebaut. Die Applikation der Textaussagen allein auf die Exilierten ist nicht zwingend. Andere Adressaten sind ebenso denkbar. In diese Richtung stieß R. P. CARROLL (1981) mit seinem Buch über Jeremia ›From Chaos to Covenant‹ vor und stellte die Auseinandersetzungen, die in den Prosaüberlieferungen sich spiegeln, auf eine breitere Grundlage. Nicht Predigt und Didaktik war ihr Zweck und Ziel, sondern eine auf vielen Gebieten herausgeforderte und auf Lösungen hindrängende Auseinandersetzung mit Problemen der Exilszeit. Noch stärker als bei NICHOLSON tritt bei ihm persönliche Autorschaft in den Hintergrund, und die redaktionelle Arbeit wird fast zum selbständigen Träger der Botschaft.

"An overview of my approach would be that the book of Jeremiah is a metaphor of the redactional and community activity which produced it." [199] Den Anstoß zu dieser Betrachtungsweise gab freilich nicht das Werk von NICHOLSON, dessen Resultate gewiß nicht ganz ohne Einfluß auf CARROLL bleiben konnten, sondern das Bemühen, eine Gegenposition gegen das einflußreiche Buch von J. SKINNER (1922) aufzubauen [200],

---

[199] R. P. Carroll (1981) 2.
[200] J. SKINNER, Prophecy and Religion. Studies in the Life of Jeremiah (1922); vielfach nachgedruckt.

der das Jeremiabuch in der vor ihm und nach ihm so häufig prakti-
zierten Weise als zuverlässige Quelle über Leben und Wirken des historischen Jeremia betrachtete und daraus eine tiefschürfende „Biographie" des Propheten unter Einschluß seiner inneren Kämpfe und
Spannungen machte. CARROLL siedelte seinen Jeremia gleichsam am anderen Ende des methodischen Weges an. Nicht der historische Jeremia
findet sich in unserer Überlieferung, sondern die Auseinandersetzung
der Tradition mit ihm und ihrer eigenen Zeit. "The book is a series of
strategies for survival in the period after the collapse of the Judaean state.
Responses to the disasters of the fall of Jerusalem and deportation,
power struggles within the communities of the sixth century BCE and
later, and attempts at the legitimation of parties and policies in the
reconstruction of the Jerusalem community have all contributed to the
production of the Jeremiah tradition."[201]
  Dies liest sich gut und erweckt den Eindruck, als ob eine Interpretation des Jeremiabuches uns ein höchst farbiges Bild der Zeitgeschichte
von Jeremias Berufung bis tief in die Exilszeit vermitteln müßte. CAR-
ROLL, der mit seinem Buch von 1981 noch vor dem Abschluß seines
großen Kommentars (1986) stand, aber schon 1981 weite Strecken der
Überlieferung fast kommentarartig durchleuchtete, ging sein Unternehmen mit großer Zuversicht an, unterwarf sich aber überraschenderweise einer bemerkenswerten Einschränkung, indem er das poetische
Material des Jeremiabuches fast ungeprüft dem Propheten selber zu-
sprach, in den Prosastücken aber eine ganz andere Art der Überlieferung erblickte, die sehr wesentlich, aber nicht ausschließlich auf deuteronomistische Schulbildung zurückgehen müsse. "Taking the core of
the poetic oracles as the work of the poet/prophet Jeremiah (probably
the only a priori judgment used in this book) (sic!), there is a profound
difference of language, thought and outlook between it and the prose
sermons and narratives. This difference is less likely to be accounted for
by arguments about the deuteronomistic prose style being the kind of
prose everybody spoke in Judah of that period, than by explanations
which recognize that two rather different kinds of material have been
put together in the construction of the book of Jeremiah."[202]
  Einer solchen Argumentationsweise haften allerlei Schwächen an,
wie leicht zu erkennen ist. Denn wenn das Jeremiabuch das Zeugnis
einer so weitgehenden Auseinandersetzung in exilischer Zeit sein soll,
wie CARROLL programmatisch behauptet, müßte doch das gesamte

[201] CARROLL (1981) 2.
[202] Ebd. 9.

Textmaterial auf seine Tendenz und Tragfähigkeit geprüft und insbesondere das poetische Wort des Propheten verglichen werden mit der Eigenart der Prosaüberlieferung. CARROLL macht sich eine eigene These zu-
recht, wenn er sagt, die Frage sei nicht, ob der Prophet in Poesie oder in
Prosa sprach, sondern ob man ihm zutrauen darf, daß er in Prosa ein
Idiom „anderer Leute" übernahm, nämlich das deuteronomistische,
das dann nicht mehr als sein eigenes Idiom betrachtet werden kann,
während die Poesie diesen Anspruch offenbar per se erheben darf, weil
die ältere Prophetie sich in hervorragender Weise fast ausschließlich
poetisch äußerte. CARROLLS Gedankengänge und Beweisführungen
laufen darauf hinaus, eine strikte Trennungslinie zu ziehen zwischen
der poetischen Überlieferung und der jeremianischen Tradition in
Prosa. Er unterstreicht freilich auch, wie schwierig die Materie ist, so
daß eine endgültige und beweiskräftige Lösung kaum in Sicht sei. Er re-
sümiert[203]: "The matter is too complex for simple solutions, but the
view towards which this book is working is that the Jeremiah tradition
was constructed out of the poetry of Jeremiah, worked on by many redactional circles, including a major deuteronomistic redaction, and produced over a lenghty period of time."

Mit Entschiedenheit wendet sich CARROLL von dem Gedanken ab,
daß Jeremias poetisches Wort in eine Prosaüberlieferung überführt
worden sei. "The reduction of the poetry to prose is too similar a process to turning wine into water to be appealing or persuasive as an argument."[204] Ungleich überzeugender ist die Transformation der poetischen Tradition in eine interpretierende Prosaüberlieferung, die ihren
eigenen Stil entwickelte und ihre eigenen Akzente setzte. Ohne daß dies
in diesem Zusammenhang gesagt wird, ist das die entschiedene Absage
an das Konzept HOLLADAYS, durch Analyse des Prosamaterials ("copies") den ursprünglich poetischen Duktus echter Prophetenrede
("prototyp") rekonstruieren zu wollen[205], und dies womöglich noch
aus den besonderen Stilformen eines "artificially" entwickelten "prose
style"[206] („Kunstprosa"[207]).

Was CARROLL betont und unterstreicht und was ihn von NICHOLSON
unterscheidet, ist der hohe Grad der Wahrscheinlichkeit, den er der
Traditionsbildung in Palästina zuweist. Sie schätzt er weit gewichtiger

[203] Ebd. 11.
[204] Ebd. 13.
[205] HOLLADAY (1960); s. o. 94–96.
[206] ROBINSON (1924) 218; s. o. 88–91.
[207] WEIPPERT (1973); s. o. 96–98.

ein als die babylonische bei aller Hochachtung vor der Eigenständigkeit eines Ezechiel und Deuterojesaja. Aber die redaktionelle Verarbeitung ihrer Prophetenbücher gibt gleichfalls Hinweise auf das Mutterland als Ort literarischer Aktivitäten. CARROLL hält daran fest, daß das soziale und politische Zentrum des Volkes in Palästina blieb und daß es infolgedessen nicht angeht, unter dem „Zeitalter des Exils" nur an die Entwicklungen in Babylonien zu denken und sie zu berücksichtigen, Ägypten jedoch fast und Palästina überhaupt ganz aus dem Spiel zu lassen. Dies ist eine Verkürzung der Perspektive, die die Vielfalt der Entwicklungen außer acht läßt[208]. Es besteht aller Grund, der vom Deuteronomium beeinflußten Entwicklung in Palästina selbst einen hohen Rang einzuräumen.

CARROLL geht so weit, von einer "deuteronomist's presentation of Jeremiah" zu sprechen und sagt, sie sei "particularly in narrative and sermonic forms, the most comprehensive picture of prophecy in the Bible"[209]. Aber er sagt zugleich auch, daß das Buch Jeremia ein höchst funktionelles und polemisches Buch sei, das sich mit den Gruppierungen der Exilszeit und ihren Problemen auseinandersetze, aber nicht an der historischen Rekonstruktion der Lebensumstände Jeremias interessiert sei. "It is too concerned with explaining the past, maintaining the present and creating hope for the future to be a work of sober history."

Daran ändern auch nichts jene Texte, die als die ›Konfessionen‹ Jeremias bekannt sind, deren Nähe zu den Psalmen und zu Hiob besondere Probleme aufwirft. Gerade in dieser weit- und tiefgreifenden Darstellung prophetischer Existenz zeigt sich das Grundsätzliche einer inneren Auseinandersetzung, die nicht an bestimmten Ereignissen und Vorgängen orientiert ist. Eben das unterscheidet die Verarbeitung von Tradition gegenüber Historiographie. "The very great degree of development in the different narratives about the prophet also underwrites the view that the book is not about the historical Jeremiah but represents a multi-layered presentation of a prophet from the perspective of later generations."[210]

Man wird gerade in diesem Punkt CARROLL nicht ohne weiteres zu folgen bereit sein, obwohl seine Voraussetzungen, wie er sie beschreibt, zutreffen. Das muß betont werden. Das Textmaterial läßt freilich den einen wie den anderen Schluß zu, daß Historie vorausgesetzt ist und

[208] CARROLL (1981) 21–24.
[209] Ebd. 27.
[210] Ebd. 28.

also auch Historisches nicht geleugnet werden kann, wie auch immer es dargestellt wird. Andererseits ist aber auch die Retrospektive offenkundig, die den Propheten in ein bestimmtes didaktisch-paradigmatisches Licht rücken möchte und dies in der Hauptsache von den Deuteronomisten ausgeht.

CARROLLS redaktionsgeschichtliche Sicht des Buches Jeremia, in vieler Hinsicht mit der älteren Forschung verbunden, wenn auch nur selten mit spürbarem Rückgriff auf MOWINCKEL, RUDOLPH, THIEL und andere Exegeten der deuteronomistischen Richtung, behält bleibende Bedeutung für die fernere Jeremiaforschung. CARROLL hat in seinem Kommentar (1986) seine Grundsätze breiter entfaltet und vertieft. Darüber wird noch zu sprechen sein[211]. Aber die Akten können darüber nicht geschlossen werden. Auch mit CARROLL haben wir den Schlüssel zum vollen Verständnis des Jeremiabuches noch nicht in den Händen. Das Verhältnis zwischen Poesie und Prosa bleibt ungeklärt, und CARROLL hat es nur noch dringlicher gemacht. Er hat die Möglichkeit der Ausprägung weiterer Traditionen zwar vielfältig vor Augen geführt, aber diese Sicht der Dinge nicht auf die poetischen Texte ausgedehnt. Dort wahrt er bemerkenswerte Zurückhaltung. Jeremia selbst verblaßt gegenüber dem Werk der "later generations", so daß der eigentliche Wurzelgrund des Jeremiabuches nicht freigelegt wird, nämlich die Botschaft Jeremias selbst als stimulierender Faktor des ganzen redaktionsgeschichtlichen Prozesses.

Um den Vergleich zu wagen: CARROLL konfrontiert uns mit dem „Urchristentum", ohne der maßgebenden Gestalt an seinem Beginn genügend Aufmerksamkeit zu schenken, die das Ganze erst in Bewegung setzte. Aber die Frage nach den Ursprüngen bleibt legitim, auch wenn der Quellenbefund sie mehr zu verschleiern als offenzulegen scheint.

CARROLL selbst führt diesen Vergleich, und er möchte damit sogar seine Sicht der Dinge bestätigt finden. "Whatever confidence there might be in accepting some elements of the gospels as representing something close to the historical Jesus, there is much less for Jeremiah." "The approach to the life of Jeremiah aspect of the tradition has suggested that the way the life of Jesus was developed in the gospels may be analogous for a study of Jeremiah. To this suggestion should be added a further comparative example, the life of Socrates." "Where the Jeremiah tradition differs from the material on Socrates and Jesus is that all the elements contributing to a life of Jeremiah have been incorporated into the tradition; so it is not possible to do a comparative study of different

---

[211] Siehe u. 170–172.

books."²¹² Allerdings gesteht CARROLL zu, daß eine genauere Analyse der Traditionsverarbeitung im Jeremiabuch einigen weiteren Aufschluß geben könnte. Man wird bei diesem vergleichenden Verfahren, so darf kritisch hinzugefügt werden, schließlich auch berücksichtigen müssen, daß die "gospels" verschieden zu bewerten sind und man deshalb nicht falsch urteilt, wenn man im Jeremiabuch mindestens „die Synoptiker und Johannes" auf je spezifische Weise verarbeitet finden kann, unter Berücksichtigung der den Texten jeweils eigenen quellenkritischen Prinzipien²¹³.

Es ist angebracht, an dieser Stelle auf eine methodologische Studie hinzuweisen, die zugleich wissenschaftshistorischen Wert hat und die die weitere Entwicklung verstehen lehrt. Bereits 1969 schrieb JAMES MUILENBURG über ›Form Criticism and Beyond‹²¹⁴. Der Aufsatz ist keine Abrechnung mit der formgeschichtlichen Methode, deren Vorzüge und Eigenarten MUILENBURG ausdrücklich hervorhebt, aber es ist der erklärte Versuch einen anderen oder besser gesagt: einen ergänzenden methodischen Zugang zur alttestamentlichen Literatur zu eröffnen oder doch für ihn einzutreten. Er ist nicht völlig neu; er hat gewisse Vorläufer bei EDUARD KÖNIG und bei solchen Exegeten, die der Formkritik distanziert begegneten. Es ist die Art, den Zugang zum Text über die Beobachtung stilistischer Besonderheiten zu finden, die altorientalische Literaturwerke gemeinsam haben, die alttestamentlichen Werke aber insbesondere. MUILENBURG hält den Begriff „Stilkritik" nicht für ausreichend. Seine Beobachtungen am Text, in erster Linie an poetischen Kompositionen, möchte er als "rhetoric" zusammenfassen und das gesamte methodische Vorgehen "rhetorical criticism" nennen.

Wie schon gesagt, will MUILENBURG diesen methodischen Weg nicht der Formkritik gegenüberstellen, doch aber in Verbindung mit formgeschichtlichen Elementen als selbständigen methodischen Zugang verstehen. Grenzen der Formgeschichte sieht er darin, daß die Texte durch ein von außen herangetragenes Prinzip generalisiert werden. Es käme vielmehr darauf an, ihre unwiederholbare Einzigartigkeit, die Besonderheit der Formulierungen zu erkennen und zu würdigen. Exklusive Aufmerksamkeit, die sich nur auf die Bestimmung einer Gattung richtet, könne Denken und Absicht des Schreibers oder Sprechers verdunkeln. Es käme vielmehr darauf an, die einzelnen Worte

---

²¹² CARROLL (1981) 255, 267f.
²¹³ Zum Vergleich der Komposition des Ezechiel-Buches mit dem Johannes-Evangelium S. HERRMANN (1965) 280–284.
²¹⁴ JBL 88 (1969) 1–18.

und Passagen präzis so zu lesen und zu hören, wie sie gesprochen wurden[215].

MUILENBURG hat sich mit seinen Beispielen namentlich auf die Poesie konzentriert. Stellen aus den Psalmen und der prophetischen Literatur dominieren. Worauf er aufmerksam machen möchte, sind nun freilich Merkmale, die allesamt nicht neu sind. Mit Recht weist er auf ED. KÖNIGS ›Stilistik, Rhetorik und Poetik‹ aus dem Jahre 1900 hin, aus neuerer Zeit vor allem auf ALONZO SCHÖKEL, ›Estudios de Poetica Hebraea‹ (1963).

Die rhetorische Kritik, die MUILENBURG meint, soll sich zunächst um die Abgrenzung und den Skopus einer literarischen Einheit kümmern, zugleich aber die rhetorischen Mittel beobachten, durch die ihr Inhalt zum Ausdruck gebracht wird. In der Art der sprachlichen Komposition komme des Verfassers Intention und Meinung zum Ausdruck. Dem liegt die Überzeugung zugrunde[216]: "The literary unit is in any event an indissoluble whole, an artistic and creative unity, a unique formulation." Innerhalb einer solchen Einheit finden sich Höhepunkte, die es zu erklären gilt und die zugleich die Akzente innerhalb der Komposition setzen. Um den Skopus zu erkennen, kann es eine wesentliche Hilfe sein, wenn die Worte vom Anfang der kompositionellen Einheit am Ende wiederkehren, so daß eine „Ringkomposition" erkennbar wird, oder, wie ED. KÖNIG einst sagte, eine „inclusio". Als eindrucksvolles Beispiel wird auf Jer 3, 1 – 4, 4 verwiesen, wo, nach Auslassung der Prosaeinschübe, das Umkehrmotiv durch die in 3, 1 beginnende Einheit aufgenommen und in 4, 1 a abgeschlossen wird.

Im übrigen weist MUILENBURG auf eine Reihe wohlbekannter Stilmerkmale hin, wie den Parallelismus membrorum, Fälle von Anaphora, auf die Wiederholung bestimmter „Schlüsselworte", und behandelt schließlich die Frage, in welchem Umfang es berechtigt ist, in antiker

---

[215] MUILENBURG a. a. O. 5: "To state our criticism in another way, form criticism by its very nature is bound to generalize because it is concerned with what is common to all the representatives of a genre, and therefore applies an external measure to the individual pericopes. It does not focus sufficient attention upon what is unique and unrepeatable, upon the particularity of the formulation. Moreover, form and content are inextricably related. They form an integral whole. The two are one. Exclusive attention to the *Gattung* may actually obscure the thought and intention of the writer or speaker. The passage must be read and heard precisely as it is spoken. It is the creative synthesis of the particular formulation of the pericope with the content that makes it the distinctive composition that it is."

[216] Ebd. 9.

Literatur von einer Strophengliederung zu sprechen. Dabei überrascht es nicht, wenn bei Verweis auf solche stilistischen und „rhetorischen" Merkmale als text- oder stoffgliedernde Elemente die „Formgeschichte" gleichsam durch die Hintertür wieder eintritt. Abschließend jedoch betont MUILENBURG noch einmal, daß es nicht seine Absicht ist, die Formgeschichte zu ersetzen, wohl aber die Aufmerksamkeit auf eine andere Weise des literarischen Zugangs zu richten, "which may supplement our form-critical studies". Enttäuschend ist aber, daß MUILENBURG die Frage, woher diese Formen literarischen Ausdrucks, die zumeist auch in Israels Umwelt bekannt sind, eigentlich kommen, zwar nachdrücklich stellt, aber keine Lösungen anzubieten vermag. Da wird deutlich, wie sehr doch dieser "rhetorical criticism" eine rein formale Angelegenheit bleibt, die exegetisch viel weniger austrägt als die Formkritik alter Schule. Sie unternahm mit ihrer bekannten Frage nach dem „Sitz im Leben" doch wenigstens den Versuch, die Texte aus konkreten Situationen und lebensbezogenen Umständen verständlich und lebendig zu machen. Einen vergleichbaren Ersatz vermag MUILENBURG nicht anzubieten.

Es wäre nicht nötig gewesen, MUILENBURG so ausführlich zu referieren, wenn sein Aufsatz nicht symptomatisch wäre für den Ausgang der 60er und den Anfang der 70er Jahre. Linguistik und „Exegese als Literaturwissenschaft" drängten auch in Deutschland nach vorn und wollten durch Sprachstatistik und Beschreibung syntaktischer Funktionen den Texten „objektiv" näherkommen. Aber damit war das Tor zu neuen exegetischen Einsichten gegen alle Erwartungen keineswegs weiter aufgestoßen. Die Bemühungen um Stil und Sprache der Texte sollen hier in ihrer Bedeutung nicht verkleinert werden; aber ihre Grenzen sind inzwischen längst sichtbar geworden. Auch das minutiöse Erfassen eines syntaktischen Zusammenhangs und die genaueste etymologische Bestimmung der verwendeten Begriffe können dennoch an der „Intention" des Verfassers vorübergehen.

Es lag auf der Hand, daß der "rhetorical criticism" auch am Buch Jeremia erprobt wurde. 1975 erschien die Dissertation von J. R. LUNDBOM über Jeremia mit dem Untertitel ›A Study in Ancient Hebrew Rhetoric‹. MUILENBURG war der Anreger der Studie, W. L. HOLLADAY nahm später darauf Einfluß. LUNDBOM entfaltete am Buch Jeremia das Programm, das MUILENBURG vorgezeichnet hatte. Er behandelte in ausführlicher Analyse die Inclusio und den Chiasmus als rhetorische Strukturen im Jeremiabuch, wobei unterschieden wird zwischen der Rhetorik des Propheten Jeremia und der Rhetorik des Buches Jeremia. LUNDBOM ist davon überzeugt, daß die Aufhellung der rhetorischen Strukturen eine wesentliche Hilfe zum exegetischen und theologischen Verständnis des Buches sei, daß sie geradezu Kontrollfunktion habe, um Jeremia in rechter Weise zu erfassen und zu bestätigen. Er rechnet mit einem mündlichen Stadium der Überlieferung, in dem Jeremia selbst die Strukturen entwickelt hätte, die sich spätestens in der Buchrolle des Jahres 605 niederschlugen und in den Kap. 1 – 20 enthalten sind. Eine Fortsetzung gleicher Prinzipien in Kap. 22 – 23 ist nicht gesichert. Kap. 30 – 31 und 46 – 51 werden als weitere "traditioncomplexes" verstanden, die nur Poesie enthalten, keine biographische Prosa.

Die Prosaüberlieferung beginnt erst mit dem Auftreten Baruchs im Jahre 605. Zwischen 605 und 586 wurden mehrere Prosasammlungen vereinigt, deren durch Inclusio und Chiasmus gekennzeichnete Strukturen jeweils Einheiten markieren, die für das Wachstum des Jeremiabuches aufschlußreich sind. Baruch, vertraut mit dem Deuteronomium und seinen literarischen Techniken und Strukturen, wurde der eigentliche Schöpfer des Jeremiabuches. Er schrieb die Texte und vereinigte sie zu Sammlungen, um sie zugleich für den Gebrauch bei Tempellesungen verfügbar zu machen. Die Anlehnung an die deuteronomisch-deuteronomistische Prosa empfahl sich, weil dies die Sprache des Tempels war. Die erste Sammlung, die Baruch schrieb, konnte im noch existierenden Tempel Verwendung finden. Spätere Sammlungen, die nach der Zerstörung des Tempels entstanden, lassen den Gedanken aufkommen, ob Jeremia und Baruch sie für einen „neuen Tempel" konzipierten, der einmal gebaut werden sollte.

Man sieht, welche Konsequenzen LUNDBOM aus seinen Beobachtungen glaubt ziehen zu können. Die Scheinobjektivität seiner stilistischen Beobachtungen löst sich plötzlich in phantasievolle Vermutungen auf und tritt in krassen Gegensatz zu allem, was die rhetorische Analyse auf feste Füße zu stellen versprach. Hatte MUILENBURG noch "rhetorical criticism" als Zusatzfunktion zur Formgeschichte verstehen wollen, so löst sich bei LUNDBOM Formgeschichte alter Schule in literarische Strukturalismen auf, die ihrerseits auch nicht den mindesten sicheren Hinweis auf die Autorschaft Jeremias oder Baruchs gestatten. Dies wird fallweise lediglich behauptet. Sah MUILENBURG die Schwäche der Formgeschichte in der Gefahr, durch von außen an die Texte herangetragene Gattungsvorstellungen sich vom Text selbst zu entfernen, so sollen nun literarische Strukturen die Beweislast der Authentizität tragen, die dem Jeremia und dem Baruch schlicht zugesprochen wird. Jer 36 allein wird als Kronzeuge für die Verteilung von Werk Jeremias und Werk Baruchs angerufen. Ob Jer 36 eine solche Kronzeugenschaft überhaupt hergibt, ob dieser Text die ganze historische Beweislast tragen kann, wird keinen Augenblick in Zweifel gezogen.

Weitere Konsequenzen aus LUNDBOMS Aufstellungen zog W. L. HOLLADAY (1976) mit seinem Buch über ›The Architecture of Jeremiah 1–20‹. Untersucht wird die Struktur dieser Kapitel mit den Mitteln des "rhetorical criticism". Hatten MUILENBURG und LUNDBOM sich im wesentlichen auf die Komposition kleiner Einheiten beschränkt, so versucht nun HOLLADAY die gleiche Methode auf literarische Großformen zu übertragen und die Zusammenordnung und Komposition der Texte des Jeremiabuches als planvolles Werk nach den Grundsätzen rhetorischer Technik zu verstehen. Das Buch Jeremia soll als in sich geschlossenes wohlgefügtes Ganzes begriffen werden, die Bauelemente sollen sichtbar werden, die seine „Architektur" ausmachen. Die Beobachtung der Inclusio ist ebenso wie bei LUNDBOM die wichtigste Aufgabe. Dadurch sind nicht nur kleine Einheiten, sondern auch Kompositionen über Kapitel hinweg gekennzeichnet. Ebenso achtet HOLLADAY auch auf andere Formen von "repetitions, parallels, and contrasts in words, phrases, syntax, and other structures, to see what they can teach us"[217]. Alle Einzelelemente dieser Art können Hinweise geben auf die bewußte Gliederung des Textes.

Bereits LUNDBOM hatte Jer 1 – 20 als erste literarische Großform ausgegliedert. HOLLADAY erkannte nun zwischen der Berufungserzählung 1, 4–10 und dem Text der „letzten Konfession Jeremias" in 20, 14–18 eine "great conclusio", so daß auf solche Weise eine erste große Textsammlung auf rhetorischer Grundlage abgegrenzt ist. Innerhalb dieser Großform wird nun nach "keywords" oder auch nur klanglichen Assoziationen einzelner Begriffe gesucht, die sozusagen als „architektonische Bindeglieder" innerhalb des Ganzen fungieren. So weist der Begriff *naʿar* („junger Mann") in 1,6 auf *nᵉʿūraik* („deine Jugend") in 2,2 voraus. In 1, 11. 12 erinnert das Wort *maqqēl* („Zweig") an Hos 4, 12, wo von einem „Stab" die Rede ist, der Orakel gibt. Die Fortsetzung bei Hosea lautet: „Denn ein Geist der Hurerei hat sie irregeführt." Diese Assoziation reicht für HOLLADAY aus, um hier eine vorausweisende Anspielung auf Jer 2 – 3, den sog. "harlotry-cycle" („Zyklus der Hurerei") zu finden. Daß in 1, 11 jedoch nicht von einem „Stab der Hurerei", sondern von einem „Mandelzweig" *(maqqēl šāqēd)* die Rede ist, um daraus innerhalb der kleinen Einheit 1, 11. 12 ein Wortspiel mit *šōqēd* („wachend") zu bilden, wird um der auf die literarische Großform vorausweisenden Funktion willen außer acht gelassen. Ebenso erkennt HOL-

---

[217] HOLLADAY (1976) 21.

LADAY im Bild vom kochenden Topf (1, 13. 14) eine vorausweisende Anspielung auf Jer 4 – 6, den "foe-cycle", der sich mit dem herannahenden „Feind aus dem Norden" befaßt.

Teilweise wurden solche Einsichten auch schon früher mit ganz konventionellen exegetischen Mitteln gewonnen, ohne daß es des "rhetorical criticism" bedurfte. Andererseits muß man den Mut HOLLADAYS zur Kombination bewundern, mit dem er Wortassoziationen zu Dispositionsprinzipien erhebt. Betrachtet man am Ende aber die literarischen Großformen, die bei solcher Betrachtungsweise herauskommen, landet man doch wieder bei den bekannten Dispositions- und Kompositionsgruppen, wie sie längst vor HOLLADAY von den Kommentatoren herausgeschält wurden. Das Material in Jer 1–10 umfaßt nach HOLLADAY: The Call (1, 4–14); The Seed Oracle (2, 2–3); The Harlotry-Cycle (2, 5–37; 3, 1–5. 12 b–14 a. 19–25); The Foe-Cycle (4, 1 – 6,30; 8, 4–10 a. 13); The Temple Sermon and Further Prosa (7, 1 – 8, 3); The Supplementary Foe-Cycle and Related Material (8, 14 – 10, 25). Bereits in Jer 11 – 20 tritt die gleiche Methode in eine Krise. Der Text ist stärker von (angeblich) sekundären Einschüben durchsetzt und erschwert die Einsicht in ursprüngliche „architektonische" Konzeptionen, die an Stichwortverbindungen wiedererkannt werden könnten. Ganz hypothetisch ist von "Confessional and Quasi-Confessional Material" die Rede, das in mehreren, nicht mehr sicher feststellbaren Stadien zueinandergekommen sei.

Hatte man bei LUNDBOM noch den Eindruck, daß "rhetorical criticism" sich rein kompositionstechnisch an der kleinen Einheit bewährt, erscheint die Anwendung auf Großformen doppelt fraglich, weil manche von HOLLADAY angenommene Assoziation recht willkürlich ist und der Unterschied zwischen poetischen Formungen und Prosatexten kaum mehr beobachtet wird. Literar- und Quellenkritik werden absichtlich zurückgestellt. Die Formgeschichte könne zwar den ursprünglichen Sitz im Leben für eine literarische Einheit zeigen, aber sie reicht nicht dazu, "to understand the process by which the units were collected and built into larger structures"[218].

Es bleibt völlig offen, was die Erfassung dieser "larger structures" nun für das Verständnis Jeremias und der Texte seines Buches erbringen soll. Aber HOLLADAY zieht aus seinen Beobachtungen den überraschenden Schluß, der schon bei LUNDBOM eine Rolle spielte. Er überträgt die also abgegrenzten Struktureinheiten in das vorgefaßte Schema von Jer 36 und weist sie ohne nähere Begründung den beiden in diesem

[218] Ebd. 22.

Kapitel erwähnten „Rollen" zu: "My suggestion is clear: first scroll: the call, the harlotry cycle, the foe cycle; second scroll: the same, with the addition of the supplementary foe cycle"[219].

Man wird diese aus reinen Formalien gewonnenen historischen Schlußfolgerungen so nicht als bewiesen ansehen können. HOLLADAYS "architecture" ist ein höchst geistvolles Spiel mit Texten und Textelementen, das den Exegeten hier und da zu schärferem Nachdenken veranlassen kann, aber die aus den einzelnen Beobachtungen gezogenen Schlüsse erweisen sich im ganzen nicht als tragfähig. Hingegen dürfen die Beoachtungen, wie sie LUNDBOM auf der Suche nach Conclusio und Chiasmus gemacht hat, wegen des Nachweises kompositionstechnischer Prinzipien an der kleinen Einheit mehr Aufmerksamkeit verdienen, zumal sie Kriterien an die Hand geben, die den in der Regel vernachlässigten poetischen Texten mindestens teilweise angemessen zu sein scheinen.

Ob sich aus den Resultaten des "rhetorical criticism" bleibende Einsichten für die Entwicklung einer alttestamentlichen Literaturgeschichte und also auch einer entsprechenden Einordnung der literarischen Zeugnisse im Jeremiabuch ergeben werden, ist vorerst noch offen. LUNDBOM selbst ist sich der Vorläufigkeit der von ihm geleisteten Arbeit bewußt.

e) Tendenzen jüngerer Forschung und die Untersuchung einzelner Spruchsammlungen im Jeremiabuch

Die etwa seit dem Ende der siebziger Jahre betriebenen Jeremia-Untersuchungen bewegten sich, soweit sie in der Absicht weiterführender Forschung betrieben wurden und für das Verständnis des ganzen Jeremiabuches Bedeutung beanspruchten, in Bereichen der bisher hier beschriebenen Methoden. Sie suchten sie entweder zu verfeinern oder zu ergänzen. Immer häufiger aber geschah es, daß einzelne Spruchsammlungen oder Kapitelgruppen, insbesondere die bekannten wie die ›Konfessionen‹, das ›Trostbuch für Ephraim‹ (Jer 30 – 31), aber auch der Problemkreis um die „wahren und falschen Propheten", besonderen Untersuchungen unterzogen wurden. Der Nachteil solcher Einzelstu-

---

[219] Ebd. 174; HOLLADAY hat später (VT 30, 1980, 452–467) Einzelheiten seiner Auffassung revidiert, aber das Zentrum seiner Überlegungen bildet nach wie vor die Zuweisung des ursprünglichen Materials und seiner Ergänzungen an die beiden Buchrollen von Jer 36; vgl. die Übersicht a. a. O. 464 f.

dien war freilich vielfach, daß dabei der Blick auf das ganze Jeremiabuch und seine Problematik vernachlässigt wurde und die Resultate entsprechend einseitig ausfielen.

Geschichte und Prophetie

Über das Verhältnis Jeremias zur Geschichte und die Einordnung seiner Botschaft in den geschichtlichen Rahmen referierten je auf ihre Weise H. CAZELLES und W. L. HOLLADAY im Jahre 1980 auf dem 31. Colloquium Biblicum in Leuven (Louvain)[220]. In Fortführung seiner früheren Studie von 1978[221] stellte CAZELLES Jeremias Wirken auf dem weiten und bewegten Hintergrund der Zeitgeschichte dar, während HOLLADAY seine These verteidigte, 627/6 v. Chr. sei nicht Jeremias Berufungsjahr, sondern das Jahr seiner Geburt[222]. Die mit dieser Hypothese notwendig werdende andere zeitliche Disposition der Jeremiaüberlieferungen liegt auf der Hand und mag in der einen oder anderen Weise ihre Liebhaber finden.

Eine grundlegende methodologische Studie über das Verhältnis von Geschichte und prophetischer Überlieferung legte RÜDIGER LIWAK (1987) vor, deren ausführliche exegetische Erörterungen am Text des Jeremiabuches sich freilich auf die Überschrift Jer 1, 1–3 und die Kapitel 2 – 6 beschränken. Aber es ist der umfassende Versuch gemacht, die Komponenten historischer und exegetischer Arbeit, Geschichte, Literaturwissenschaft, Begriffsanalyse und sachliches Textverständnis zu einem möglichst überzeugenden Ganzen zusammenzubinden. Dabei ist die Distanz nicht aus dem Auge verloren, vielfach sogar erst sichtbar gemacht, die zwischen antikem Geschichtsverständnis und unserer eigenen Art des Verstehens von Überlieferung und Geschichte besteht und der immer neuen Bewältigung bedarf.

Was Jer 2 – 6 angeht, so löst sich LIWAK entschieden von der viel vertretenen Auffassung, hier finde sich in großer Geschlossenheit echtes je-

---

[220] H. CAZELLES, La vie de Jérémie dans son contexte national et international, in: BETL 54 (1981) 21–39; W. L. HOLLADAY, A Coherent Chronology of Jeremiah's Early Career, ebd. 58–73. Das 31. Colloquium Biblicum Lovaniense im August 1980 war ausschließlich dem Jeremiabuch gewidmet. Der Berichtsband (BETL 54), der die Vorträge enthält, ist geeignet, die verschiedenen Forschungsansätze beispielhaft zu dokumentieren.

[221] H. CAZELLES in: Masses Ouvrières 343 (Mars 1978) 9–31.

[222] Vgl. o. S. 6.

remianisches Gut, namentlich aus der Frühzeit des Propheten[223]. Vielmehr handele es sich in jenen Kapiteln um „ein Kompositionsgefüge, das eine komplexe, im einzelnen nicht nachweisbare Entstehungsgeschichte hat, von der aber gesagt werden kann, daß sie Worte aus der gesamten Wirkungszeit Jeremias umgreift"[224]. Das bedeutet, daß die Abfassung dieser Kapitel, die auch vom Kommen eines Feindes aus dem Norden sprechen, nicht, wie vielfach geschehen, auf die kurze Zeit zwischen Berufung (627/6) und Josianischer Reform (622/1) beschränkt zu werden braucht, sondern ungleich mehr Möglichkeiten für ihr Verständnis im Laufe der Wirksamkeit Jeremias sich anbieten[225].

R. Liwak hat mit seiner Studie im Grundsätzlichen wie im einzelnen eine Synthese aus verschiedenen Annäherungsmöglichkeiten an die Texte geboten, die zukunftweisend, aber noch keineswegs allgemein akzeptiert ist. Auf ihre Bedeutung wird unten zurückzukommen sein[226]. An Methodenbewußtsein und Problemerhellung übertrifft sie bei weitem, was bisher über das Verhältnis von Prophetie und Geschichte gesagt wurde und kommt dabei zu diskussionswürdigen Resultaten. An ihnen kann künftige Jeremiaforschung nicht vorübergehen.

„Nachjeremianisch" oder „vordeuteronomistisch"

Die bei Liwak hervortretende Tendenz, das Jeremiabuch nicht in einzelne Blöcke oder Quellen aufzuteilen und sie pauschal einem bestimmten Verfasserkreis oder einer bestimmten Zeit zuzuweisen, sondern mit einem längeren Entstehungs- und Bearbeitungsprozeß auch innerhalb scheinbar klar abgrenzbarer und in sich selbständiger Gruppen zu rechnen, setzt sich in der Form fort, daß man überschaubare Traditionskerne ausfindig zu machen sucht, die ergänzt, ausgeweitet, „bearbeitet", „fortgeschrieben" wurden. Diese „Ergänzungen" sind an gemeinsamen Merkmalen erkennbar und lassen sich in ihrer Summe als Zeugnisse einer offenbar von gemeinsamen Grundsätzen ge-

---

[223] Neben anderen besonders ausgeprägt bei C. Rietzschel (1966). Für K. Koch, Die Profeten II (1980) 23 „besteht meist kein Problem" die poetischen Sprüche „in Kap. 1 – 25 (30 f.) vorherrschend" „auf den Profeten selber" zurückzuführen.

[224] R. Liwak (1987) 305.

[225] Liwak (1987) 304 f. erwägt auf dem Hintergrund des Verhältnisses Judas zu Ägypten und Assyrien für Kap. 2 eine Abfassungszeit zwischen 616 und 609.

[226] Siehe u. 165 f.

leiteten Bearbeitungs„schicht" verstehen. Sie ist keine eigene „Quelle", sondern benutzt offenkundig ältere Überlieferungen, an die sie ihre selbständigen und weiterführenden Überlegungen anschließt. Auf solche Weise wird ein lebendiger Prozeß von Traditionsaufnahme und an sie anschließender aktualisierender Weiterverwendung des Prophetenwortes dokumentiert. Vorgänge dieser Art lassen sich auf kleinstem Raum nachweisen, sind aber eben letztlich als Zeugnisse einer über das Jeremiabuch verstreuten, das prophetische Wort „fortschreibenden" Verarbeitungstätigkeit zu verstehen und zu erklären.

Für die Verfahrensweise typisch und methodisch weitgehend konsequent durchgeführt ist die Dissertation von SIEGMUND BÖHMER (1976), die mit dem Titel ›Heimkehr und neuer Bund‹ ihr Schwergewicht auf Jer 30 und 31 legt, aber die Voraussetzungen zum Verständnis dieser Texte in Sprüchen aus dem ganzen Jeremiabuch sucht. BÖHMER geht so vor, daß er eine Reihe von Heilsworten aus dem Jeremiabuch aussondert, die er „authentisch" nennt. Auf diese Weise gewinnt er Kriterien, die auf den Propheten selbst und seine Autorschaft schließen lassen. Sodann untersucht BÖHMER „nachjeremianische Heilsworte" verschiedener Provenienz und inhaltlicher Ausprägung mit jeweils eigenen Merkmalen. Die so gewonnenen Kriterien finden ihre Anwendung auf die beiden Kapitel 30 und 31 und führen dort zu folgendem Resultat:

Jeremianische Worte: 30, 12–15. 23–24; 31, 2–6. 15–17. 18–20.
Nachjeremianisch: 30, 5–7. 10–11. 16–17. 18–21;
                      31, 7–9. 10–14. 21–22.
Deuteronomistisch: 30, 1–4. 8–9. 22; 31, 1. 27–30. 31–34.
Nachdeuteronomistisch: 31, 23–26. 35–37. 38–40.

An dieser Übersicht wird deutlich, daß BÖHMER unter „nachjeremianisch" eine Zwischenschicht versteht, die noch vor der deuteronomistischen Bearbeitung anzusetzen ist. Während der Prophet selber die Heimkehr der Exilierten nur sehr knapp andeutete (31, 16 f.), wird in den nachjeremianischen Sprüchen davon entschiedener und plastischer gesprochen. Noch immer aber bleibt innerhalb dieser nachjeremianischen Schicht offen, ob sich die Sprüche allein an das Nordreich richten. Erst die deuteronomistische Schicht läßt erkennen, daß die Verheißungen in der Gestalt des vorliegenden Textes sowohl dem Nordreich als auch dem Südreich gelten sollen.

BÖHMERS Buch, dessen methodischer Ansatz zunächst einleuchtend erscheint, hat doch nicht die rechte Abrundung gefunden. Ob die von ihm herausgearbeiteten Kriterien, die den „authentischen" Jeremia kennzeichnen sollen, wirklich zutreffen, sei ganz und gar dahingestellt. Die Frage ist vor allem, ob die „nachjeremianische" Schicht wirklich überzeugend faßbar wird. Das ist der Punkt, an dem TARO ODASHIMA (1985/1989) einsetzt und zugleich BÖHMER kritisiert[227]. ODASHIMA hält den Ausdruck „nachjeremianisch" für mißverständlich, weil er wie ein Sammelbegriff für das gesamte „nicht-authentische" Material des Jeremiabuches wirkt. Er hält deswegen die Bezeichnung „vordeuteronomistisch" (vor-dtr.) für angemessen und eindeutig. Es handelt sich um eine Zwischenschicht zwischen einer älteren Grundlage, die bis auf Jeremia selbst zurückgehen kann, und der deuteronomistischen Bearbeitung (dtr.), die später anzusetzen ist.

Mit Recht stellt ODASHIMA die Frage, ob die von BÖHMER herausgearbeitete nachjeremianische bzw. vor-dtr. Schicht nicht auch anderwärts im Jeremiabuch nachgewiesen werden kann, um ihre Existenz aus bloßer Wahrscheinlichkeit zu höherer Gewißheit zu erheben. Er untersucht deswegen die Bezugnahmen in Kap. 30–31 auf andere Teile des Jeremiabuches und befaßt sich höchst ausführlich mit Jer 10,7–25; 6,22–26, vor allem aber mit den vor-dtr. Heilsworten in Kap. 2, 3, 6 und 10.

Eine der wichtigsten Voraussetzungen für dieses Vorgehen ist die Überzeugung ODASHIMAS, daß ein Grundbestand der Überlieferung in bestimmter Richtung überarbeitet worden ist, weil im Zuge der literarischen Gestaltung des Jeremiabuches, die als Prozeß vorgestellt wird, jeweils zeitbedingte Interessen auf die verschiedenen Überlieferungen Einfluß genommen haben. In diesem Zusammenhang äußert ODASHIMA, daß die Formkritik, die an den klassischen Propheten des 8. Jahrhunderts mit Erfolg praktiziert werden kann, nicht in gleichem Maße auf das Jeremiabuch anwendbar ist. Er formuliert[228]: „Es sollte heute eine allgemeine Erkenntnis werden, daß sich die Formkritik – hier im umfassenden Sinne des Wortes gemeint, etwa wie bei K. Koch – bei den Sprüchen im Jeremiabuch nicht so wie bei denen Amos', Hoseas oder Jesajas durchsetzen kann, so daß Ausleger bei Abgrenzung der Texteinheiten manchmal bis zu beneidenswertem Ausmaß Freiheit genießen, was z. B. für die letzte Hälfte des 3. Kapitels beispielhaft zutrifft. Diesen Sachverhalt versucht man verschiedentlich dadurch zu begründen bzw. zu erläutern, daß man annimmt, Jeremia lebte und wirkte gerade in der

---

[227] T. ODASHIMA, Heilsworte im Jeremiabuch. Untersuchungen zu ihrer vordeuteronomistischen Bearbeitung (1989). Das Buch ist die überarbeitete und erweiterte Fassung der Dissertation von 1985 (Untersuchungen zu den vordeuteronomistischen Bearbeitungen der Heilsworte im Jeremiabuch), die allerdings noch drei Anhänge enthält (darunter über die Gedichte vom „Feind aus dem Norden"), die für eine gesonderte Publikation vorgesehen sind.

[228] ODASHIMA (1989) 95 f.

Zeit, in der sich die Prophetie und dementsprechend auch ihre Form-sprache allmählich umzugestalten begannen. Die Formkritik, die im Grunde durch Analogien ermöglicht wird, versagt deshalb im Jeremia-buch oft an wesentlichen Stellen."[229]
Als „vor-dtr." Worte löst ODASHIMA die folgenden heraus[230]: 2, 2 aγ–4; 3, 12 aβ–13 bα; 3, 21–25; 6, 16 a und 17 a; 10, 19–20; 30, 5–7; 30, 10–11; 30, 16–17; 30, 18–21; 31, 7–9; 31, 10–14; 31, 21–22. Hauptziel des vor-dtr. Verfassers war es, denjenigen, die „kollektiv 'Jakob' (30, 7) genannt werden", die Heilszusage Gottes gewiß zu machen. Die Begründung

---

[229] Den Versuch, Maßstäbe der Formkritik auf die Heilsworte der Propheten anzuwenden, hat C. WESTERMANN, Prophetische Heilsworte im Alten Testa-ment, in: FRLANT 145 (1987) unternommen. Ihm ist dabei „aufgefallen, daß die Heilsworte in den verschiedenen Prophetenbüchern sowohl in ihrer Form wie auch in ihrem Inhalt in einem überraschenden Maße miteinander überein-stimmen oder einander ähneln" (11). Er schließt daraus, daß „die Heilsworte in den Prophetenbüchern eine selbständige Traditionsschicht bilden ähnlich wie auch die Völkersprüche". Deshalb müßten die Heilsworte der einzelnen Pro-pheten mit Rücksicht auf die Gesamtheit der Heilsworte in sämtlichen Prophe-tenbüchern beurteilt werden. WESTERMANN rechnet mit allen Exegeten vor ihm ab, die diese Einsicht noch nicht hatten. Die Frage ist nur, ob diese Exegeten nicht allen Wert auf die Differenzierung der Heilsworte legten, weil ihnen die Anwendung formgeschichtlicher Gesichtspunkte allein nicht ausreichte, um den Texten gerecht zu werden. Man wird an MUILENBURGS Einwand (s. o. S. 112) erinnert, der sagte, "form criticism by its very nature is bound to generalize be-cause it is concerned with what is common to all the representatives of a genre". Jer 1, 4–10 hält WESTERMANN (112) „in seiner jetzigen Form" für durchweg deu-teronomistisch. Der Berufungsbericht stellt das Wirken Jeremias „aus der Sicht des Dtr" dar: dem Gericht folgt die Heilsankündigung. Damit aber hat WESTER-MANN Jer 1, 4–10 in einem solchen Maße „generalisiert", daß die Besonderheit und Differenziertheit gerade dieses Textes völlig unbeachtet bleibt. Im übrigen fragt man sich, wie sich diese hier so stark betonte dtr. Schicht zu jener großen Traditionsschicht verhält, die WESTERMANN zu seiner eigenen Überraschung bei den Heilsworten aller Propheten entdeckte. Man könnte unter dieser Vorausset-zung auf den Gedanken kommen, die Heilsworte seien alle „dtr" oder von Dtr beeinflußt. Das aber dürfte WESTERMANNS Meinung nun wieder nicht sein. (NB. Der von WESTERMANN 112 E. ROHLAND zugeschriebene Aufsatz in der Festschrift G. VON RAD, 1961, stammt von ROBERT BACH). Mit diesen Bemer-kungen soll die Bedeutung der Formgeschichte im Sinne WESTERMANNS nicht herabgesetzt werden; aber gerade im Jeremiabuch und der exilischen Literatur kann der Umbruch im Denken Israels nach der Katastrophe von 587 nicht allein an formgeschichtlichen Merkmalen abgelesen werden. Vielfach wird die alte Form aufgesprengt, um neuen Inhalten Raum zu geben.
[230] ODASHIMA (1989) 288.

sollte durch Sprüche Jeremias gegeben werden. Darum schaltete sich der vor-dtr. Verfasser ein, nicht ohne dabei jeremianische Überlieferungen aufzunehmen. So gestaltete er beispielsweise „den Abschnitt 2,2 a γ–4 und stellte ihn vor den Anfang aller jeremianischen Überlieferungen 2,5 ff., damit er alle darauf folgenden Gerichtsworte grundsätzlich in den Grundton der Hoffnung umsetzen könnte"[231].

ODASHIMA sieht in den von ihm als vor-dtr. bezeichneten Texten keine jeweils selbständigen Einschübe oder Glossen, sondern die Bestandteile einer literarischen „Schicht", deren Ziel es war, mit Sprüchen Jeremias ein „eigenes Zukunftsbild im Hinblick auf Jakob" zu begründen. Terminus a quo ist der Zusammenbruch Judas von 587 v. Chr. BÖHMER neigte der Auffassung zu, daß seine „nachjeremianischen" Worte im Exil entstanden[232], ODASHIMA hält das Mutterland für wahrscheinlicher[233]. Als Adressat der vor-dtr. Worte wird nicht allein die babylonische Gola, sondern das Israel in der Zerstreuung angesprochen. Die Aufnahme des Namens „Jakob" für Israel will offenbar nach dem Ende der beiden Königreiche Israel und Juda eine neue Epoche markieren; nicht mehr der Name des umbenannten Patriarchen (Gen 32), sondern sein ursprünglicher Name soll das ganze Volk bezeichnen. Von seinen Ursprüngen her wird Israel sich erneuern[234].

Unter den geschichtstheologischen Aspekten der vor-dtr. Bearbeitung[235] hebt ODASHIMA besonders den Umkehrgedanken hervor. Er wird, soweit überhaupt sicher bestimmbar, in seiner räumlichen Implikation verstanden, also im Hinblick auf eine Rückkehr des zerstreuten Volkes in das Mutterland. Nicht die Zusammenführung von Israel und Juda als des geteilten Volkes hat Vorrang, auch nicht die Frage, ob Gola oder Mutterland die maßgebenden Träger künftiger Entwicklung sein werden, sondern erwartet wird eine gemeinsame Geschichte des aus der Exilierung heimkehrenden Volkes mit denen im Mutterland.

Was ODASHIMA also im wesentlichen erkannt hat, ist der Wurzelgrund der nach der Katastrophe von 587 aufkeimenden Heilshoffnung. Die Worte Jeremias werden in einem Sinn aufgenommen und „bearbeitet", daß sie über die Katastrophe hinaus ihre Geltung behalten, gleichzeitig aber der Blick in eine positive Zukunft ermöglicht wird; die dabei ver-

---

[231] A. a. O. 291.

[232] BÖHMER (1976) 85.

[233] ODASHIMA a. a. O. 296 f.

[234] Die Neubelebung des Namens „Jakob" erfolgt nicht nur bei Jeremia, sondern auch bei Deuterojesaja; ODASHIMA a. a. O. 300.

[235] A. a. O. 300–311.

wendete Terminologie schließt sich eng an die Worte Jeremias an. Gegenüber dieser noch vorsichtigen Art des „Fortschreibens" von Überlieferung bei den Vor-Deuteronomisten bemühen sich die eigentlichen Deuteronomisten (Dtr) noch intensiver um die geistige Bewältigung der Katastrophe und ihre Überwindung unter Aufnahme des im Deuteronomium entwickelten Gedankengutes, etwa in der Vorstellung eines „neuen Bundes".

ODASHIMAS Erwägungen erscheinen beispielhaft für den Versuch, im Jeremiabuch eine Bearbeitungsschicht aufzudecken, die in charakteristischer Weise das prophetische Gedankengut in nachjeremianischer Zeit aktualisiert. Mit seinen Überlegungen tritt ODASHIMA nicht in Spannung zu bisherigen redaktionsgeschichtlichen Feststellungen, sondern verfeinert und differenziert sie. Terminologische Elemente weisen hin auf Intention und Absicht einer Bearbeitung, die nicht als fortlaufende „Quelle" nachweisbar ist, sondern sich sachbezogen an sehr verschiedenen Stellen ergänzend und weiterführend bemerkbar macht. Die Bezeichnung „vor-dtr." will in erster Linie zeitlich verstanden sein, bezogen auf eine Schicht, die zwischen dem Wirken des Propheten und Dtr zustandekam, nicht im Sinne einer die dtr. Denkweise vorbereitenden Redaktion, sondern als Ergänzung und Aktualisierung eines vorliegenden jeremianischen Grundbestandes.

Überlieferungsblöcke und „golaorientierte" Redaktion

ODASHIMA ist es gelungen, in abgerundeter Weise eine Bearbeitungsschicht im Jeremiabuch nachzuweisen. Vorausgegangen waren vergleichbare Versuche, die jedoch andere Wege gingen. Bereits 1971 legte GUNTHER WANKE seine ›Untersuchungen zur sogenannten Baruchschrift‹ vor. Nach seiner Auffassung sind die Fremdberichte im Jeremiabuch kein einheitliches Werk eines einzigen Verfassers. Darum kommt auch Baruch als Autor nicht in Frage. WANKE erkennt drei „ihrer Entstehung, Struktur und Tendenz nach völlig verschiedene Überlieferungsgebilde"[236]: A. Jer 19,1 – 20,6; 26 – 29 und 36; B. 37 – 44; C. 45 und 51,59–64. Er schließt sich an G. FOHRERS überlieferungs- und redaktionsgeschichtliche Methode an, die dieser am Jesajabuch praktizierte[237].

---

[236] G. WANKE (1971) 144–156. Zur Kritik an WANKE und POHLMANN (1978) siehe neuerdings A. ROFÉ (1988) 106–122.

[237] G. FOHRER, Entstehung, Komposition und Überlieferung von Jesaja 1 – 39: Studien zur alttestamentlichen Prophetie (1949–1965), 1967, 113–147.

Nach einer literarkritischen Analyse wird nach größeren Überlieferungseinheiten und Überlieferungskomplexen gefragt, in denen ein Grundbestand von Material, zumeist unter thematischen Gesichtspunkten, zusammengeordnet und später redaktionell bearbeitet und fallweise erweitert wurde. Die so entstandenen Überlieferungskomplexe sind dann nach heute nur noch schwer rekonstruierbaren Grundsätzen nebeneinandergestellt worden und ergaben schließlich das uns vorliegende Prophetenbuch.

WANKE setzte mit dieser Methode ein Prinzip fort, das schon C. RIETZSCHEL (1966) bei seiner Rekonstruktion der Urrolle angewandt hatte. Die Annahme von „Überlieferungskernen" und ihrer Erweiterung zu in sich geschlossenen Einzelsammlungen verdrängte die Frage nach durchlaufenden oder wiederkehrenden Quellen im Jeremiabuch, wie sie DUHM und MOWINCKEL herausarbeiteten. Das blockartige Zusammenrücken von in sich geprägten Einzelsammlungen schließt zwar übergreifende Gesichtspunkte nicht aus, aber sie bilden nicht den Maßstab für die Redaktion des ganzen Prophetenbuches. Darum ist es kein Wunder, daß das Wort „deuteronomistisch" bei WANKE keine Rolle spielt. Was er vor allem beobachtet, sind bestimmte Erzähltechniken, die sich nicht nur im Jeremiabuch finden, sondern die gesamte israelitische Sagen- und Legendendichtung durchziehen und schon in der Genesis festgestellt werden können. Sie haben später in Prophetenerzählungen ihre Fortsetzung gefunden. Am deutlichsten tritt dieser Charakter der Darstellungsweise in Jer 37 – 43 hervor. Anders verhält es sich in den Fremdberichten Jer 19,1 – 20,6; 26 – 29 und 36, wo nicht das Ergehen des Propheten, sondern seine Verkündigung im Mittelpunkt steht. Der erzählerische Grundbestand ist dort allerdings tendenziös und theologisch überarbeitet worden.

Ein Wahrheitsmoment sollte dem methodischen Ansatz RIETZSCHELS und WANKES nicht abgesprochen werden. Es gibt tatsächlich im Jeremiabuch in sich geschlossene Abschnitte, die den Eindruck bewußter Redaktionstätigkeit unter thematischen Gesichtspunkten machen und sich mit theologischen Zielsetzungen verbinden lassen. Es wäre sicher übertrieben, wollte man von verschiedenen „Jeremia-Schulen" sprechen. Aber die thematische Zuordnung von Überlieferungsgut ist nicht zu leugnen. Dies kann zugleich auf verschiedene Interessenrichtungen unter den Überlieferungen und Redaktoren schließen lassen. Aber woher kommt das Überlieferungsgut selbst, was stand am Anfang der „Überlieferungskomplexe"? Das ist gleichsam das „Defizit" der hier angewandten Methode, daß die Träger der jeweiligen Traditionen oder Theologien sich in der Anonymität verlieren. WANKE hätte seine Feststellungen zumindest mit anderen Forschungsauffassungen konfrontieren und auf diese Weise seinen eigenen Standort genauer definieren sollen. Dazu hätte eine Verhältnisbestimmung zur deuteronomistischen Sprach- und Gedankenwelt gehört.

Es ist weitgehend der gleiche Stoff der sogenannten ›Baruch-Biographie‹, dem sich KARL-FRIEDRICH POHLMANN in seinen ›Studien zum Jeremiabuch‹ (1978) zuwandte, wenn auch mit anderer Zielsetzung und anderem Ergebnis. Er analysierte Jer 37 – 44 und stellte dem die Untersuchung von Jer 24 und 21,1–10 aus sachlichen und methodischen Gründen voran. Ohne sein Vorgehen hier im einzelnen verfolgen zu können, müssen doch Schwerpunkt und Ziel des Werkes genannt werden. Mit WANKE vergleichbar ist das Aufspüren redaktioneller Merkmale innerhalb begrenzter Überlieferungseinheiten, andererseits aber auch die Skepsis gegenüber der deuteronomistischen Redaktion. POHLMANN findet in den genannten Texten einen Redaktor am Werk, der der babylonischen Gola eine Vorzugsstellung einräumen wollte und in ihr die Träger und Garanten künftiger positiver Entwicklung für Israel erkannte. Die Generation Zedekias jedoch, die im Lande das Strafgericht Gottes erfahren mußte, war „absolut verworfen und schied unwiderruflich aus Jahwes Heilsplan aus" (184f.). Die „golaorientierte Redaktion" setzte sich angeblich mit einer Textvorlage auseinander, „die aus der Sicht des Landes geschrieben wurde und die Erwartungen der Judäer nach 587 v. Chr. ausdrückte". Diese „golaorientierte Redaktion" markiere bereits „das Endstadium eines Rivalitäts- und Konkurrenzverhältnisses, wie es sich nach 587 v. Chr. zwischen Exilierten und im Lande Verbliebenen entwickelte" (190). Bemerkenswert ist aber nun vor allem, daß POHLMANN sie frühestens erst im 4. Jh. v. Chr. ansetzte, „längere Zeit nach Nehemia, vor Entstehung des chronistischen Geschichtswerkes". Erst allmählich habe sich in Juda der Anspruch der Gola-Juden durchgesetzt, daß die heilsgeschichtliche Linie über sie führe und Israels Zukunft nur durch sie gesichert sei.

Die Frage ist, ob der von POHLMANN hervorgehobene Schlüsseltext Jer 24 eine so weitgespannte Konzeption trägt, daß noch nach Jahrhunderten ein Jeremiatext dazu herhalten mußte, Legitimität und Sendungsbewußtsein der babylonischen Exulantenschaften zu untermauern, und dies auch noch aus der Sicht judäischer Redaktoren. So gewiß eine stille oder offene Rivalität zwischen der babylonischen Judenschaft und den Judäern und den nach Ägypten Abgewanderten denkbar und wahrscheinlich war und bis zu einem gewissen Grade auch weiterwirkte, erscheint es doch verständlicher, wenn die hier herangezogenen Jeremiatexte eine Auseinandersetzung spiegeln, die dem tat-

sächlichen Geschehen, von dem berichtet wird, näherliegt. Die Generation der im Lande Juda Verbliebenen suchte ihr Geschick zu begreifen
und rechnete mit den unmittelbar Betroffenen und Gestraften ab, mit
Zedekia und den Ägypten-Abwanderern. Diese sollten tatsächlich verloren sein. Aber das Aufleben der babylonischen Gola ließ Hoffnung
aufkeimen auch für das Mutterland. In diesem begrenzten Sinne mag es
tatsächlich „Golaorientierung" in Juda gegeben haben. Sie stellte sich
im Jeremiabuch als aktuelles Problem dar, nicht als Reflex einer Jahr-
hunderte währenden Entwicklung. Der Gedanke, daß aus Kreisen der
„Rückwanderer" aus Babylonien Rechtsansprüche an die im Lande Verbliebenen erhoben und durch eine nachträgliche Überarbeitung von Je-
remiaworten prophetisch legitimiert werden sollten, ist allzu sublim. Er
überspannt auch das Verständnis der Texte. So läßt sich beispielsweise
Jer 24 aus der Zeit des Exils ungleich besser verstehen. Das Bild der Fei-
genkörbe kann einen noch älteren Ursprung haben, seine Deutung ist
aber innerhalb des jetzt vorliegenden Textes zweifelsfrei deuteronomistisch überarbeitet worden, also exilisch. Spuren einer zweiten Überarbeitung, die man einer sehr viel späteren Zeit zuweisen könnte, sind
nicht zu erkennen.

Die Bücher von WANKE und POHLMANN sind insofern für neuere
Tendenzen der Forschung bezeichnend, als sie versuchen, an Hand von
Detailuntersuchungen Meinungen über das Jeremiabuch zu entkräften,
die sich größerer Breitenwirkung erfreuen. Dabei richtet sich der Ge-
genstoß besonders gegen die deuteronomistische Redaktion. Am Ein-
zelfall soll die Kompliziertheit der Texte vorgeführt und die Möglichkeit alternativer Erklärungsmodelle untermauert werden. Bereits 1973
umriß C. BREKELMANS[238] das Problem mit den Worten: "There must
have been a circle of disciples of this prophet who have handed his prophecies down to us and who have adapted them to their own situation
during the exile. That these same circles were also influenced by the deuteronomistic tradition cannot be denied. But it would seem impossible
to accept this influence as the only basis for the prose tradition in Jeremiah."

Wenn also die deuteronomistisch beeinflußten Schüler Jeremias nicht
"the only basis" für die Prosatraditionen waren, wer war es dann noch,
und wie verhielten sich alle diese Tradenten zur poetischen Überlieferung? WANKE und POHLMANN versuchten durch ihre Einzeluntersu-
chungen ein Mehr an Gesichtspunkten geltend zu machen, das unabhängig von den Deuteronomisten bestehen soll. Aber sie haben dabei

[238] In: Bijdragen 34 (1973) 211.

das deuteronomistische Problem zugedeckt, wie man einen Mantel auf's Feuer wirft, um es zu löschen. Darunter aber schwelt es unaufhörlich weiter.

Zur gleichen Zeit, in der die zuletzt zusammengefaßten Untersuchungen entstanden, blühte die Linguistik auf, und man sollte meinen, daß sie sich des Buches Jeremia in besonderer Weise hätte annehmen müssen. Aus der Münchener Schule WOLFGANG RICHTERS ragt aber allein die Dissertation von THEODOR SEIDL (1977/78) hervor, die in zwei Bänden erschien. Bemerkenswert ist, daß dem kürzeren literaturwissenschaftlichen ersten Teil ›Texte und Einheiten in Jeremia 27–29‹ ein umfangreicher zweiter Teil ›Formen und Formeln in Jeremia 27–29‹ folgt. Ausgewählt ist also ein kurzes, aber auch thematisch höchst interessantes Teilstück des Jeremiabuches, in dem sich das Problem der rechten Prophetie sprachlich und formal in komplexen Strukturen darbietet: Prophetenrede, straff gestaltete Einzelerzählung und im Berichtsstil zusammengefaßte prophetische Reaktionen auf Vorgänge in der babylonischen Exulantenschaft der ersten Wegführung (597 v. Chr.), in welche die Prophetenrede eingeflochten ist. Dies mußte zu einer umfassenderen als nur syntaktische Verhältnisse beschreibenden Textbehandlung herausfordern. ›Formen und Formeln‹ erscheint darum als notwendige Fortsetzung des rein literarkritischen ersten Bandes. Die „Formkritik der kleinen Einheiten" in jedem der drei Jeremiakapitel ist darum ein wesentlicher Inhalt des zweiten Bandes. Auf solche Weise werden Brücken geschlagen zum exegetischen Verständnis und zur inhaltlichen Analyse.

Die „deuteronomisch-deuteronomistischen Züge" werden erkannt und anerkannt. Am Ende steht die manchen vielleicht enttäuschende, aber keineswegs überraschende Feststellung: „Keine der Einheiten in Jer 27 – 29 geht in ihrer Gesamtheit auf Jeremia selbst zurück; vielmehr entstammen diese Texte späterer, nachjeremianischer Literatur. Genuinjeremianische Elemente mögen in manchen Einzelpassagen latent enthalten sein."[239] Damit bestätigt zwar die literaturwissenschaftliche Untersuchung lediglich, was der herkömmlichen Exegese weitgehend bewußt war, ein Schicksal, das auch manch anderer literaturwissenschaftlichen Untersuchung nachgesagt werden kann; aber auch das ist ein Ergebnis. In der Ergänzung der methodologischen Schritte liegt der Schlüssel zu einem umfassenden Textverständnis, soweit es mit unseren Mitteln erreichbar ist. In einem ausführlichen Apparat zeigt SEIDL die engen Beziehungen seiner Erkenntnisse zu den Resultaten der voraus-

---

[239] SEIDL, 2. Teil (1978) 358.

gegangenen Jeremiaforschung, so daß sein Werk für die drei Kapitel Jer 27–29 den Rang einer wissenschaftlichen Dokumentation erhält.

Spruchsammlungen im Jeremiabuch

Eine Reihe von Texten aus dem Jeremiabuch hat schon immer besondere Aufmerksamkeit gefunden, weil sie offensichtlich als Sammlungen mit übereinstimmenden Merkmalen überliefert und geschlossen in das Jeremiabuch aufgenommen wurden. Jede dieser Sammlungen oder Textgruppen hat im Laufe der Zeit eine eigene Forschungsgeschichte ausgelöst. Darüber ist hier in großen Zügen zu referieren. In Betracht kommen 1. die Texte, die unter dem mißverständlichen Titel ›Die Konfessionen des Jeremia‹ bekannt sind, allerdings nicht geschlossen überliefert, sondern über mehrere Kapitel verteilt wurden; 2. die Kapitel 27–29, in deren Mittelpunkt das Problem der „falschen" Prophetie steht; 3. das sogenannte ›Trostbuch für Ephraim‹ Jer 30 – 31, und 4. die „Fremdvölkersprüche" Jer 46 – 51.

Die sogenannten ›Konfessionen des Jeremia‹

Herkömmlich versteht man unter diesen ›Konfessionen‹ eine begrenzte Gruppe von Texten, in denen der Prophet, in 1. Person sprechend, sein eigenes Geschick als Gottes Beauftragter beklagt; er fühlt sich mißverstanden und wird von seinen Zeitgenossen verfolgt. Darum richtet er Klage und Vorwurf an Gott, der ihn erschuf und zum Propheten bestimmte, aber gleichzeitig in schreckliche Bedrängnis brachte und seinen Feinden auslieferte.

Bei genauem Zusehen erweist es sich, daß die unter solchen Gesichtspunkten ausgesonderten Texte formal unterschiedlich, inhaltlich ambivalent und in vielen Einzelheiten schwer zu interpretieren sind, von der teilweise schlechten Überlieferung des Textes ganz zu schweigen. In der Regel rechnet man mit fünf ›Konfessionen‹, in denen das Ich des Propheten dominiert: Jer 11,18 – 12,6; 15,10–21; 17,12–18; 18,18–23; 20,7–18. Im einzelnen lassen sich innerhalb dieser Texte kleine Einheiten erkennen, die sich leicht als solche abgrenzen lassen, z.B. 11,18–19 (Prosa). 20 (poet.). 21–23 (Prosa); 12,1–4 (poet.). 5 (poet.). 6 (Prosa).

Die Aussonderung dieser Texte ist berechtigt, aber stellenweise doch nicht ganz ohne subjektives Ermessen erfolgt. So hat bereits W. BAUMGARTNER (1917) in seiner klassischen Studie, die er ›Die Klagegedichte

des Jeremia‹ überschrieb, unterschieden zwischen den „Klagegedichten
Jeremias" und den „Gedichten, die den Klageliedern nahestehen"[240].
Mitbestimmend bei dieser Aufgliederung war BAUMGARTNERS Überle-
gung, daß die Komposition dieser Stellen unter dem Einfluß der Gattung der individuellen Klagelieder erfolgte. Jeremia habe sich dieses
Stilmittels bedient und kraft seiner „dichterischen Individualität" die
Gattung des Klageliedes durch subjektive Erfahrung vertieft. In einzelnen Fällen könnte Jeremia sogar die Psalmendichtung beeinflußt
haben. Zur Begründung seiner Überlegungen zog BAUMGARTNER ein-
schlägige Klagegedichte und Klagepsalmen aus dem ganzen Alten Testament heran und untermauerte damit die von ihm aufgestellte gattungs-
mäßige Abhängigkeit Jeremias.

Die Ersetzung des Begriffs „Konfessionen" durch „Klagegedichte"
(der Begriff „Klagelieder" sollte der Eindeutigkeit wegen aus dem Spiel
bleiben, um Verwechslungen mit dem Buch ›Threni‹ zu vermeiden)
brachte es mit sich, daß nunmehr die Aufmerksamkeit auch auf andere
Stücke des Jeremiabuches gelenkt wurde, die zwar Klage enthalten, sich
aber nicht auf das persönliche Leiden des Propheten beschränken, wie
es in den ›Konfessionen‹ der Fall ist. So hat neuerdings W. MCKANE in
seinem Kommentar (1986) XCII–XCVII unter der Überschrift ›Lament interpretation‹ eine Reihe weiterer Texte zusammengefaßt, in die
die herkömmlichen ›Konfessionen‹ zwar eingeschlossen sind, die aber
formal und inhaltlich über sie hinausgehen[241]. Er bevorzugt den Begriff
"lament" gegenüber dem enger zu verstehenden "complaint", weil er
die individuellen und kollektiven Klagegedichte im Buch der Psalmen,
die Jeremia beeinflußt haben sollen, in einem Begriff erfassen möchte.
"Confession" ist für ihn ein konstitutiver Bestandteil der „Lament-Gat-
tung".

Im Grunde hat BAUMGARTNER (1917) bereits die entscheidenden
Fragen gestellt. Die Verwandtschaft, insbesondere der „Konfessionen-
Texte" im engeren Sinn, mit den „Klageliedern des Einzelnen" ist kaum
zu leugnen. Problematisch bleibt allein, wer der Verfasser dieser Texte
war und wie hoch der Anteil des Propheten daran zu veranschlagen ist.

---

[240] Zu den „Klagegedichten" rechnet er: Jer 11,18–20.21–23; 15,15–21;
17,12–18; 18,18–23; 20,10–13; zu den „Gedichten, die den Klageliedern nahestehen": 12,1–6; 15,10–12; 20,7–9; 20,14–18.

[241] In die "Lament interpretation" bezieht er die folgenden Texte ein: a)
8,18–23; 10,19–25; 12,1–5(6); 14,2–10; 14,11–16; 14,17 – 15,4; 15,10–21;
17,9–18; 18,19–23; 20,7–9; b) Interdict on intercession theme: 7,16–20; 11,14;
14,2–10; 14,11–16; 14,17 – 15,4.

Hat er sich einer vorhandenen und für ihn vorbildhaften Gattung in der literarischen Ausformung seiner ganz individuellen Empfindungen bedient, hat er gar selbst an der Entstehung und Verfeinerung der Gattung „Klage des Einzelnen" mitgewirkt oder ist er kraft seines prophetischen Genies zu einer schöpferischen Synthese zwischen Inspiration und dichterischer Gestaltung gelangt, die zwangsläufig eine Gattung hervorbrachte – dies ist strittig bis auf den heutigen Tag. Auch die Möglichkeit einer nachträglichen Konzeption, einer Interpretation der Persönlichkeit Jeremias ohne jede prophetische Beteiligung, ist erwogen worden.

Einen vermittelnden Weg hat N. ITTMANN (1981) in der Form eingeschlagen, daß er in breiter Front die Klagen im Jeremiabuch und die Konfessionen in der prophetischen Literatur untersuchte mit dem Ergebnis, daß bei aller Abhängigkeit die Konfessionen im Jeremiabuch eine so selbständige Gestalt angenommen haben, daß in ihnen das Selbstzeugnis des Propheten unbezweifelbar ist. ITTMANN gibt diesen Texten geradezu eine Schlüsselfunktion für das Verständnis der gesamten Botschaft Jeremias. Das Fazit lautet[242]: „1960 schrieb Gerhard von Rad: ‚Die Konfessionen gehören ins Zentrum jeder Jeremia-Interpretation' (G. VON RAD, Theologie II 211). Diese Texte dokumentieren in einzigartiger Weise das prophetische Leiden als das spezifische Kennzeichen der Existenz Jeremias. Die Aufnahme der Person Jeremias in die Botschaft verändert seine Verkündigung. So eröffnen nur die Konfessionen den Zugang zu einer sachgerechten Jeremia-Interpretation."

Den Gegenpol zu dieser individuellen, zugleich Jeremias Botschaft verarbeitenden Auffassung bildet die Leugnung aller persönlichen und psychologischen Hintergründe, wie sie sich aus der Biographie des Propheten Jeremia ergeben könnten. Die Konfessionen seien kollektiv zu verstehen, wie auch das Klagelied des Einzelnen letztlich nicht individuell einmaliges Erleben, sondern allgemeine Erfahrungen spiegelt. Ein solcher Zugang, die Konfessionen als überpersönliche Äußerungen zu verstehen, ermöglichte es gleichzeitig, ihnen auch kultische Funktion zuzubilligen. Es war insbesondere HENNING GRAF REVENTLOW (1963), der die These vertrat, daß Jeremia die ›Konfessionen‹ (REVENTLOW benutzt diese Bezeichnung nur aus Gründen der Konvention) als beamteter Mittler zwischen Gott und seinem Volk vortrug. Die Stoßrichtung dieser Überlegungen richtete sich vor allem gegen eine individualistisch-psychologische Deutung Jeremias, die in den Konfessionen ihren stärksten Rückhalt fand und bei vielen Exegeten noch immer hat.

---

242 ITTMANN (1981) 159.

Einmal abgesehen davon, daß GRAF REVENTLOW seine Interpretation
nur auf Jer 15, 10–21; 17, 12–18 und 11, 18 – 12, 6 beschränkte und auch innerhalb dieser Stücke mit Umdeutungen rechnete, im Mittelpunkt
stand für ihn die Fürbitte des Propheten für sein Volk, „in der bereits
das repräsentative Ich des Propheten zu Wort kommt, der stellvertre-
tend für das Volk die Klage vorbringt, in der ebenfalls, wie wir besonders in dem Abschnitt 10, 19–23 sahen, auf dem Wege über das Denken
in der 'corporate personality' die Gemeinsamkeit des Erleidens zwischen Prophet und Volk sichtbar wird"[243].

GRAF REVENTLOW hat mit seiner konsequent vorgetragenen Auffassung vom prophetischen Mittleramt und der Verbindung Jeremias mit
der kultischen Funktion der Fürbitte kaum Gefolgschaft gefunden,
zumal dabei bewußt der persönliche Erfahrungsbereich des Propheten
ausgeschaltet wird. "On the contrary, this is a testimony to the excep-
tional nature of his individuality and the fineness of his spiritual texture:
only an individual who had made the community's brokenness his own
could have spoken like this", schreibt MCKANE[244] in Auseinandersetzung mit REVENTLOWS Konzept und fügt hinzu: "Reventlow's mistake
is in supposing that the community with which Jeremiah identified himself, one broken and near to death, would have been recognized by the
empirical community as none other than itself."

Damit sind sozusagen die „Eckpfeiler" der Exegese der Konfessionen
beschrieben. Auf der einen Seite steht die individuell-psychologisch-
biographische Interpretation der Texte, wobei die Übernahme der
formgeschichtlichen Merkmale des Klageliedes seitens des Propheten
entweder anerkannt oder abgelehnt wird; auf der anderen Seite steht die
überpersönlich-liturgisch-kultische Auffassung, bei der das repräsentative Ich des Propheten vermittelnd zwischen Gott und Volk tritt. Im
Laufe der Zeit haben diese Grundpositionen mancherlei Varianten erfahren und sind in der einen oder anderen Richtung modifiziert und ergänzt worden. Die wichtigsten Stadien des forschungsgeschichtlichen
Prozesses und ihrer jeweiligen Vertreter sollen hier in einer kurzen
Überschau zusammengefaßt werden[245].

BAUMGARTNERS Untersuchung (1917) ist ein Wende- und ein Aus-

---

[243] GRAF REVENTLOW (1963) 209.

[244] MCKANE (Komm. 1986) XCIII.

[245] Vgl. dazu die ausführlichen Darstellungen und Übersichten bei BAUM-
GARTNER (1917) 1–5, der auf die Auslegungen im 19. Jahrhundert zurückblickt,
ferner bei AHUIS (1982) 14–36; HUBMANN (1978), jeweils für die von ihm behan-
delten Texte; ITTMANN (1981) 4–18.

gangspunkt zugleich. Unter Aufnahme der formgeschichtlichen Beobachtungen GUNKELS an den Klagepsalmen zeigt er den besonderen Charakter der jeremianischen Texte auf, die bei aller formgeschichtlichen
Abhängigkeit ohne das prophetische Erleben Jeremias undenkbar sind.
Er begründet die Echtheit der Konfessionen, indem er auf die prophetischen Züge aufmerksam macht, die über Bau und Wortschatz der
Psalmen hinausgehen.

Bemerkenswert ist, daß überall dort, wo die individuelle Deutung der
Konfessionen abgelehnt wird, der institutionell-kultische Hintergrund
der Texte um so stärker betont wird. Was bei GRAF REVENTLOW zu beobachten ist, hat eine weiter zurückreichende Vorgeschichte, die wesentlich durch S. MOWINCKELS Psalmenstudien beeinflußt war, insbesondere durch seine Auffassung des Ich in den Psalmen. Nicht das
lebendige Individuum spricht dort zu uns, sondern hinter dem Ich ver-
birgt sich ein „Typus des Frommen"[246]. Das führte MOWINCKEL weiter
zu der Hypothese, daß es eine kultische Wirklichkeit sei, die hinter
einer großen Anzahl von Psalmen stehe.

Angesichts der wenigen konkreten Einzelheiten, die wir tatsächlich
über Charakter und Verlauf des israelitischen Kultes wissen, ist es er-
staunlich, wie bis auf den heutigen Tag mit Begriffen wie „kultische
Dichtung", „Kultprophetie", „kultische Verwurzelung" gearbeitet
wird und auf diese bloßen Begriffe angeblich zuverlässige Interpretationen gegründet werden. MOWINCKEL hat an dieser Entwicklung wesentlichen Anteil, obwohl er die ›Konfessionen Jeremias‹ ausdrücklich
nicht in dieses Konzept einbezogen hat. Im deutschen Sprachraum
hatte die auf den sogenannten „Bundeskult" sich berufende Betrachtungsweise in ARTUR WEISER einen ihrer stärksten Vertreter[247]. Für ihn
sind die ›Konfessionen Jeremias‹ Zeugnisse für den Halt, den der wegen
seines prophetischen Amtes in Bedrängnis geratene Prophet an der kultischen Überlieferung gefunden hat. In ähnlicher Weise sieht J. J. STAMM
den Propheten „von den Ordnungen und Überlieferungen des Tempel-
dienstes umgeben"[248]. Jeremias Worte seien wohl seine eigenen, aber er
schließt sie eng an überlieferte Schemen an.

Von solchen Überlegungen ist der Weg nicht weit zum „prophetischen Mittleramt", wie es GRAF REVENTLOW versteht[249], das im Kult

[246] MOWINCKEL, Psalmenstudien I (1921) 137 f.; ITTMANN (1981) 8.
[247] Dies ist auch in seinem Jeremiakommentar (⁶1969) besonders spürbar.
[248] J. J. STAMM, Die Bekenntnisse des Jeremia: Kirchenblatt für die refor-
mierte Schweiz 111 (1955) 354–357. 370–375, bes. 374.
[249] Diese Grundüberzeugung entfaltete GRAF REVENTLOW nicht erst in

wirksam wird und den Propheten unter weitgehender Ausschaltung persönlicher Erfahrungen in den Formen eines repräsentativen Ich reden und als kultprophetischen Sprecher fürbittend für das Volk auftreten läßt. Kritisch haben sich namentlich J. M. BERRIDGE (1970) und J. BRIGHT (1970)[250] mit REVENTLOW auseinandergesetzt, H. GROSS (1964) darüber hinaus mit REVENTLOWs Prophetenbild überhaupt[251].

Gegen eine psychologische Auslegung der ›Konfessionen‹ wandte sich auch A. H. J. GUNNEWEG (1970)[252]; er allerdings löste sich von der kultprophetischen Konzeption und sah in den Texten „Interpretationen von Jeremias Verkündigung und Person". Jeremias Geschick erscheint dargestellt mit den Mitteln des exemplarischen Ich der Klagegedichte. Der Prophet wird zum exemplarisch leidenden Gerechten. In dieser Auffassung GUNNEWEGS steckt nun freilich viel eigene Interpretation. Am wenigsten wird man Jeremia einen exemplarisch leidenden Gerechten nennen können. Er ist zwar ein verfolgter Prophet und leidet unter den Nachstellungen seiner Gegner, aber er ist deshalb nicht als „Gerechter" zu bezeichnen, der unschuldig oder wegen seiner Unschuld leidet[253]. Die Konfessionen sind für GUNNEWEG interpretierende Arbeit seiner Schüler, nicht vor dem Exil anzusetzen.

Noch größer machte den zeitlichen Abstand der ›Konfessionen‹ zum historischen Jeremia PETER WELTEN (1977)[254]. Auch er möchte die ›Konfessionen‹ als Interpretationen verstehen, die den leidenden Gerechten zum Inhalt haben. Am leidenden Jeremia konnten sich die bedrängten Frommen der späten nachexilischen Zeit trösten. So begegnen wir hier in Ansätzen einer Armenfrömmigkeit. „Es sprechen Menschen, die sich als unschuldig Leidende an der Leidensgestalt Jeremias

seinem Buch von 1963, sondern bereits in seinem Aufsatz: Prophetenamt und Mittleramt, in: ZThK 58 (1961) 270–284.

[250] J. BRIGHT, Jeremiah's Complaints – Liturgy or Expressions of Personal Distress?: Proclamation and Presence. Festschrift G. H. DAVIES (1970) 189–214.

[251] H. GROSS, Gab es in Israel ein „prophetisches Amt"?, in: TThZ 73 (1964) 336–349.

[252] A. H. J. GUNNEWEG, Konfession oder Interpretation im Jeremiabuch, in: ZThK 67 (1970) 395–416.

[253] Vgl. dazu das Urteil von L. RUPPERT, Der leidende Gerechte. Eine motivgeschichtliche Untersuchung zum Alten Testament und zwischentestamentlichen Judentum, in: Forschung zur Bibel 5 (1972) 48.

[254] P. WELTEN beschränkt sich unter dem Titel ›Leiden und Leidenserfahrung im Buch Jeremia‹ nicht auf die herkömmlichen ›Konfessionen‹, hebt sie aber gegenüber anderen Texten über das Leiden im Jeremiabuch besonders heraus; a. a. O. 137–150.

trösten, der mit der Einführung der Konfessionen in den Kontext des Buches einer der Ihren wird."[255]

Man darf das Wahrheitsmoment der Spätdatierungen bei GUNNEWEG und WELTEN darin suchen, daß die Texte der Konfessionen stellenweise tatsächlich in eine spätere Zeit zu weisen scheinen und sogar Berührungen mit den Problemen des Hiobbuches zu erkennen geben. Der Eindruck ist aber nicht von der Hand zu weisen, daß die ›Konfessionen‹ eher den Hiobdialog und seine Problematik vorbereiten, aber die tiefer greifende Dimension des „leidenden Gerechten" noch nicht erreichen. Der Abstand sollte gesehen werden, der zwischen den jeremianischen Texten, die über das Geschick des Propheten sprechen, und der exemplarischen Erfassung dessen steht, was „Leiden" überhaupt bedeutet, vor allem dann, wenn es ohne erkennbare Schuld erfahren wird.

In eigenständiger Weise hat T. POLK (1984) das Problem des prophetischen Ich erneut aufgegriffen und auch an den Konfessionen Jeremias dargelegt. Für ihn ist E. GERSTENBERGERS Arbeit[256] ein wichtiger Wendepunkt der Forschung. Dort sei ein Zusammenhang hergestellt worden zwischen dem prophetischen Leiden und der Sünde des Volkes, und im Leiden des Propheten wird repräsentativ Gottes eigenes Leiden abgebildet gesehen. In Jer 14,1 – 15,4 sei zudem ein liturgischer Stil aufgenommen, der die Vergegenwärtigung des prophetischen Wortes über das persönliche Schicksal des Propheten hinaus sicherstelle. So kann POLK in vielfältiger Weise an das anknüpfen, was nach GERSTENBERGER modifiziert GRAF REVENTLOW, GUNNEWEG und WELTEN weiter verfolgt haben. Aber er selbst will auf Grundsätzlicheres hinaus. Die Texte wollen gelesen sein in ihrer vorliegenden Endgestalt, nicht analysiert auf "a historically assured minimum" in Relation zu bestimmten Vorgängen. Ihr volles Verständnis erschließt sich erst, wenn ihnen ihre ganze potentielle Aussagekraft abgewonnen wird, die in der metaphorisch-symbolischen Rede steckt. Daraufhin sind die Texte zu lesen, nicht um die persönliche Aussage des Propheten über sich selbst wiederzufinden, so gewiß Biographisches nicht auszuschließen ist, sondern das ganze Leben des Propheten ist als Botschaft zu begreifen. "Trying to tell the deep truth of Jeremiah's life, to communicate his significance as an expression of the purpose and pathos of God and at the same time as an expression of the predicament and dread and hope of his people, required an imaginative re-presentation of the highest

---

[255] A.a.O. 147.
[256] E. GERSTENBERGER, Jeremiah's Complaints. Observations on Jer 15,10–21, in: JBL 82 (1963) 393–408.

order."²⁵⁷ So wird "the prophetic persona" selbst zum Abbild der Botschaft. "His (sc. the prophet's) life interprets the nation's life with
God."²⁵⁸

Bei solcher Betrachtungsweise wird der Text nicht als historisches
Dokument verstanden, als Aussage eines bestimmten Autors, sondern
als Niederschlag geistiger Prozesse, die der Leser mehr oder minder
deutlich nachzuempfinden in der Lage ist. Zwangsläufig verbindet sich
die von POLK konsequent betriebene synchrone Sichtweise mit herme-
neutischen Problemen, die letztlich über den Text hinausweisen.

Die außergewöhnliche Spannweite exegetischer Bemühungen um die
›Konfessionen‹ belegt auf andere Weise das Buch von FERDINAND
AHUIS (1982), der die Jeremia-Texte im Rahmen der Klage bei den alt-
testamentlichen Gerichtspropheten beurteilt. In dieser Zuordnung der
Klagegedichte Jeremias an die Gattung gerichtsprophetischer Verkün-
digung, die gattungsspezifisch mit einer Klage endet und auf das Ein-
treffen des angekündigten Gerichts wartet, steht und fällt die gesamte
Untersuchung von AHUIS. Sie rückt die ›Konfessionen‹ stärker an die
Redeformen des israelitischen Rechtslebens heran, eine Anregung von
S. H. BLANK (1948) aufnehmend: "In the confessions we observe a man
claiming the right to appear before a higher authority and present his
case."²⁵⁹ Ob dieser Ausgangspunkt freilich zutrifft, ist für Jeremias
›Konfessionen‹ fast noch fraglicher als für das Buch Hiob, das ebenfalls aus rechtshistorischen Kategorien besser zu verstehen versucht
wurde²⁶⁰.

Das Problem ist, ob Jeremia, dem die ethische Kategorie stets vor der
juridischen stand, mit rechtlichen Vorstellungen überhaupt beizu-
kommen ist. Dies zeigt sich etwa bei der schwierigen Frage, ob man den
gewiß harten Wortlaut von Jer 20,7f., der die Überwindung des Propheten durch Gott schildert, ohne weiteres als „Vergewaltigung" interpretieren und die Rechtsfolgen eines Sexualdeliktes damit verbinden
darf, auch wenn eine analoge Begrifflichkeit verwendet ist.

Interessant ist AHUIS' Versuch, die ›Konfessionen‹ dem Jeremiabild
der deuteronomistischen Redaktion von Jer 1 – 45 einzuordnen und mit

---

²⁵⁷ POLK 166.

²⁵⁸ POLK 162.

²⁵⁹ S. H. BLANK, The Confessions of Jeremiah and the Meaning of Prayer, in:
HUCA 21 (1948) 331–354, bes. 332f.

²⁶⁰ Ein Beispiel besonderer Art in dieser Richtung ist das Buch von HEINZ
RICHTER, Studien zu Hiob. Der Aufbau des Hiobbuches, dargestellt an den
Gattungen des Rechtslebens, in: Theologische Arbeiten XI (1959).

einer deuteronomistischen Umformung der ›Konfessionen‹ zu rechnen. Darüber hinaus beobachtet Ahuis „Besonderheiten in den von D einge-brachten oder selbstgeschaffenen Formen, die aber auch eine Nähe zu den Gottesknechtsliedern zeigen, so der klagende Eigenbericht 11, 18 ff. oder das Loblied der Gemeinschaft, das auf das Geschick des leidenden Gerechten antwortet (20, 13)“[261]. W. Thiel muß sich die Feststellung gefallen lassen, er habe „die Texte der Konfessionen in eigenartiger Vorsicht aus seinem sonst angewandten redaktionsgeschichtlichen Ver-fahren ausgeklammert“[262]. Diese „eigenartige Vorsicht“ beruht aber bei Thiel auf der wohl zutreffenden Einsicht in die strukturellen Beson-derheiten der ›Konfessionen‹, während sie Ahuis fast ausschließlich nach gattungsspezifischen Mustern gestaltet sehen möchte. D, der die ›Konfessionen‹ überarbeitete, sei in der Welt des Klageliedes des Ein-zelnen wie des ganzen Volkes beheimatet gewesen und habe durch seine Überarbeitung „die Formunterschiede der gerichtsprophetischen Kla-gen Jeremias verwischt“[263], ein Urteil, das die Dominanz der Gattung vor der inhaltlichen Aussage betont.

Das Bemühen von Ahuis, die „Konfessionen“ stärker auf dem Hin-tergrund des ganzen Jeremiabuches und seiner Redaktion zu sehen, leitet auch die Dissertation von Kathleen M. O'Connor (1988). Sie gibt innerhalb von Jer 11 – 20 den ›Confessions‹ eine Schlüsselrolle. Jeg-liche Textänderungen, Umstellungen oder Auslassungen, wie sie in modernen Übersetzungen vorgenommen werden, sind abzulehnen. Sie verfehlen die literarische Form und den Zweck der Konfessionen. Diese haben prophetische Funktion im Leben Jeremias, nicht im Sinne eines biographischen oder psychologischen Interesses, sondern zur Darstel-lung des Triumphes des prophetischen Wortes und des Preises Jahwes. Jeremia sei nicht der Nietzsche des Alten Testaments. Alle seine Klagen und Fragen an Gott dienten letztlich dem gleichen Ziel, "to establish him as a true prophet"[264]. Der Titel ›Konfessionen‹ wird als angemessen empfunden, weil es das theologische Ziel der Dichtung sei, Gottes Macht über "the wicked and the unjust" zu preisen. "A theological writer" habe dem Gesamtmaterial von Kap. 1 – 25 Gestalt und schöpfe-rische Interpretation verliehen.

Was die theologischen Intentionen der Konfessionen angeht, so möchte O'Connor zwei Konzeptionsebenen unterscheiden, den lei-

---

[261] Ahuis 141 f.
[262] Ahuis ebd.
[263] Ahuis ebd.
[264] Kathleen M. O'Connor 158.

denden Propheten, dessen Erfahrungen und Empfindungen unüber-
tragbar sind und einzigartig für seine Person, zum anderen die Ebene
allgemein menschlichen Leidens, wie es der Glaubende erfährt, der
durch das „finstere Tal" geht und neuen Mut und neue Hoffnung emp-
fängt. Jeremias Leiden werden zu einem Beispiel des "innocent suffer-
ing of believers". Damit ist Jeremia oder das, was die Konfessionen von
ihm oder über ihn sagen, in die unmittelbare Nähe des Gottesknechtes
nach den Texten Deuterojesajas versetzt, ein Unterfangen, das, wie
schon oben vermerkt, problematisch ist und über die Intention der jeremianischen Texte hinausgehen dürfte.

Der Gedanke, daß die ›Konfessionen‹ dem Nachweis Jeremias als des
wahren Propheten dienen sollen, ist nicht neu. Bereits 1978 hatte FRANZ
D. HUBMANN in seinen ›Untersuchungen zu den Konfessionen Jer 11, 18
– 12, 6 und Jer 15, 10–21‹ nach ausführlichen textkritischen, formgeschichtlichen, strukturanalytischen, kompositionskritischen und übrigens auch forschungsgeschichtlichen Studien an den beiden Texten den
Schluß gezogen, „daß Jeremia zumindest in 12, 1–5 und 15, 15–19 prophetischen Gegnern gegenübersteht"[265]. Er ist angefochten von anderen Propheten; insofern sind seine Klagen spezifischer Natur und
haben mit allgemein menschlichen Problemen nichts zu tun. Erst durch
ihre Bearbeitung erhielten die Texte ihren paradigmatischen Charakter,
der sie über die ursprünglich eigene Auseinandersetzung des Propheten
hinaushebt und „Jeremias Geschick eine umfassende Bedeutung für das
ganze Volk zuschreibt"[266]. Was also neuerdings O'CONNOR, wie oben
gezeigt, feststellte, ist bereits hier gesagt.

Überhaupt zeigt sich, daß HUBMANN den detaillierten exegetischen
Unterbau lieferte, der von O'CONNOR ähnlich gesehen oder übernommen wurde. HUBMANN beobachtete eine „Doppelüberlieferung"
der Texte, die auch mit einer Adressatenänderung verbunden ist. Jeremia hat prophetisches Gut übernommen, und er hat Sprüche wiederverwendet, wenn sich ihr Aussagegehalt bestätigte. Insoweit handelte es
sich um einen innerjeremianischen Prozeß. Darüber hinaus aber ist es
zu einer Aktualisierung der Texte gekommen, die von außen an die
Texte herangetragen wurde und nichts mehr mit Jeremia selbst zu tun
hat. Damit eng verbunden ist die Frage, ob die ›Konfessionen‹ sozusagen als private Selbstäußerungen des Propheten zu betrachten sind

---

[265] HUBMANN 318. Hingewiesen sei auch auf HUBMANN, Stationen einer Berufung: Die ›Konfessionen‹ Jeremias, in: Theologisch-praktische Quartalschrift
1 (1984) 25–39.
[266] Ebd. 319.

(VON RAD[267]) oder Gegenstand öffentlicher Verkündigung (BERRIDGE[268]) waren. Eine sichere Antwort darauf ist nicht möglich; aber, sofern mit Aktualisierung zu rechnen ist, lag es in der Absicht der Bearbeitung, Jeremias Schicksal zum Paradigma zu erheben.

HUBMANNS Verdienst ist es zweifellos, den Kommentar von S. SCHMIDT, Commentarii super librum Prophetiarum Jeremiae, Frankfurt a. M. 1685, auch wegen seiner Aufarbeitung der damaligen jüdischen Forschung, benutzt und in das Bewußtsein der heutigen Exegeten gerückt zu haben.

Mit diesem Stand der Forschung, wie er sich bei HUBMANN darstellt und wie er von O'CONNOR bei etwas anderer Ausgangslage und Zielsetzung bestätigt wurde, ist im wesentlichen umrissen, was sich über die ›Konfessionen‹ heute sagen läßt[269].

---

[267] G. VON RAD, Die Konfessionen Jeremias, in: EvTh 3 (1936) 265–276; Neudruck: Ges. Studien zum Alten Testament II, in: ThB 48 (1973) 224–235.

[268] J. M. BERRIDGE (1970) 157.

[269] In auffallender Nähe zu den Überlegungen von AHUIS (1982) und O'CONNOR (1988) bewegt sich die umfangreiche Studie von A. R. DIAMOND, The Confessions of Jeremiah in Context. Scenes of Prophetic Drama, in: JSOT Suppl. 45 (1987), die mir verspätet zur Kenntnis kam. Er widmet dem Gesamtkomplex Jer 11 – 20 besondere Aufmerksamkeit und sucht die Funktion der individuellen Konfessionen in ihrem unmittelbaren literarischen Kontext aufzuhellen. Auch er beobachtet innerhalb der Konfessionen verschiedene Ebenen der Aussage, die sich gewiß auf das Geschick des Propheten beziehen, darüber hinaus aber auch als dramatischer Dialog zwischen Prophet und Gott einerseits und Israel andererseits verstanden sein wollen. Die literarische Entwicklung zielt ab auf eine Verbreiterung des Theodizee-Problems, ausgehend vom Propheten und übertragen auf ganz Israel, nachdem Juda gefallen war. Dies freilich kann nur gesehen werden, wenn der Kontext von Jer 11 – 20 berücksichtigt wird, in den deuteronomistische Redaktoren die Konfessionen einbauten. Maßgebend für ihre Aufnahme in den deuteronomistischen Rahmen wirkte die deuteronomistische Idee von der Verachtung des prophetischen Mittlers, von dem das Volk sich abwendet und darum schuldig wird, wie es auch in den Prophetenerzählungen Jer 26 – 29; 36; 37 – 45 zu beobachten ist.
Dennoch neigt der Verfasser sehr stark zu der Annahme eines authentischen Kernes in den Konfessionen, in denen Erfahrungen mit Gott mitgeteilt sind, die geeignet waren, von den Deuteronomisten aufgenommen und auf das Geschick Israels übertragen zu werden. Die Theodizee-Frage des Propheten wurde zugleich zur Frage für das ganze Israel.
Man wird die außergewöhnliche kombinatorische Kraft bewundern müssen, mit der DIAMOND die verschiedenen Argumente seines Beweisganges, stets in Auseinandersetzung mit der neuesten Forschung, vorzutragen weiß. Man wird

Das Problem der „falschen Prophetie"

Die Frage nach der Unterscheidung von sogenannten wahren oder echten und sogenannten falschen Propheten im Jeremiabuch ist eingebettet in das Problem der Echtheit prophetischer Rede im gesamten Alten Testament. Sie hat aber im Jeremiabuch eine besondere Zuspitzung erfahren. Warum das so ist, kann nicht definitiv, aber doch ansatzweise beantwortet werden. Das 7. Jahrhundert v. Chr. brachte für Israel, genauer gesagt, für das Bewußtsein der Judäer, einen geistigen Durchbruch, der die Reflexionsfähigkeit im Hinblick auf das Selbstverständnis des Menschen und seines Verhältnisses zu Gott steigerte. Nicht nur die prophetische Rede als solche, sondern auch das Nachdenken über ihre Voraussetzungen gewann an Boden. Das Prophetengesetz in Dtn 18, 15–22 setzte zumindest einen begrifflichen Maßstab und lieferte eine Definition für das, was ein Prophet sein sollte und woran man ihn erkennt. Kriterium ist, ob der Prophet wirklich im Namen Gottes redet oder ob er sich vermißt, als Gotteswort auszugeben, was Jahwe ihm nicht gebot. Die Relativität dieses Maßstabes ist immer beklagt worden; denn die entscheidende Frage, woran der Außenstehende das Wort des Propheten als wirkliches Wort Gottes erkennt, noch ehe etwas geschehen ist, findet keine Antwort. Am Eintreffen des Gesagten soll das Prophetenwort seine Echtheit zu erkennen geben. Das ist logisch. Aber die argumentative Schwäche, die in dieser Ausgangslage steckt, ist letztlich der Anlaß zu weitergehenden Überlegungen und Spekulationen über Echtheitskriterien prophetischer Äußerungen geworden.

Die nach wie vor schwierige Frage wird im biblischen Schrifttum an keiner anderen Stelle als im Deuteronomium begrifflich und grundsätzlich erörtert. Nur indirekt kann aus zumeist polemischen Texten gegen „falsche" Propheten der Maßstab der „Echtheit" nach Art einer „Kontrastparallele" erschlossen werden. Letztlich aber laufen alle Antworten darauf hinaus, daß der „wahre" Prophet der wirklich vom Geist Gottes erfüllte sein muß, während ohne diese Voraussetzung jeder Anspruch auf prophetische Rede dahinfällt und dies alsbald offenbar werden wird. Denn wirkliche Prophetenrede erschließt sich als solche nicht aus theologischer Reflexion, sondern in der praktischen Erfahrung, im Tat-

aber ebenso seine Vorsicht beachten müssen, mit der er das prophetische Eigenzeugnis nicht in Frage stellen möchte und es gegenüber exilisch-nachexilischen Gedanken abzugrenzen sucht. Deshalb ist der deuteronomistisch geprägte Kontext, in dem die ›Konfessionen‹ stehen, zumindest eine Hilfe, literarisch und sachlich ihren Eigenwert von späterer „Rahmung" zu unterscheiden.

sachenerweis der göttlichen Kraft, die sich vor aller Augen in Ereignissen und ihren Konsequenzen kundmacht.

Der Untergang Jerusalems und das Exil gaben Jeremia recht und erwiesen ihn als wahren Propheten, der er war, trotz der Zweifel, die ihn anfochten oder die man ihm nachsagte. Das Jeremiabuch enthält im Prinzip beides, den angefochtenen und den selbstgewissen Propheten, und die Grenze verläuft dort, wo sich seine mutmaßliche Selbstreflexion mit der Reflexion der anderen über ihn trifft. Denn die Zeugnisse, die wir besitzen, lassen sich schwer trennen in jene, die prophetische Eigenerfahrung zum Ausdruck bringen und in solche, die über das prophetische Selbstbewußtsein reflektieren. Entsprechend verhält es sich auch mit der wissenschaftlichen Literatur zu diesem Thema. Zu unterscheiden ist zwischen solchen Forschern, die dem Selbstbewußtsein und der Selbstreflexion des Propheten nahezukommen versuchen, und solchen, die das Zeugnis des Propheten lediglich als Interpretation prophetischer Existenz aus der Sicht der Tradenten verstehen. Bereits bei der Betrachtung der sogenannten ›Konfessionen‹ wurde diese Unterscheidung deutlich. Denn das prophetische Selbstzeugnis verbarg sich vielfach hinter traditioneller Reflexion in Gestalt der Klage eines Einzelnen, so gewiß wirkliche prophetische Elemente nicht auszuschließen waren. Das so häufig vermutete kultische Element in den ›Konfessionen‹ rang mit der (typisierten) Eigenäußerung der prophetischen Persönlichkeit.

Den „echten" Propheten vom Kult abzuheben und ihn von den Äußerungen institutionalisierter, kultisch gebundener „Prophetie" zu trennen, war eines der Kriterien G. VON RADS in seinem Aufsatz von 1933 über ›Die falschen Propheten‹, die sich nach seiner Auffassung wesentlich als Heilspropheten darstellten[270]. Was sie vertraten, war eine national-religiöse Heilserwartung. Nach VON RAD bewege sich auch das Prophetengesetz im Deuteronomium auf solch einer Linie, das letztlich die Furcht vor dem Unheilspropheten nehmen wolle. Anders Jeremia, der verlangt, daß sich nicht der Heilsprophet, der ja institutionell gebunden ist, sondern der Unheilsprophet legitimieren müsse. Diese ganze Problematik zwischen institutionalisierter und „freier" Prophetie spitze sich bei Jeremia erst recht eigentlich zu. Jeremia habe gegenüber seinen Gegnern „die unbedingte Transzendenz der Offenbarung gesichert"[271]. Damit sieht freilich VON RAD „das ungeheuer

---

[270] VON RAD, Die falschen Propheten, in: ZAW 51 (1933) 109–120; Neudruck: Ges. Studien zum Alten Testament II (1973) 212–223.
[271] VON RAD a. a. O. 221.

schwere Problem Prophet gegen Prophet" noch nicht geklärt. Was hinzukommt ist, daß Jeremia „die Frage nach dem Korrespondenzverhältnis zwischen Prophetie und Geschichte" aufwirft. Der wahre Prophet stehe dem geschichtlichen Ablauf „religiös in völliger Ungesichertheit" gegenüber, nicht mit der Sicherheit eines Chananja. Nicht der Heilslehre, sondern dem handelnden Gott in der geschichtlichen Stunde seines Wirkens fühlt sich der wahre Prophet verbunden.

Bei aller grundsätzlichen Richtigkeit solcher Erwägungen wird man freilich zugeben müssen, daß auch dies Überlegungen aus der Retrospektive sind, die dem Problem der wahren oder falschen Prophetie sich nur in der bloßen Nachzeichnung der uns in den Texten erkennbaren Merkmale nähern. Immerhin hat VON RAD mit seinen Hinweisen auf die institutionelle und die „freie", aus der Offenbarungsgewißheit gewonnene Prophetie in ihrem Korrespondenzverhältnis zur Geschichte Kriterien aufgewiesen, die ihre Geltung behalten. Den inneren Konflikt, der sich im Propheten selbst abspielte, ließ er außer Betracht.

Um diesen Konflikt der prophetischen Persönlichkeit bemühte sich in oft eigenwilliger Denkweise GOTTFRIED QUELL (1952), der die ganze Größe prophetischen Wortes beschwor, zugleich aber den Zwiespalt deutlich zu machen suchte, der den wahren ebenso wie den falschen Propheten durchwaltet, mit dem menschlichen Wort die göttliche Wahrheit zu treffen. QUELL möchte im „falschen Propheten" nicht den minderwertigen sehen, sondern allein den, der nicht der Vollkraft des Geistes teilhaftig ist. „Alle Propheten reden vom Irrationalen als dem in die rationale Welt ragenden Geheimnis, nur das Maß der Kraft ist verschieden unter sie verteilt."[272] QUELL sieht in der Chananja-Erzählung von Jer 28 das klassische Beispiel des Konfliktes. Chananja wird nicht als „Lügenprophet" abqualifiziert; er entbehrte der Vollmacht Gottes. QUELL schließt sein Werk mit der Feststellung, daß es Grund genug gibt, „dem irrenden Propheten unser Mitgefühl nicht zu versagen, weil wir auf dem Wege zur Wahrheit alle irren". QUELLS Werk läuft im Grunde auf die gleiche Feststellung hinaus, die EDMOND JACOB (1957) in die Worte faßte[273]: «Seul un prophète peut juger de l'inspiration d'un prophète.»

Die auch für breitere Kreise gedachten Arbeiten von EVA OSSWALD (1962)[274] und H.-J. KRAUS (1964) führten über diesen Forschungsstand

---

[272] QUELL (1952) 210.
[273] E. JACOB, Quelques remarques sur les faux prophètes, in: BZ 13 (1957) 479–486, bes. 486.
[274] Vgl. auch E. OSSWALD, Irrender Glaube in den Weissagungen der alttesta-

kaum hinaus, lassen aber beide den starken Einfluß QUELLS erkennen, der den Maßstab von „wahr" und „falsch" als absolutes Urteil über die Propheten erschütterte. OSSWALD betonte die sittliche Bindung bei den Propheten der klassischen Zeit, in deren Zusammenhang die Botschaft vom Gericht steht und die auf dem sittlichen Werturteil der (wahren) Propheten basiert. Sehr charakteristisch schloß KRAUS, die Linie QUELLS und JACOBS aufnehmend, seine Studie von 1964 ab: „Die Schlüssigkeit aber, mit der sich die Unheilseröffnung aus der Anklage ergibt, kann von den gültigen Voraussetzungen der Heilsprophetie aus wieder bestritten werden. Hier bricht der ganze Konflikt auf. Es zeigt sich in den Texten sehr deutlich, daß Prophetie nur aus letzter prophetischer Vollmacht beurteilt und entlarvt werden kann. Prophetie wird nur durch Prophetie in ihrer Wahrheit oder Lüge erkannt."

Allen diesen Untersuchungen ist gemeinsam, daß die Jeremiastellen im Zusammenhang mit dem Phänomen falscher Prophetie im ganzen Alten Testament beurteilt werden. Dies gilt auch für KRAUS (1964), selbst wenn er seine Schwerpunkte auf die Exegese von Jer 23,9–32; 27 und 28 legte. Was noch ausstand, war eine noch genauere Untersuchung aller dieser Texte unter Einschluß der jeremianischen auf ihren jeweiligen form- und überlieferungsgeschichtlichen Befund. Diese ist in den Büchern von F. L. HOSSFELD/I. MEYER (1973: Prophet gegen Prophet) für das ganze Alte Testament und beschränkt auf Jeremia durch I. MEYER (1977: Jeremia und die falschen Propheten) tatsächlich erfolgt. Im Werk von 1973 kommen aus dem Buch Jeremia sämtliche in Betracht kommenden Stellen zur Sprache[275], während I. MEYER (1977) eine Auswahl trifft, die auf die Partien aus Jer 27 – 29 verzichtet, nicht zuletzt, weil text- und literarkritische Probleme in WANKES Untersuchung von 1971 bereits ausführlich abgehandelt waren. Darauf bezogen sich die beiden Verfasser schon 1973.

In der Sache selbst können die Arbeiten von HOSSFELD und MEYER die exegetischen Grundlagen früherer Arbeiten teils bestätigen, teils aber auch ergänzen und weiterführen. Dies gilt insbesondere für die Literarkritik und deren Auswirkungen auf die Interpretation der Texte. So werden im Jeremiabuch Überlieferungsschichten und kompositionelle

---

mentlichen Propheten, in: Tagung für Allgemeine Religionsgeschichte 1963. Sonderheft der Wiss. Zeitschrift der Friedrich-Schiller-Universität Jena (1964) 65–73, wo dem Phänomen unerfüllter Prophetenworte bei den kanonischen Propheten nachgegangen wird.

[275] Jer 2,8; 2,26; 2,30b; 4,9.10; 5,12–14; 5,30.31; 6,9–15; 14,10–17; 23,9–32; 26; 27. 28; 29,1.3–7.24 – 32; 29,8–23; 37,19.

Grundsätze stärker beachtet, die im Blick auf die Bewertung der Texte über die falschen Propheten von Bedeutung sind. Denn sie machen den Wandel sichtbar, der sich im und nach dem Exil auch für das Prophetenverständnis abzeichnet. Vorausgesetzt wird ein auf den Propheten oder seine Zeit zurückgehender Grundbestand, der redaktionell in exilischer oder nachexilischer Zeit überarbeitet und mit den Beurteilungskriterien eben dieser Epochen durchsetzt wurde. Jetzt erst werden die falschen Propheten als minderwertig hingestellt und ihr verderblicher Einfluß auf ihre Umgebung wird zum Erklärungsgrund für die Katastrophe. Damit wird überlieferungsgeschichtlich präziser herausgearbeitet, was schon JAMES L. CRENSHAW (1971) in seinem Buch über ›Prophetic Conflict‹ zu zeigen versuchte, daß nämlich die falsche Prophetie das Scheitern der gesamten Prophetie verursachte, weil es überhaupt an Mitteln zuverlässiger Unterscheidung fehlte. HOSSFELD/MEYER betonen, daß es erst die spätere Zeit war, die solche Kriterien entwickelte und sie in ältere Texte einarbeitete.

An einem Fall von paradigmatischer Bedeutung wird das besonders klar. Zu den exegetisch schwierigsten Stellen gehört das angebliche Irrewerden Jeremias an sich selbst gegenüber dem Propheten Chananja, der mit dem Anspruch eines Jahweworts ihm entgegentrat. Was hat es zu bedeuten, wenn Jeremia darauf antwortet: „Amen, so möge Jahwe tun" (Jer 28,6), und was ist es um das rätselhafte „Da ging der Prophet Jeremia seines Weges" (28,11), nachdem Chananja das Joch, das Jeremia trug, zerbrochen hatte? Die Stellen werden in der Regel so verstanden, daß Jeremia von Chananja fast überwunden, daß er auf einem Tiefpunkt seines prophetischen Selbstbewußtseins angekommen war. QUELL (1952), der in massiver und eindrucksvoller Weise den kritischen Augenblick in 28,6 herausarbeitet (43–67, bes. 48) und Jeremia den Gedanken unterstellt, Chananja könnte recht haben, möchte schließlich Jeremia als den Unterlegenen seines Weges ziehen sehen. Ebenso urteilte KRAUS (1964, 98): „Einsam und zerbrochen muß Jeremia weichen", und auch MEYER (1977, 145 f.) sieht „Jeremia das Feld räumen". Aber letzterer erklärt dazu, „daß die überarbeitete Fassung der Erzählung … die für den Propheten blamablen Züge entschärft" habe und „einen argumentierenden Jeremia zeigt, der sehr genau zwischen Wunsch und Wirklichkeit zu scheiden weiß. Heilsprophetie muß den Echtheitsbeweis erst antreten. Für die Unheilsprophetie spricht hingegen alles, auch die Tradition". Was hier „Entschärfen" genannt wird, bezieht sich auf die Verse 28,7–9, deren Grundsätzlichkeit dem Eindruck der Verlegenheit des Propheten entgegenwirken soll und zur bewußten späteren Überarbeitung der älteren szenischen Darstellung der Erzählung zu rechnen sei.

Man wird fragen müssen, ob das die Lösung ist: Historisch gesehen ein dem Versagen naher Prophet, dessen Schwäche durch argumentative Rede, die die Überarbeiter einbauen, abgefangen wird. Wo verläuft da die Grenze zwischen dem mitgeteilten Geschehen und seiner Interpretation? Steht vielleicht nicht nur an dieser einen Stelle, sondern hinter dem ganzen Kapitel eine didaktische Absicht? Warum sollte es gerade Jeremia sein, den der Zweifel befiel? Spricht nicht auch aus den Versen 28,6.11 seine prophetische Gewißheit, nicht seine Depression und Unsicherheit?

Deshalb dürfte R.P. CARROLL (1986, Komm 537–550) auf einem akzeptablen Weg sein, wenn er urteilt (547): "The chapter offers no criteria for distinguishing between prophets because it is set in a tradition where Jeremiah is already established as the true prophet", und weiter (541): "Now Yahweh himself puts the seal of approval on Jeremiah's preaching in relation to the king of Babylon motif. Hananiah serves this purpose (cf. Uriah in 26,20–23) and is of no other importance in the story." Ziel des Kapitels ist nicht der Streit zweier Propheten um die Wahrheit, sondern die Bestätigung des einen als des wahren Propheten, und dieser wahre steht im Auge des Verfassers fest: es ist Jeremia. So kommt CARROLL dazu, das Ganze eine "story" zu nennen, weniger einen Bericht über ein wirkliches Geschehen, das er freilich nicht vollkommen ausschließen will. Den Kern seines Argumentationsganges jedoch wird man als zutreffend ansehen dürfen: Jeremia sinkt in diesem Kapitel nicht in die Tiefe des Selbstzweifels. Er bleibt von allem Anfang an der Überlegene. Denn hier urteilt der Prophet über einen Propheten, und er behält recht. Das Verhältnis zum historischen Wahrheitsgehalt der Geschichte ist nicht mit Sicherheit beantwortbar. Doch kann ein konkreter historischer Hintergrund nicht prinzipiell ausgeschlossen werden.

Es bleibt fraglich, ob Jeremia 28 wirklich bindende Kriterien für das Verhältnis von wahrer und falscher Prophetie liefern kann. Schon GERHARD MÜNDERLEIN (1974, 140) urteilte: „Bei Jeremia ging es letztlich nicht um die Legitimation, sondern um die Ankündigung der Zukunft, das drohende Unheil. An diesem Punkt stieß er mit ‚den Propheten' hart aufeinander und mußte von daher ihre Heilsbotschaft als selbst erdachten Trug verstehen." Und auch darin mag MÜNDERLEIN recht haben, daß „erst mit dem Exil Maßstäbe entwickelt werden, die gleichsam von außen an die Propheten angelegt werden und eine Beurteilung ermöglichen."

Das › Trostbuch für Ephraim‹ Jer 30. 31

„Wie in einem mittelalterlichen Triptychon hat Jeremia hier einen
Reichtum von Szenen zusammengefügt, um die Rückkehr Efraims darzustellen. Im linken Seitenflügel des großen Bildwerkes sehen wir ein
Gewoge erschreckter Menschen, die unruhige Völkerwelt, das verängs-
tigte Jakob, das noch unter den Schlägen des verdienten Gerichtes ge-
beugt ist; aber die zweite Hälfte des Flügels zeigt schon den Tröster, der
Jakob die Botschaft des nahenden Heils bringt. In der Mitte das zweitei-
lige Hauptbild: Jahwe und Israel treffen sich in der Wüste, der Vater be-
grüßt seinen Erstgeborenen mit überwallendem Erbarmen. Und unmittelbar daneben: die Schar des zurückwandernden Volkes, Greise und
Schwache, Jünglinge und Jungfrauen; schon sieht man in der Ferne
oben die Zinnen der Heimatstadt, der die Glücklichen zueilen. Das
rechte Flügelbild stellt noch einmal Vergangenheit und Zukunft gegenüber: die ergreifenden Gestalten der Mutter Rahel und des zer-
knirschten, hart mitgenommenen Efraim; in der zweiten Hälfte des Flügels der feierliche Bund zwischen Jahwe und den Zurückgekehrten, der
die beiden für immer vereinigen und allem Wechsel und aller Unruhe ein
Ende machen soll."

Mit dieser poetischen Schilderung beginnt PAUL VOLZ seine Kommentierung der beiden Kapitel[276], die ihres Grundtenors wegen gern
das „Trostbuch für Ephraim" genannt worden sind. Tatsächlich bilden
den Kern Heilsworte für das ehemalige Nordreich, freilich nicht ausschließlich. Die Eigenart der beiden Kapitel besteht gerade darin, daß
eine ganze Reihe von Sprüchen das Nordreich unter dem Namen
„Jakob", „Israel" oder „Ephraim" direkt anspricht[277], während die übrigen Worte formal und sachlich einen Bezug auf judäische Verhältnisse

---

[276] P. VOLZ, Komm. (^{2}1928) 287.

[277] Problematisch ist die Bezeichnung „Jakob" für das Nordreich. Sie steht
in beiden Kapiteln regelmäßig in einem direkten oder entfernten Parallelismus
zu „Israel". L. ROST stellte fest, daß „Jakob" bei Jeremia an keiner echten Stelle
begegnet. Vergleiche mit Jesaja und Micha (die damit Juda meinten) und Amos
(der an Israel dachte), seien darum gegenstandslos. L. ROST, Israel bei den Propheten, in: BWANT 71 (1937) 54–71, bes. 60.69. Vgl. jedoch H.-W. HERTZBERG
(1952) 595 ff. „Jakob" als Adresse der „vor-dtr." Heilsworte im Jeremiabuch erkannte neuerdings T. ODASHIMA (1989) 300. Für ihn ist Jakob das „zerstreute
und jetzt angerufene Gesamtisrael", das in Zukunft das restituierte Israel/Juda
darstellen wird. Er rechnet mit einer „Neubelebung" des Namens „Jakob", die
bezeichnenderweise in den Heilsworten Deuterojesajas und bei den vor-dtr.
Verfassern erfolgte.

erkennen lassen. So wechseln, klar unterscheidbar und mit ziemlicher Regelmäßigkeit, Sprüche an Israel mit solchen an Juda. Die folgende Übersicht mag das verdeutlichen:

30, 1–3. 4	Rahmung der ganzen Spruchsammlung; Israel und Juda sind berücksichtigt
5–7	an Jakob
8. 9	an Juda
10. 11	an Jakob/Israel
12–17	an Juda (?); V. 17 „Zion" textkritisch umstritten
18–20	an Jakob
21	an Juda
22–24	„Bundesformel". Ausblick auf das Gericht über die Gottlosen
31, 1	Wiederholung der „Bundesformel". Gesamt-Israel angesprochen
2–6	an die Jungfrau Israel (V. 4) – Gebirge Ephraim (V. 6)
7–9	an Jakob. Angesprochen der „Rest Israels"; Israel (parallel zu Ephraim)
10–14	Jakob und der Berg Zion erwähnt / Wort über die Zusammenführung ganz Israels
15–17	Rahels Klage
18–20	Ephraims Klage und Gottes Antwort
21. 22	an die Jungfrau Israel
23–26	an Juda
27–29. 30	Haus Israel Haus Juda
31–34	Haus Israel Haus Juda
35–37	Ausblick für den „ganzen Samen Israels"
38–40	Ausblick auf die Wiederherstellung Jerusalems

Schon diese Übersicht zeigt, daß tatsächlich eine geschlossene Spruchsammlung vorliegt. Sie speziell wird mit „all den Worten" gemeint sein, die der Prophet auf Gottes Geheiß in ein Buch *(sēfer)* schreiben soll, wie die Einleitung in 30,2 sagt. An dieser Selbständigkeit der beiden Kapitel, die schon der Forschung des 19. Jahrhunderts auffiel[278], besteht kaum ein Zweifel[279]. Ungleich schwerer fällt die Antwort auf die Frage nach der Authentizität der Kapitel. Sie ist eng ver-

---

[278] Vgl. die forschungsgeschichtliche Übersicht zu Jer 30. 31 bei S. BÖHMER (1976) 11–20; ausführlicher und umfassender ist der Rückblick bei T. ODASHIMA (1989) 1–80.

[279] Trotz sachlicher und terminologischer Berührungen bilden die Kap. 32 und 33 (mit jeweils eigener Überschrift) selbständige Sammlungen, die von 30. 31 zu trennen sind; vgl. dazu BÖHMER a. a. O. 11, 111 Anm. 1.

koppelt mit dem Problem der Datierung des Ganzen oder auch nur
einzelner Sprüche. Die in den Israel-Worten ersehnte Heimkehr der
Diaspora des Nordens in das Mutterland läßt sich sehr wohl in der Re-
gierungszeit Josias unterbringen, dessen politisches Ziel ein vereintes
Israel/Juda angesichts des Niederbruches assyrischer Vorherrschaft gewesen zu sein scheint. Andererseits besteht der Eindruck, daß in den
Juda-Sprüchen eine Katastrophe vorausgesetzt ist, deren Folgen in der
Zukunft überwunden werden sollen. Das würde zumindest für die
Endredaktion ein exilisches oder nachexilisches Datum empfehlen. Die
Geschichte der Forschung wurde nicht zuletzt dadurch mitbestimmt,
daß unter den Exegeten häufig der Wunsch vorherrschte, möglichst
viele dieser Worte als von Jeremia selbst konzipiert anzusehen. Das gilt
insbesondere für das Wort vom „neuen Bund" 31,31–34.

Der Streit um Entstehung und Alter der Sammlung reicht tief in das
19. Jahrhundert zurück. Bereits C. F. MOVERS[280] nahm davon Abstand,
Jer 30,1–4 ernst zu nehmen und das Ganze als eine dem Jeremia diktierte Spruchsammlung zu verstehen. Berührungen mit Deuterojesaja
brachten ihn auf den Gedanken, diesen zum Verfasser, mindestens zum
Bearbeiter der Texte zu machen. Ihm folgten W. M. L. DE WETTE und
F. HITZIG[281], die allerdings Jeremia selbst die Priorität einräumten.
Deuterojesaja habe lediglich Zusätze beigesteuert. Die uneinge-
schränkte Verfasserschaft Jeremias für die beiden Kapitel behauptete
K. H. GRAF[282], während B. STADE und R. SMEND[283] sie in vollem Um-
fang für unecht erklärten, wobei sie die literarische Einheitlichkeit der
Kapitel voraussetzten.

Erwähnung verdient, daß HEINRICH EWALD Ähnlichkeiten zwischen
Jer 3 ff. und 30.31 auffielen, die ihn veranlaßten, die beiden Kapitel in

[280] C. F. MOVERS, De utriusque recensionis vaticiniorum Ieremiae, Graecae
Alexandrinae et Hebraicae masorethicae, indole et origine commentatio critica
(1837) 39; vgl. BÖHMER a. a. O.; ODASHIMA a. a. O. 14.

[281] W. M. L. DE WETTE, Lehrbuch der historisch-kritischen Einleitung in die
kanonischen und apokryphischen Bücher des Alten Testamentes, ⁶1845;
F. HITZIG, Der Prophet Jeremia, in: Kurzgefaßtes exegetisches Handbuch zum
Alten Testament 3 (²1866).

[282] K. H. GRAF, Der Prophet Jeremia (1862) 367 fand „größte Übereinstimmung mit Cap. 3" und verlegte die Abfassung in die Zeit Jojakims. Als Nachtrag
betrachtete er 31,35–40.

[283] B. STADE, Geschichte des Volkes Israel I (1887) 646 f. Er betrachtete
Kap. 30. 31 als sekundär und „noch dem Exile" angehörend. – R. SMEND, Lehr-
buch der alttestamentlichen Religionsgeschichte (²1899) 249 Anm. 1. Die beiden
Kapitel läßt er „in der Zeit des zweiten Tempels" entstanden sein.

die Frühzeit der Tätigkeit Jeremias zu verlegen. Weil das Nordreich zu Jeremias Zeiten für Juda keine Rolle mehr spielte, wollte er den Text als „gelehrte Nachahmung der älteren Propheten" sich entstanden denken[284].

Schließlich setzte sich doch eine differenziertere Betrachtungsweise durch. Zumindest für einzelne Teile des Spruchkomplexes könne die Verfasserschaft Jeremias in Anspruch genommen werden. F. GIESE-BRECHT[285] wollte wenigstens 31,2–6.15–20.29–34 für echt halten, B. DUHM[286] 30,12–15; 31,2–6.15–22; C.H. CORNILL[287] 31,1–5.9b. 18–22a.31–34. Auf dieser Linie, einen jeremianischen Kern anzunehmen, der aus verschiedenen Gründen erweitert und bearbeitet wurde, hat sich die Forschung im wesentlichen weiterbewegt, ohne freilich zu einhellig anerkannten Resultaten zu gelangen.

S. MOWINCKEL, der in seiner Arbeit von 1914 die beiden Kapitel einer eigenen Quelle (Quelle D im Anschluß an die von ihm herausgestellten Quellen A bis C) zuwies, stützte seine Auffassung auf die doppelte Überschrift 30,1–3 und V.4, der ein doppelter Abschluß in 31,26 und V.27f. entspreche; die Verse 29–40 seien erst später hinzugefügt worden. Daraus sei zu schließen, daß die mit 30,4 eingeleitete und anonyme ältere Sammlung von einem Redaktor benutzt und schließlich mit neuer Rahmung (30,1–3) in das Jeremiabuch eingefügt wurde. Erst danach sei als letzte Stufe das Stück 31,29–40 hinzugefügt worden. Diese Sammlung D, so erklärte MOWINCKEL, habe gar nicht den Anspruch erhoben, jeremianisch zu sein; sie trage keinen Verfassernamen und mache über ihren Autor keinerlei Andeutungen.

P. VOLZ hat in seinem Kommentar (²1928) die Gegenposition vertreten und, von einigen Zusätzen abgesehen, nicht nur die Einheitlichkeit der Komposition, sondern auch ihre Authentizität verteidigt. Er war von der dichterischen Kraft des Propheten überzeugt, vor allem auch davon, daß Jeremia kleinere Sprüche zu großen Kompositionen zu vereinigen verstand und sie zu literarischen Großformen von hoher Qualität zu entwickeln wußte. Der am Eingang dieses Abschnittes zitierte Vergleich des Inhaltes der beiden Kapitel mit einem mittelalterlichen Triptychon vermittelt einen Eindruck davon, wie VOLZ bei Jeremia sozusagen ein literarisches „Gesamtkunstwerk" zu entdecken

---

[284] H. EWALD, Jeremja und Hezeqiel mit ihren Zeitgenossen. Die Propheten des Alten Bundes erklärt, 2.Bd., 2. Ausg. (1868) 83 f.

[285] GIESEBRECHT, Komm. (²1907) 165.

[286] B. DUHM, Komm. (1901) XIII.

[287] C.H. CORNILL, Komm. (1905) 323.

und zu schildern verstand. Zwischen 594 und 588 v. Chr. habe Jeremia
seine große Dichtung vollendet.

W. RUDOLPH hat sich in seinem Kommentar von 1947 (³1968) nicht
an MOWINCKEL und seine selbständige Quelle D, sondern an VOLZ angeschlossen und weitgehende Authentizität für die beiden Kapitel in
Anspruch genommen. VOLZ habe die „überwiegende Echtheit und Einheitlichkeit überzeugend herausgearbeitet"[288]. Nur in der Frage der
Datierung urteilt RUDOLPH anders. Von Haus aus handelten die Kapitel
vom Nordreich. Die Hinweise auf Juda sind „sekundär und leicht zu
entfernen". Wegen der Nähe zur Heilsweissagung Jer 3, 6–13 müsse an
die Anfangszeit des Propheten gedacht werden, als sich die Wiederge-
winnung des Nordstaates unter Josia anzubahnen begann und damit die
territorialen Voraussetzungen für eine Rückkehr der Nordreich-Gola
geschaffen wurden, nämlich zwischen der Josianischen Reform und
dem Tod Josias 609 v. Chr. RUDOLPH hält Jer 30. 31 für den besten Beleg
dafür, daß man über das Ergehen der nordisraelitischen Exulanten mehr
als 100 Jahre nach ihrer Wegführung (722/21) in Juda Bescheid wußte.
Er widerspricht damit der These von H. W. HERTZBERG (1952), der Jeremias Sprüche in diesen beiden Kapiteln in der Hauptsache nur auf die
im Nordreich zurückgebliebene Bevölkerung beziehen wollte. Man
wird jedoch dieser Meinung HERTZBERGS mit Zurückhaltung begegnen
müssen. Jeremia hätte kaum diese von fremden Elementen durchsetzte
Bewohnerschaft im Norden so engagiert angesprochen. Sein Blick ging
wohl darüber hinaus auf die exilierten Israeliten, mochte er nun über
deren Ergehen unterrichtet sein oder nicht. Er dachte in den Dimen-
sionen eines ganzen Israel, wie auch immer er sich seine Wiederherstellung vorstellte.

Diese Überzeugung der idealen Restitution Israels als Kern der Überlieferung der beiden Kapitel vertrat auch A. WEISER in seinem Kommentar (⁶1969) und verband sie mit seinem Lieblingsgedanken, nämlich
dem in der Bundestradition lebenden Gottesvolk. Nach der Heimkehr
der Exilierten werde dieses Volk wiedererstarken und im Bund mit Gott
die ideale Lebensform finden. WEISER möchte darum auch nicht mit
VOLZ und RUDOLPH die Juda-Sprüche ausscheiden. Sie sind legitimer
Bestandteil des Textes und haben das künftige Bundesvolk in seiner
Gesamtheit zum Hintergrund.

Je stärker die deuteronomistische Mitwirkung an der Entstehung des
Jeremiabuches in das Bewußtsein trat, desto überzeugender konnten
die beiden Kapitel auch in das Licht deuteronomistischer Bearbeitung

---

[288] W. RUDOLPH, Komm. (³1968) 188f.

gerückt werden. Mit einiger Konsequenz versuchte S. HERRMANN (1965) 215–222, die deuteronomistische Bearbeitung innerhalb der beiden Kapitel zu verdeutlichen. Für die Einleitung 30, 1–3 schien ihm das außer Frage zu stehen, nicht weniger für das Wort vom „neuen Bund" 31, 31–34. Im übrigen aber meinte er, die deuteronomistische Hand am ehesten in den Sprüchen wiedererkennen zu können, die sich ausdrücklich an Juda richteten oder zumindest judäische Verhältnisse ins Auge faßten. Dafür sprechen Einzelheiten in 30, 8. 9; weniger deutlich in 30, 12–17. In 30, 22 steht die dem deuteronomistischen Denken verpflichtete „Bundesformel" sehr isoliert, gefolgt von 30, 23 f.; diese beiden Verse sind freilich Zitat aus 23, 19 f. 31, 1 nimmt abermals die Bundesformel auf, aber auch dort bleibt sie wie in 30, 22 in relativer Isolation gegenüber dem Kontext. In der wesentlich an Israel gerichteten Gruppe von Sprüchen in 31, 2–22 ist deuteronomistischer Einfluß nicht aufweisbar; hier ist poetisches Material eigener Provenienz verarbeitet. 31, 23–26 ist ein an Juda gerichtetes Stück, dessen Gedankenwelt zumindest nicht deuteronomistisch genannt werden kann. Anders verhält es sich mit 31, 27–29. 30. 31–34, den beiden an die Häuser Israel und Juda gerichteten Worten, die sehr wohl deuteronomistisch geprägt sind. Die Verse 27–30 wirken eher wie eine Zitatensammlung, während 31–34 verschiedene Traditionen in sich vereinigen, aber konzeptionell die Geschlossenheit eines deuteronomistischen Entwurfs verraten. Der Schluß des Kapitel 31 von V. 35 an will wohl die Sammlung Jer 30. 31 abrunden, in V. 35–37 in einer den Kosmos und die Völkerwelt einschließenden fast hymnischen Gesamtschau; V. 38–40 beschreibt Jerusalems Wiederherstellung, judäische Erwartungen zweifellos, aber nicht deuteronomistisch formuliert.

W. THIEL (1981) 20–28 übt bei der Behandlung der beiden Kapitel verständliche Zurückhaltung und kommt faktisch über die vor ihm erreichten Resultate nicht hinaus. Er verweist auf die von MOWINCKEL erkannte doppelte Rahmung (s. o. S. 149) und hält den „äußeren" Rahmen 30, 1–3 + 31, 27 ff. für deuteronomistisch. Was innerhalb dieses Rahmens steht, sei eine in der ersten Hälfte der Exilszeit in Juda entstandene Sammlung, in die D kaum eingriff. Allerdings ist 31, 1 eine D-Einfügung, die auf „Gesamt-Israel" abzielt. Wichtig erscheint THIELS Feststellung, daß die von D gerahmte „Sammlung" 30, 4 – 31, 26 nicht auf D zurückgeht und somit auch die judäische Interpretation der Heilsworte, also die auf Juda bezogenen Stellen, nicht mit D in Zusammenhang zu bringen sind. Das bedeutet, daß die von D später gerahmte Sammlung in ihrer Gesamtheit älter als D sein muß.

Mit dem Text vom „neuen Bund" in 31, 31–34 als Höhepunkt läßt

THIEL den äußeren, auf D zurückgehenden redaktionellen Rahmen der beiden Kapitel schließen. Was noch folgt, die beiden Abschnitte 31,35–37.38–40, ist nach THIEL post-deuteronomistischer Herkunft. Ob THIELS Auffassung das letzte Wort über die beiden Kapitel 30. 31 sein kann, erscheint fraglich. Zwar wird man die von ihm D zugewiesenen Stellen kaum anders interpretieren können als er. Unbegründet erscheint aber bei ihm vor allem, daß die sogenannte „Sammlung" von 30,4 – 31,26, also das eigentliche Corpus der beiden Kapitel, als geschlossene Größe D bereits vorlag. Da nach THIELS Auffassung dieses Corpus mit D nichts zu tun hat, fühlt er sich zu genauerer Analyse auch nicht veranlaßt. Immerhin wird man zu bedenken haben, ob nicht die unterschiedliche Gestaltung der beiden Kapitel und also auch die von THIEL namhaft gemachte ältere „Sammlung" eine genauere Analyse verdienen. Bereits 1976 hatte das SIEGMUND BÖHMER versucht, wurde aber von THIEL nicht berücksichtigt, weil BÖHMER zwar zahlreiche dtr. Texte feststellte, „sich aber ihrer Zuordnung zu einer dtr. Redaktion des Buches verschloß"[289].

Tatsächlich verkennt BÖHMER eine dtr. Bearbeitung innerhalb Jer 30.31 nicht. Die Prosaabschnitte 30,1 ff.; 31,27–30.31–34 sind seiner Auffassung nach dtr. Herkunft. Jeremia selbst verfaßte 30,12–15.23 f.; 31,2–6.15–20. Für die übrigen Worte läßt sich ein Autor nicht mehr ermitteln. BÖHMER versucht ihre Klassifikation in der Weise, daß er die poetischen Sprüche, die nicht von Jeremia stammen und keine dtr. Sprache zeigen, als „nachjeremianisch" bezeichnen möchte; Prosastücke ohne dtr. Einfluß nennt er „nichtdeuteronomistisch". Ob diese Terminologie allerdings hilfreich ist, steht dahin, zumal BÖHMER in chronologischer Hinsicht keine differenzierten Unterscheidungen wagt. Die jeremianischen Heilsworte in 30.31 möchte er an die Bewohner des ehemaligen Nordreiches zur Zeit Josias gerichtet wissen, alle übrigen Worte sollen aus der zweiten Hälfte der Exilszeit stammen. Trotz unübersehbarer Spannungen, so urteilt BÖHMER, bilden die beiden Kapitel eine relative Einheit, die thematisch beschrieben werden kann: „Jahwe läßt das zerstreute Volk in das Land der Väter heimkehren und erneuert die Gemeinschaft mit Israel", er schließt einen neuen „Bund". Mag das in dieser Form auch zutreffen, die Kapitel selbst umschreiben den Sachverhalt auf ungleich vielfältigere Weise, indem sie auch die Bedingungen einer solchen Wende nennen und den erheblichen inneren Wandlungsprozeß in Israel selbst andeuten, der durch Traditionsanknüpfung bestimmt sein wird.

[289] W. THIEL (1981) 120.

Was Böhmer über seine Untersuchung von Jer 30. 31 hinaus leistete, nämlich eine Untersuchung von Heilsworten im gesamten Jeremiabuch, hat später in breiterer und detaillierter Form T. Odashima (1989) erneut durchgeführt, jedoch mit der präziseren Zielsetzung, in der Komposition der Heilsworte eine vor-deuteronomistische (vor-dtr) Bearbeitung zu finden. Böhmers unscharfer Begriff „nachjeremianisch" ist von Odashima bewußt durch die Bezeichnung „vor-dtr" ersetzt. Damit ist zutreffender erfaßt, was gemeint ist, nämlich eine den Deuteronomisten vorausgehende Zwischenschicht, die, soweit erkennbar, mit dem „authentischen" Jeremia doch nicht mehr identisch ist. Somit ist der Begriff „vor-dtr" hilfreich für eine relative Chronologie der Überlieferungsbildung. Odashima hat die „Bezugnahmen der Kap. 30 – 31 auf andere Teile" des Jeremiabuches minutiös herausgearbeitet und in diesem Zusammenhang besonders Jer 10, 17–25; 6, 22–26 zum Vergleich herangezogen. Die Bezugnahmen finden sich in Jer 30, 5 – 31, 22. Auf solche Weise wird zumindest der starke Komposit-Charakter der Kap. 30. 31 erkennbar; was früher nur vermutet wurde, eine Menge von Gesichtspunkten und Beziehungen zu Tradition und Überlieferung innerhalb der vielfältigen beiden Kapitel, wird nun im Detail als zutreffend nachgewiesen. Man wird die beiden Kapitel, deren Sondercharakter kaum mehr bezweifelt wird, literarisch nicht mehr als Erweiterung eines wo möglich authentischen jeremianischen Kernes betrachten dürfen, sondern muß in ihnen ein kunstvolles Geflecht aus Traditionselementen verschiedenster Herkunft sehen. D mag nicht nur den Rahmen geschaffen haben, sondern auch an der Sammlung beteiligt gewesen sein, wenn man nicht die „Sammlung" bereits einer „vor-dtr" Bearbeitung zuschreiben will. Spätere Ergänzungen sind an keiner Stelle auszuschließen.

Einer solchen, kaum mehr reversibel erscheinenden Auffassung steht Norbert Lohfinks beachtliche Unternehmung gegenüber[290], aus Kap. 30 und 31 einen poetischen Grundbestand zu ermitteln, genauer, ein sieben Strophen umfassendes Gedicht von sprachlicher und inhaltlicher Geschlossenheit, von Jeremia selbst verfaßt. Ausgangspunkt war für ihn die Beobachtung des schwer zu bestreitenden Faktums, daß zwischen 31, 2–6 und v. 15–20[291] ein Zusammenhang besteht, daß v. 15 die

---

[290] N. Lohfink, Der junge Jeremia als Propagandist und Poet. Zum Grundstock von Jer 30 – 31, in: P.-M. Bogaert (Hrsg.), Le Livre de Jérémie, in: BEThL 54 (1981) 351–368.

[291] Gerade an dieser entscheidenden Stelle finden sich auf S. 361 zwei störende Druckfehler. Statt 30, 2–6 und 30, 4–6 muß es an beiden Stellen „31" heißen.

offenkundige Fortsetzung von v. 6 ist, die Schilderung einer festlichen Wallfahrt, die von Jerusalem ausgeht und in Rama haltmachen muß, wo das Klagen der Stammutter Rahel hörbar wird. Doch die Klage soll sich nach dem Worte Jahwes in die Freude über die heimkehrenden Söhne verwandeln. Diese „imaginierte Handlung" wird durch die Versgruppen 7–9 und 10–14 unterbrochen, die an ihrem jetzigen Ort schwerlich ursprünglich sind. Die Beobachtung des übergreifenden Zusammenhanges 31, 2–6. 15–17. 18–20 ließ LOHFINK nach weiteren Einheiten mit ähnlichen Merkmalen innerhalb der Kap. 30. 31 suchen. Das führte ihn zur Rekonstruktion des sieben Strophen umfassenden Gedichtes in folgender Gestalt: I. 30, 5–7; II. 30, 12–15; III. 30, 18–21; IV. 31, 2–6; V. 31, 15–17; VI. 31, 18–20; VII. 31, 21–22.

LOHFINK vermag zu zeigen, daß der stofflichen Gliederung auch eine inhaltliche korrespondiert. Zunächst zwei Strophen über den Norden und seine Not (I. II.), dann zwei über den Wiederaufbau im Lande (III. IV.) und über die Heimkehr der Deportierten (V. VI.), abschließend der Aufruf zur Heimkehr der Deportierten (VII.). Die Paarung der Strophen verdeutlicht die Verwendung der Symbolfiguren, die zwischen männlichen und weiblichen alternieren[292]. So kann LOHFINK auch, einer Anregung W. L. HOLLADAYS folgend[293], eine überraschende Deutung für den umstrittenen Vers 31, 22b bieten, den er übersetzt: „Denn Jahwe erschafft Neues im Lande: Die Frau umfängt den Helden." Dies korrespondiert dem Rollentausch der Geschlechter in 30, 6[294].

---

[292] Die Symbolgestalten sind, jeweils auf die Strophen bezogen: I Jakob; II eine Frau; III Jakob; IV Jungfrau Israel; V Rahel; VI Ephraim; VII Jungfrau Israel. Von Strophe IV zu Strophe V springt die Reihenfolge der Geschlechter aus inhaltlichen Gründen um; vgl. dazu die Erläuterungen von LOHFINK a.a.O. 364.

[293] W. L. HOLLADAY, Jeremiah and Women's Liberation, in: Andover Newton Quaterly 64 (1971/72) 213–222; ders., Jer XXXI 22b Reconsidered: "The Woman Encompasses the Man", in: VT 16 (1966) 236–239. HOLLADAY verweist auf D. HILLERS, Treaty-Curses and the Old Testament Prophets, in: Bibl. et Orient. 16 (1964) 66–68 zum Thema der Verwandlung von Kriegern in Frauen. Zur Auseinandersetzung mit Gesichtspunkten HOLLADAYS E. JACOB, Féminisme ou Messianisme? A propos de Jérémie 31, 22, in: Festschr. W. ZIMMERLI (1977) 179–184.

[294] LOHFINK a.a.O. 365f. In 30, 6 verwandelt sich der *gäbär* „an jenem Tag" in eine Frau, was dort das Bild für einen allgemeinen Zustand der Schwäche ist. Hingegen kann am Ende das Neue, das über das Land kommt, als vollkommene Umwertung verstanden werden, in der Sprache der geschlechtlichen Symbolwerte ausgedrückt: „Die Frau *(neqēbah)* umfängt den Helden *(gäbär)."* LOH-

Die größte Überzeugungskraft hat in diesem Beweisgang noch immer das, was über die Strophen IV–VII in Kap. 31 gesagt ist. Dies hängt auch damit zusammen, daß sich die Texte in Kap. 30 ohnehin einer durch und durch sicheren Interpretation entziehen. Offen bleibt vorerst die Frage, wie es zur Endgestalt der heutigen Kap. 30 und 31 sowohl des masoretischen als auch des LXX-Textes kam. In seinem Strophengedicht kann LOHFINK deuteronomistische Sprache nicht erkennen, allenfalls „Bezüge zum Deuteronomischen", die aber eher verborgen und aus inhaltlichen Elementen zu erschließen sind.

Die literarischen Feststellungen LOHFINKS verdienen alle Beachtung; alle darüber hinausführenden, ins Historische weisenden Erwägungen bleiben ganz und gar hypothetisch. Jeremia sei erst im Antrittsjahr Jojakims zu dem Propheten geworden „als den wir ihn kennen". Die Tempelrede sei sein erstes datiertes Auftreten[295]. Doch habe Jeremia schon vorher eine öffentliche Rolle gespielt. LOHFINK will das Strophengedicht in jene Jahre Josias verlegen, in denen dieser seine auf das Nordreich gerichtete Expansionspolitik begann oder bereits länger betrieb. Da sei, so könne man es sich ausmalen, Jeremia umhergezogen und habe, in den Diensten Josias stehend (sic!), mit seiner Poesie für seinen König und dessen Politik Propaganda gemacht. Daher auch der eigenartige Titel des ganzen Aufsatzes! Mag man solchen Spekulationen, fast möchte man sagen: über den jugendlichen Rhapsoden Jeremia, Raum geben oder nicht, diskutabel bleibt nach wie vor der von LOHFINK erhobene literarische Befund.

LOHFINKS Erwägungen erscheinen völlig erledigt, liest man R. P. CARROLLS entgegengesetzte Position in seinem Kommentar (1986). Er betont die Sonderstellung der beiden Kapitel, die in den poetischen Teilen kaum deuteronomistischen Einfluß erkennen lassen; aber auch sonst sei minimal, was als deuteronomistisch oder post-deuteronomi-

FINK bevorzugt an dieser Stelle den masoretischen Text und betrachtet LXX angesichts der Schwierigkeit des Textverständnisses als frühen Deutungsversuch. Ob man der von HOLLADAY und LOHFINK angenommenen Interpretation zustimmt und ob sie überhaupt beweiskräftig ist, steht dahin. Mag die Geschlechtersymbolik allein auf der Bildebene schlüssig sein, dennoch ist nicht auszuschließen, daß 30,6 und 31,22 gedanklich auf verschiedenen Ebenen rangieren. Zur Auseinandersetzung mit LOHFINK, JACOB und HOLLADAY vgl. neuerdings T. ODASHIMA (1989) 122–138.

[295] LOHFINK entnimmt das Datum Jer 26, 1. Das Antrittsjahr Jojakims endete am 29. (30.) Adar 608. Vgl. zum ganzen Fragenkreis auch LOHFINK, Die Gattung der „Historischen Kurzgeschichte" in den letzten Jahren von Juda und in der Zeit des Babylonischen Exils, in: ZAW 90 (1978) 319–347.

stisch angesprochen werden könne. An historischen Informationen läßt sich nicht genügend finden, um die Texte einer bestimmten Zeit zuzuweisen. Die Autorschaft Jeremias sei schon deshalb fraglich, weil die positiven Erwartungen der beiden Kapitel mit Jeremias übriger Botschaft schwer vereinbar seien. Eine stärkere Verwandtschaft lasse sich zu jenen Passagen erkennen, die im Rahmen des Hoseabuches und bei Deuterojesaja eine glückliche Zukunft voraussagen und die dem Anfang der persischen Periode entstammen sollen. Die Sammlung sei dem Jeremiabuch eingefügt worden, um den Propheten als "paradigmatic figure" erscheinen zu lassen, der in seiner Botschaft beides, "fate and future of Judah", zu erfassen vermochte. Die beiden Kapitel sind anonymen Kreisen zuzuschreiben, die während und nach dem Exil Hoffnungen auf eine Restauration hegten.

Mit solchen Überlegungen fällt nun allerdings CARROLL in ein Forschungsstadium zurück, das vor jenen Versuchen lag, durch eingehende Analysen weiterzukommen. BÖHMER, HERRMANN und THIEL werden mit allzu leichter Hand beiseite geschoben, wohl auch deshalb, weil deuteronomistischer Einfluß außerhalb der poetischen Stücke nur in Spuren aufweisbar sei. CARROLL trägt mit seiner Kommentierung kaum zu einem tieferen und genaueren Verständnis der Kapitel bei, namentlich mit seiner wiederholten Behauptung, die Poesie in 31,2–22 sei von idyllisch-bukolischen Zügen geprägt, die nicht zur Jeremia-Tradition paßten. Die zahlreichen und angeblich disparaten Elemente, die in den beiden Kapiteln vereinigt seien, verrieten den Einfluß verschiedener Schulrichtungen; sie müßten ganz selbständig und unabhängig von jeremianischer Autorschaft beurteilt werden.

Kein größerer Gegensatz kann gedacht werden zwischen den Positionen LOHFINKS und CARROLLS, zwischen dem jungen Propheten in königlichen Diensten, der als Parteigänger Josias die neueste Regierungspolitik propagierte (LOHFINK) und jener Meinung CARROLLS, der die komplexe Botschaft zum Spätwerk engagierter Schulrichtungen nach dem Exil macht, die die Wiederherstellung Israel/Judas erwarten, die Lyrik eines Hosea beherrschen und die Poesie Deuterojesajas zu kennen scheinen. Die Wahrheit liegt sicher in der Mitte, ein älteres Material, durch neueres ergänzt, erweitert und abschließend redigiert. Die Analysen von HERRMANN und THIEL einerseits, von BÖHMER und ODASHIMA andererseits verlangen weiterhin starke Beachtung.

Über einen Text erscheint noch ein besonderes Wort nötig, über das vielverhandelte Wort vom „neuen Bund" 31,31–34. Seines außergewöhnlichen Inhalts wegen hat es seit je die Aufmerksamkeit auf sich gezogen.

Noch bis zur Mitte dieses Jahrhunderts stand die theologische Frage im Vordergrund, in welchem Sinne dieser Bund „neu" genannt wurde und wodurch er einen offensichtlich „alten" Bund übertrifft, der mit logischer Zwangsläufigkeit vorausgesetzt werden muß. Die Auseinandersetzung um diese primär theologische Frage wurde ohne viel Rücksicht auf literarische Sachverhalte um die Mitte dieses Jahrhunderts in zwei Dissertationen kontrovers geführt, die wenig Verbreitung gefunden haben: HEINZ ORTMANN, Der Alte und der Neue Bund bei Jeremia, Dissertation Berlin 1940; WALTER LEMPP, Bund und Bundeserneuerung bei Jeremia, Dissertation Tübingen 1955[296]. ORTMANN hatte zu zeigen versucht, daß der neue Bund im wesentlichen nur die Erneuerung des alten bedeute, worunter er den Sinaibund verstand. LEMPP hielt diese These für überspitzt und einseitig. Unter Berücksichtigung von Jer 30 – 31 sowie Jer 3 meinte er, daß „trotz aller Verhaftung im alten" der neue Bund über den alten hinausgehe. Der neue Bund sei nicht mehr an die Volkszugehörigkeit gebunden, sondern an die „da'at Jahwe", „also an einen personalen Vorgang im Individuum". „Damit ist auch hier wenigstens grundsätzlich die Linie des alten Bundes überschritten." Der Grund des neuen Bundes sei nicht das Gesetz, sondern die Vergebung (31,34).

Damit ist freilich eine bis auf den heutigen Tag nicht einhellig beantwortete Schlüsselfrage zum Verständnis des Textes berührt. LEMPP versteht (mit WEISER) unter „Gesetz" Jahwes „Willensoffenbarung". Nun stehen im Text die Begriffe $b^e r\bar{\imath}t$ und $tor\bar{a}h$ beieinander. Deren Verständnis muß scharf ins Auge gefaßt werden, um zu einer sachgemäßen Definition dieses hier angesprochenen neuen Bundes zu gelangen.

Bereits 1940 hatte M. NOTH[297] den neuen Bund von Jer 31 im engen Zusammenhang mit Ez 37,26 ff. gesehen (wo freilich der Begriff „neu" fehlt) und als Zukunftserwartung erklärt, die nach dem Ende Judas 587 v. Chr. aufbrach. Auch im neuen Bund wird ein Gesetz Geltung haben, auch wenn über seinen Inhalt vorerst nichts gesagt wird. Allein Gott selbst wird die Voraussetzungen schaffen, das Gesetz einzuhalten.

In seiner Heidelberger Dissertation von 1956 rechnete EDZARD ROLAND[298] damit, daß ein Deuteronomist in 31,31–34 Worte Jeremias, die

---

[296] Kurzreferat des Autors in ThLZ 80 (1955) 238 f.

[297] M. NOTH, Die Gesetze im Pentateuch (1940) 53; Neudruck in: Ges. Studien zum Alten Testament, ThB 6 (³1966) 87 f.

[298] Ihm folgte weitgehend auch G. VON RAD, Theologie II (⁶1975) 220–226, 277–280. Vgl. ferner die Arbeiten von B. CHIESA, La «nuova alleanza» (Ger 31,31–34); in: BeO 15 (1973) 173–184 und R. MARTIN–ACHARD (1974).

aus dessen Frühzeit stammten, in seinem Sinne bearbeitete und umge-
staltete. Einen Schritt weiter ging S. HERRMANN (1965) 179–185, der den
ganzen Text auf Grund inhaltlicher und sprachlicher Kriterien für deuteronomistisch (dtr) erklärte und auf dem Hintergrund dtr Theologie
verstand. Denn alle entscheidenden Begriffe entstammen dem Dtn bzw.
der in den Rahmenstücken des Dtn wirksamen dtr Interpretation, vielfach auch dem dtr Geschichtswerk. Vor allem aber betonte S. HERR-
MANN, daß der Begriff des „neuen" Bundes auf der Vorstellung beruhe,
daß der Gott Israels nicht nur am Gottesberg, sondern in kontinuierlicher Folge, in entscheidenden Augenblicken der Geschichte Israels,
sein Verhältnis zu Israel durch Bundesschließungen befestigte. So geschah es am Gottesberg im Bund mit Mose (Ex 24), nach dem Abschluß
der Landnahme mit Josua (Jos 24) und nach der Auffindung des Buches
mit Josia (2 Kön 23); der Bund mit den Vätern in Gen 15 und Dtn 7 läßt
sich dieser Konzeption hinzufügen. Die „Bundestheologie" wurde als
Bestandteil dtr Theologie begriffen, wie es LOTHAR PERLITT[299] bestätigte und wie es für das Jeremiabuch W. THIEL (1981) auf literarkritischer Grundlage vertrat.

Damit war in eine neue Richtung gewiesen. Die „Bundeserneuerung" wurde nicht mehr als Ersetzung des Auszugs- oder Sinaibundes
oder sogar des Väterbundes allein begriffen, sondern im größeren
Rahmen eines theologischen Gesamtentwurfes, wie er ohne die dtr
Denkarbeit nicht mehr vorstellbar erschien.

So ergab sich eine präzise Wesensbestimmung dieses neuen Bundes,
der nach erfolgten Bundesschlüssen, wie sie das Dtn und das dtr Geschichtswerk kennen, kein eschatologischer Bund sein kann, sondern
eine Naherwartung, die Herstellung eines neuen Verhältnisses zwischen Gott und seinem Volk, das nach der Katastrophe die Zukunft bestimmen und sichern soll. Daß dieses neue Verhältnis mit idealen Elementen ausgestattet wird, daß die Thora auf das Herz geschrieben und
die gegenseitige Belehrung fortfallen wird, bewegt sich auf der Linie
idealer Gesetzeserfüllung. Israel wird auf dem Weg gehen, den sein Gott
ihm weist, dem Weg, der zu seinem Leben dient (Dtn 5, 32 f.). Der neue
Bund ist die erneute Garantieerklärung Gottes für Israels Zukunft, und
dies auf neue Weise, nicht mehr auf steinernen Tafeln, sondern ins Herz
geschrieben (vgl. Dtn 4, 13).

Diese auf dem Hintergrund dtr Denkens verständliche Konzeption,

---

[299] L. PERLITT, Bundestheologie im Alten Testament, in: WMANT 36 (1969)
bes. 180; vgl. auch P. DIEPOLD (1972) 169–173; S. BÖHMER (1976) 74–79;
W. THIEL (1981) 23–28.

so singulär sie in dieser Konzentration in 31,31–34 auch sein mag, denn nur hier ist ausdrücklich von einem „neuen" Bund die Rede, erfreut sich doch nicht allgemeiner Anerkennung, je nach Akzentsetzung, die man dem Text gibt. Helga Weippert (1981)[300], die ohnehin von der Einwirkung dtr Redaktion und Schultheologie im Jeremiabuch Abstand nimmt, versteht Bund und Thora nicht als den Weg zum Leben im dtn-dtr Sinn. Für sie ist das „Gesetz" etwas, was von außen auf den Menschen zukommt, etwas Fremdes. Nun aber, da es ihm auf das Herz geschrieben ist, kann er in völliger Übereinstimmung „mit Gott und seinen Geboten" leben. Dieser künftige Mensch besitzt „derart neue Eigenschaften, daß man ihn nicht anders denn als eine Neuschöpfung bezeichnen kann". Die Neuschöpfung erfolge hier im Rahmen eines Bundes zwischen Jahwe und seinem Volk[301].

Daß mit dieser Auffassung über das ursprüngliche Verständnis des Textes bewußt hinausgegangen ist und eine Dimension aufbricht, die jedenfalls in 31,31–34 expressis verbis nicht enthalten ist, sollte deutlich sein. H. Weippert fühlt sich mit einem Seitenblick auf Jer 3,16 und 23,3 zu solcher Interpretation herausgefordert[302]. Jer 32,36–41 lehnt sie ausdrücklich als Parallelüberlieferung zu 31,31–34 ab; die direkten Übereinstimmungen seien minimal[303]. Doch, so muß kritisch entgegnet werden, sachliche Berührungspunkte treten deutlich genug hervor, wie Weipperts eigene Synopse der beiden Stellen zeigt.

Im Sinn seines pointierten Verständnisses von $b^e r\bar{\imath}t$ handelt es sich nach Ernst Kutsch[304] in Jer 31 überhaupt nicht um einen „Bund" als zweiseitiges Verhältnis gleichgestellter Partner. Für ihn ist $b^e r\bar{\imath}t$ die Auferlegung einer „Verpflichtung" seitens der einen Partei auf eine andere. Letztere ist zur Erfüllung dieser Verpflichtung aufgerufen. Jedoch haben, so Kutsch, die Israeliten Gottes frühere verpflichtende Setzung (die „Bundesverpflichtung" vom Sinai) gebrochen, und Israel erlebte die Katastrophe, die mit Exilierungen endete. Danach aber ist Gott zu einer neuen „Setzung" bereit, die aus seinem freien Willen kommt. Sie soll Israels Fortexistenz sicherstellen.

<hr>

[300] Helga Weippert, Das Wort vom neuen Bund in Jeremia XXXI 31–34, in: VT 29 (1979) 336–351 und dies. in: SBS 102 (1981) 55–63, 95–102.

[301] H. Weippert (1981) 56.

[302] A.a.O. 56f.

[303] A.a.O. 57 und Exkurs II, 95–102.

[304] E. Kutsch, Verheißung und Gesetz, in: BZAW 131 (1972) 144–146; ders., Neues Testament – neuer Bund? Eine Fehlübersetzung wird korrigiert (1978), 37–46.

KUTSCHS Auffassung von der einseitigen „Verpflichtung", die das
Wort $b^e r\bar{\imath}t$ meine, bereitet jedoch vielfach der Interpretation zusätzliche
Schwierigkeiten. Wenn Jahwe seine Thora den Israeliten ins Herz gibt,
so kann dies schwerlich als „Verpflichtung" allein umschrieben werden.
Es ist eine Gabe, durch die Gott ein neues „Verhältnis" zwischen sich
und seinem Volk herstellt. Das Wort „Verhältnis", das eine Tendenz zu
partnerschaftlichem Denken einschließt, gebraucht auch KUTSCH und
findet es umschrieben in der „Bundesformel", die er „Zugehörigkeits-
formel" nennt: Ich werde ihr Gott sein und sie werden mein Volk sein.
KUTSCH vermerkt nicht, daß dieses neue „Verhältnis", das für ihn nicht
Inhalt der neuen $b^e r\bar{\imath}t$, sondern deren Folge ist, aus dem Rahmen der
„Verpflichtung" heraustritt und eine Dimension gewinnt, die dauernde
Gemeinschaft begründet und letztlich den Begriff „Verpflichtung"
sprengt[305]. Man wird urteilen dürfen, daß nach wie vor das Wort
„Bund" als die beste Übersetzung von $b^e r\bar{\imath}t$ anzusehen ist, weil sie den
weitesten Radius zur Bezeichnung möglicher Gemeinschaftsbeziehun-
gen unter verschiedensten Voraussetzungen und Bedingungen anbie-
tet[306].

Die Versuche, den Bundesgedanken in größere Zusammenhänge alttestamentlicher Theologie einzuordnen, haben ihre eigene Geschichte
und jeweils eigene Gestalt, bald mehr historisch oder mehr theologisch
geprägt, schließlich auch unter Einbezug literarkritischer Erwägungen.
Im deutschsprachigen Bereich darf das Buch von R. KRAETZSCHMAR,
Die Bundesvorstellung im Alten Testament in ihrer geschichtlichen
Entwicklung untersucht und dargestellt (1896), als gleichsam alter Klassiker genannt werden. Einen stärkeren theologischen Akzent setzte die
wenig bekannte Arbeit des katholischen Gelehrten MATTHAEUS HOE-
PERS aus den ›Freiburger Theologischen Studien‹: Der neue Bund bei
den Propheten. Ein Beitrag zur Ideengeschichte der messianischen Erwartung (1933). HOEPERS will „die prophetische Erwartung eines
neuen Bundes herausarbeiten und in seinem Sinn und Wesen erfor-
schen" (9). Doch bietet die Studie mehr, als ihr Titel verspricht. Die begrifflichen Grundlagen „aus dem Ideenkreis des Alten Bundes" müssen
auch in der vorprophetischen Zeit gesucht werden und finden entsprechende Berücksichtigung.

Für die Reihe ›Seminars in the History of Ideas‹ schrieb D. R. HIL-

---

[305] Vgl. a. a. O. 45.

[306] Vgl. S. HERRMANN, „Bund" eine Fehlübersetzung von „$b^e r\bar{\imath}t$"? Zur Auseinandersetzung mit Ernst Kutsch, in: Ges. Studien zur Geschichte und Theologie des Alten Testaments, ThB 75 (1986) 210–220.

LERS sein Buch ›Covenant: The History of a Biblical Idea‹ (1969) und entwickelte den biblischen Bundesgedanken auf breiter Grundlage und der damaligen Forschungslage hinreichend angepaßt, Qumran eingeschlossen. Den neuen Bund von Jer 31 rückte er freilich in eine eschatologische Ferne und verstand ihn letztlich als "a symbol and a hope". Sein Inhalt läßt sich mit den Worten der Bundesformel in 31,33 b zusammenfassen, seine Neuheit liegt in der Idee, daß die Forderungen des Bundes aufs Herz geschrieben werden. HILLERS stellte in diesem Zusammenhang keine literarkritischen Erwägungen an, obwohl er anderwärts literarkritische Resultate durchaus zu würdigen wußte.

In die Ahnenreihe solch umfassender Einordnung des neuen Bundes in ideen- und theologiegeschichtliche Zusammenhänge, nun aber auch mit gebührender Berücksichtigung der Literarkritik, gehört das Werk von CHRISTOPH LEVIN, Die Verheißung des neuen Bundes in ihrem theologiegeschichtlichen Zusammenhang ausgelegt (1985). Entscheidendes Leitmotiv dieser Untersuchung ist das theologische Gewicht der Verheißung des neuen Bundes für die gesamtbiblische Theologie, aber auch bereits für das Verständnis alttestamentlicher Theologie und ihre systematische Erfassung. LEVIN rückt die Verheißung des neuen Bundes in die Nähe der Frage nach der „Mitte des Alten Testaments", indem er den Inhalt des neuen Bundes in der Bundesformel kulminieren sieht.

In die Untersuchung einbezogen sind faktisch alle jene Einzelelemente und ihre traditionsgeschichtlichen Voraussetzungen, die innerhalb von Jer 31,31–34 aufgenommen, verarbeitet und dort auch modifiziert sind. Im Jeremiabuch beobachtet LEVIN eine Entwicklung der Heilsprophetie, die als „Fortschreibung" ursprünglicher Verheißungen begriffen wird; sie bedeutet eine nachträgliche Ausrichtung dieser Erwartungen auf die Interessen der Gola und der Diaspora. Die Wirkungen dieses Prozesses sind im Ezechielbuch ebenso erkennbar und zeigen sich weit darüber hinaus in der Priesterschrift und in den als spät angesprochenen bundestheologischen Texten des Hoseabuches, vorab in Hos 1 – 3.

Über Einzelheiten wird man mit LEVIN streiten müssen, so etwa darüber, ob Jer 29,5–7* und 32,15 b wirklich die ältesten Heilsprophetien des Jeremiabuches sind, und vor allem, ob kurz nach 587 der Kern des Stückes 31,27–34 (zunächst ohne den neuen Bund) in das Jeremiabuch aufgenommen wurde und erst später sukzessive Erweiterungen erfuhr. Schwer nachvollziehbar ist allein innerhalb von 31,31–34 die Annahme eines dreistufigen Entstehungsvorganges: 1. Stadium 31 a.34 abα¹; 2. Stadium 31 b–32 (also erst jetzt das Wort vom neuen Bund) 33 b.

34 bα²βγ; 3. Stadium: Erst in spätalttestamentlicher Zeit Erläuterung der Bundesverheißung durch die Thora im Herzen in v. 33 a. Das ganze Stück 31, 27–34 habe erst im frühen 5. Jahrhundert seine jetzige Gestalt erhalten[307].

Das letzte Wort über den „neuen Bund" und speziell sein Verständnis in Jer 31 ist damit sicherlich noch nicht gesprochen. Aber die Tendenz zur Spätdatierung nimmt zu, damit aber auch die Neigung zu der Annahme, daß nicht an eine Naherwartung, sondern an ein eschatologisches Ereignis zu denken sei. CARROLL (Komm. 1986, 612) sieht in der Verinnerlichung der Torah "a pious hope", kein Programm, sondern eine Utopie. Das Ganze ist für ihn eine post-deuteronomistische Hoffnung, aber ausgedrückt in den Worten und Formen dtr Theologie. Das "$b^e r\bar{\imath}t$-motif" wirkt über 587 v. Chr. weiter entgegen der Logik der Deuteronomisten, für die mit dem Ende Judas auch das Ende des Bundes Gottes mit seinem Volk gekommen war. Schon MARTIN-ACHARD (1974) hatte die Spannung erkannt, die zwischen der dtr Schultheologie und Jer 31, 31–34 herrscht und suchte die Lösung auf elegante Weise. Er leugnete nicht die dtr Sprachgestalt, aber fand in dem Wort jene Originalität der Gedanken wieder, die nach seiner Auffassung nur auf Jeremia selbst zurückgehen könnte. So sah er in der knappen Perikope die Antwort Jeremias auf das Scheitern der dtr Reform.

Zwischen der Überzeugung jeremianischer Authentizität und der Annahme einer post-deuteronomistischen Utopie schwankt also die Interpretation des Wortes vom neuen Bund hin und her. Sein historischer Ursprung wird wohl kaum je zuverlässig aufgehellt werden. Geschichte hat namentlich der Begriff „neuer Bund" gemacht, sei es unabhängig von Jer 31 oder nicht; das zeigt sich in Qumran, vor allem aber im „Neuen Testament", dem der „neue Bund" seinen Namen gab[308].

---

[307] CHR. LEVIN a. a. O. 60, 195.

[308] Im Frühjudentum hat die Stelle bemerkenswerterweise keine bedeutende Rolle gespielt. Vgl. die ausführlichen Darlegungen von CHR. WOLFF (1976), insbesondere 131–137, 142–147 u. ö. Nach WOLFF ebd. 124–130 ist die Selbstbezeichnung der Qumran-Gemeinde als „neuer Bund" nicht von Jer 31 beeinflußt. Alle entscheidenden Merkmale von Jer 31, 31–34 fehlen dort. In Qumran handelt es sich bei Verwendung des Begriffs „neuer Bund" um eine „bewußt antithetische Formulierung zum Sinai-Bund". Entsprechend dem Selbstverständnis der Qumran-Gemeinde ist dort der neue Bund als Bund der Endzeit zu verstehen. Dasselbe gilt auch für die Verwendung des Begriffs in den Abendmahlsworten. Die paulinisch-lukanische Form betont den Gegensatz zwischen „altem" und „neuem" Bund, und erst der Hebräerbrief benutzt Jer 31, 31–34, um den durch Jesu Opfertod geschlossenen Bund als erfüllte alttestamentliche Weissagung dar-

Die Fremdvölkersprüche

Die Sammlung der sogenannten ›Sprüche gegen fremde Völker‹, die sich in Kapitel 46 – 51 des masoretischen Textes des Jeremiabuches findet und zu der gewöhnlich als eine Art „Einleitung" 25, 15–38 hinzugerechnet wird (über die andere Reihenfolge dieser Sprüche und ihre andere Position im Text der LXX siehe oben Abschnitt II und unten Abschnitt IV), beurteilt man parallel zu den ähnlich gestalteten Sammlungen von Fremdvölkersprüchen, wie sie sich Jes 13 – 23 und Ez 25 – 32 finden. Hier wie dort ist die Authentizität des Materials äußerst umstritten. Ursprung, Herkunft und Zweck dieser Texte sind bis heute ungeklärt, infolgedessen auch der Grund ihrer Zuweisung an das jeweilige Prophetenbuch, in dem sie heute stehen. Jedenfalls passen diese Sprüche keineswegs immer in die Zeit oder auch nur in den engeren Umkreis prophetischer Überlieferung des betreffenden Prophetenbuches, in dem wir sie lesen. Dennoch hat es nicht an Versuchen gefehlt, insbesondere die Sprüche des Ezechiel- und Jeremiabuches in einen engeren zeitlichen Kontakt mit der Botschaft dieser klassischen Propheten zu bringen[309].

Es ist damit zu rechnen, daß es sich um ursprünglich selbständige, zumeist poetisch abgefaßte Verurteilungen der feindlichen Völker in Israels Umgebung handelt, denen spezifische oder generelle Vorwürfe gemacht werden. Deshalb soll Gericht über sie ergehen, so daß ihre Bedrohung für Israel dahinschwindet und diese Völkersprüche oder „Völkerorakel" auch als direkte oder indirekte Heilsworte für Israel verstanden werden konnten. Ihre Funktion in den Prophetenbüchern könnte dann so begriffen werden, daß sie ein Gegengewicht zu den Unheilsworten an Israel darstellen sollten. Allein diese Perspektive der Hoffnung, die sich damit für Israel auftat, macht verständlich, warum diese Dichtungen in die großen Prophetenbücher eingeordnet wurden, und zwar bei Jesaja und Ezechiel im Anschluß an die Unheilsworte über das eigene Volk, im Jeremiabuch an den Schluß des Gesamtwerkes oder (mit LXX) ebenfalls im Anschluß an die Unheilsworte.

---

zustellen (Hebr 8, 8–12; 10, 16 f.). Die Vorstellung vom neuen Bund hat also im Urchristentum eine Entwicklung durchlaufen. So WOLFF a.a.O. 146 f.

[309] Vgl. HANS BARDTKE (1935) 218, der Jer 25, 15 ff., 46–51 für Zeugnisse der „fremdvölkerprophetischen Anfangszeit" Jeremias hält, „sind also als seine Jugendgedichte zu bezeichnen". Er rechnet mit einem „jungjeremianischen Fremdvölkerorakelbuch", in dem sie gesammelt waren, sieht aber keine Möglichkeit, die Entstehungszeit der einzelnen Gedichte genau festzulegen.

Der gleichen Gattung sind auch die Texte Amos 1,3 – 2,3; Obadja; Nahum; Zephanja 2 und Sacharja 9,1–8; 11,1–3 zuzuweisen, wenngleich die Voraussetzungen ihrer Entstehung und ihrer Überlieferungsgeschichte jeweils anders gelagert sein mögen.

Über die Forschungsgeschichte dieser Fremdvölkerorakel ist mehrfach und ausführlich gehandelt worden. Hingewiesen sei vor allem auf J.H. HAYES (1964)[310] und neuerdings auf P. HÖFFKEN (1977) 12–36[311]. In seiner umfangreichen Dissertation ist HÖFFKEN hauptsächlich den Begründungen nachgegangen, die sich den Texten über die Vergehen der Fremdvölker entnehmen lassen und zu den entsprechenden Bedrohungen und Verwünschungen führten. Dies geschah auf gattungsgeschichtlicher Grundlage. Die Begründungen sind am deutlichsten verwurzelt bei Worten „der Struktur von Schelt- und Drohwort" (334). Im übrigen zeigen sich jedoch sehr unterschiedliche Tendenzen in der Begründung des Unheils, „die sich kaum einheitlich interpretieren lassen" (339).

Im masoretischen Text des Jeremiabuches finden sich nacheinander Sprüche gegen Ägypten, gegen die Philister, gegen Moab, Ammon, Edom, Damaskus, Kedar und Elam, zuletzt gegen Babel. Schwer erklärbar ist demgegenüber die andere Ordnung in der LXX: Elam, Ägypten, Babylon, die Philister, Edom, Ammon, Kedar, Damaskus, Moab. Ob die masoretische Ordnung, die sich enger an die Liste der Völker in 25,19–26 anlehnt, den Versuch darstellt, sich nachträglich diesem Text anzupassen, wobei die Ordnung der LXX als die ältere vorausgesetzt ist, wie CARROLL (1986) vermutet, muß völlig offenbleiben. Jedenfalls zeigt der masoretische Text eine geographisch einsichtigere Reihenfolge, die ausgehend von Ägypten sich in nordöstlicher Hauptrichtung weiterbewegt.

Hinsichtlich der „Echtheit" der Sprüche ist über Hypothesen nicht hinauszukommen. Die Drohungen gegen Ägypten Kapitel 46,3–12. 14–24 könnten auf Jeremia zurückgehen, stehen jedenfalls nicht in offenem Widerspruch zu seiner Botschaft. Dagegen zeigt der Moab-Spruch

---

[310] J.H. HAYES, The Oracles against the Nations in the Old Testament, their Usage and Theological Importance. Princeton Theological Seminary, Th.D. (1964) (University Microfilms); ders., The Usage of Oracles against Foreign Nations in Ancient Israel, in: JBL 87 (1968) 81–92.

[311] P.HÖFFKEN, Untersuchungen zu den Begründungselementen der Völkerorakel des Alten Testaments, Diss. Bonn 1977; ders., Zu den Heilszusätzen in der Völkerorakelsammlung des Jeremiabuches. Zugleich ein Beitrag zur Frage nach den Überlieferungsinteressen in den Völkerorakelsammlungen der Prophetenbücher, in: VT 27 (1977) 398–412.

48,1–47 Gemeinsamkeiten mit Jes 15 – 16; der Edom-Spruch 49,7–22
geht streckenweise mit Obadja 1–10 parallel; ferner sind identisch Jer
49,18 mit 50,40; 49,19–21 mit 50,44–46; 49,22 mit 48,40–41. Zeitlich
kaum einzuordnen ist das Wort gegen die Philister 47,1–7. Der Verfasserschaft Jeremias entziehen sich die Sprüche gegen Babel 50,1 – 51,58,
denn sie sprechen von Babels Untergang und zeigen eine Perspektive
auf, die außerhalb des jeremianischen Horizontes lag. Außerdem sind
zahlreiche Zitate aus anderen Zusammenhängen aufgenommen.

2. Resultate. Ausblick auf künftige Forschung

Die Kommentare von HOLLADAY, CARROLL, McKANE und HERRMANN

Die „Resultate" bisheriger Jeremiaforschung sind immens, aber keineswegs eindeutig, und sie erfreuen sich am allerwenigsten allgemeiner
Akzeptanz. Damit gilt auch für die Jeremiaforschung, was auf fast allen
Feldern alttestamentlicher Wissenschaft in den letzten Jahren zu beobachten ist. Lange Zeit als gesichert angesehene Forschungspositionen
werden angegriffen und in Zweifel gezogen, sei es auf dem Gebiet der
Pentateuchkritik, der Redaktion des dtr Geschichtswerkes, der Auffassung vom Verlauf der Frühgeschichte Israels oder, in engem Zusammenhang damit stehend, der Heraufkunft des Monotheismus in Israel.
  Ganz selbstverständlich mußte auch die Prophetenforschung in Mit-
leidenschaft gezogen werden, zumal das prophetische Schrifttum nicht
abgetrennt und isoliert von den anderen literarischen Äußerungen des
Alten Testaments betrachtet werden kann. Die Einwirkungen der formgeschichtlichen Forschung auf die Untersuchung der Prophetenbücher,
noch bis in die dreißiger und vierziger Jahre recht begrenzt, verstärkten
sich spürbar. Literarkritische Erwägungen, wie sie am Pentateuch
längst erprobt wurden, fanden auch Eingang in die Erforschung der
Prophetenbücher und ließen die Frage nach den Prinzipien ihrer Redaktion laut werden. Wortforschung und Linguistik wurden in den Dienst
literarkritischer Operationen gestellt und sollten und sollen helfen, mit
größerer Gewißheit exegetische Urteile zu begründen.
  Alle diese Methoden wurden, wenn auch meist nur partiell, auf das
Jeremiabuch angewandt. Dennoch erscheint das Resultat mager gegenüber den bisherigen Einsichten, vor allem aber wenig konsensfähig.
Einer der Hauptgründe dafür ist die Festlegung der einzelnen Forscher
auf Positionen, die ihnen als Argumentationsbasis dienen, die aber als

solche nicht zweifelsfrei zu begründen sind. Um nur dies zu nennen: Wer das Jahr 627 zum Geburtsjahr Jeremias erklärt und die Berufung des Propheten entsprechend später ansetzt, muß in Detailfragen zu anderen Resultaten gelangen als der, der diese Prämisse nicht übernimmt. Wer das Wirken einer dtr Schule oder einer dtr Redaktion ablehnt, muß neue Erklärungen für die sprachlichen Phänomene und ihre damit zusammenhängenden Sachaussagen suchen. Wer der Sprache des Jeremiabuches den Rang einer damals verbreiteten Prosa, unter Umständen zur „Kunstprosa" gesteigert, zuspricht, ist geneigt, den Propheten auch dort am Werke zu sehen, wo andere an denselben Texten Unterschiede und Differenzierungen entdecken, die auf verschiedene Verfasser oder Denkrichtungen schließen lassen. Jeweils veränderte Kriterien müssen auch zu anderer Einschätzung des sehr komplexen Materials führen.

Trotz dieser durch Vorentscheidungen belasteten und zuweilen verunklärten Forschungslage sollen doch hier einige Punkte zusammengestellt werden, die entweder mehrheitlich als feststehend oder als kontrovers anzusehen sind.

So gut wie unbestritten ist, daß ein Prophet mit Namen Jeremia im letzten Viertel des 7. Jahrhunderts v. Chr. in Jerusalem auftrat, nachdem er zu einem unbestimmten Zeitpunkt seinen bisherigen Wohnort Anatot verlassen hatte. Unbestritten ist ebenso, daß er die Belagerungen Jerusalems in den Jahren 597 und 587 in Jerusalem miterlebte und überlebte, aber nicht ins babylonische Exil mitgenommen wurde, sondern unter außergewöhnlichen Umständen das Land nach Ägypten verließ.

Schwieriger ist es, und darum im einzelnen auch je nach Grundposition variabel, den historischen Kern der jeremianischen Botschaft zu bestimmen, von Erweiterungen und Uminterpretationen abgesehen. Jeremia war Prophet in stürmischer Zeit und sah im Machtwechsel der Großmächte im Süden und Norden beständige Gefahren für Juda heraufziehen. Er warnte vor politisch-militärischen Alleingängen, und nachdem Juda 597 in die Abhängigkeit der Babylonier gekommen war, mahnte er zur Zurückhaltung. Überzeugt war er, daß Juda die Folgen seines Vergehens tragen müsse. Ob er selbst an die Rettung seines Volkes und sein Weiterbestehen nach der Katastrophe glaubte und ob solche Hoffnung ihn bis zuletzt begleitete, ist den Texten nicht zweifelsfrei zu entnehmen.

Daß das Jeremiabuch bis zu seiner heutigen Gestalt einen längeren Prozeß durchlaufen hat, daß es vielfach erweitert und ergänzt und vor allem durch Erzählungen über den Propheten bereichert wurde, steht allgemein außer Frage. Ob aber ein Grundbestand von Überlieferung tatsächlich auf den Propheten selbst zurückgeht, ist ganz und gar umstritten, am allermeisten, ob man im Anschluß an Jer 36 damit rechnen darf, Teile der ›Urrolle‹ oder dort erwähnter späterer Niederschriften im heutigen Jeremiabuch selbst so gut wie unverändert wiederzufinden. Nicht weniger umstritten ist schließlich, ob der kürzere Text der LXX Anspruch auf Ursprünglichkeit haben darf oder eine andere Rezension des später erweiterten hebräischen Textes darstellt.

Die zufällig im Jahre 1986 fast gleichzeitig herausgekommenen drei großen Kommentarwerke, von denen nur CARROLL das ganze Jeremiabuch behandelt, während HOLLADAY und McKANE vorerst nur einen ersten Band (jeweils Jer 1 – 25 umfassend) vorlegten, spiegeln die kontroverse Forschungslage in beinahe prototypischer Weise. Obwohl alle drei Werke höchsten wissenschaftlichen Anforderungen entsprechen, die neueste Forschungsliteratur, so weit möglich und angemessen, verarbeiten, unterscheiden sie sich in ihren Grundpositionen und auch in der Art der Kommentierung tiefgehend.

WILLIAM L. HOLLADAY hat inzwischen (1989) auch den 2. Band seines umfangreichen Werkes vorgelegt und ein ausführliches Vorwort nachgeliefert. Gleichsam zur Hilfe des Lesers ist dem 1. Band "a chronology of Jeremiah's career" beigegeben, die die Grundauffassung des Autors über das Leben Jeremias in Verbindung mit seiner Zeit und der Komposition des Prophetenbuches klar erkennen läßt. Auf eine höchst originelle Weise versteht HOLLADAY seine im Grunde fundamentalistische Gesamtauffassung mit den literarkritischen Resultaten neuerer Forschung zu verknüpfen, ohne sie in ihren wesentlichen Punkten anzuerkennen. Er läßt Jeremia im Jahre 627 geboren und bereits 615 berufen sein. Auf solche Weise überbrückt er den früher häufig konstatierten längeren Zeitraum zwischen 622 und 609, in dem der Prophet angeblich geschwiegen haben sollte, vermutlich unter dem Eindruck der Josianischen Reform.

Das frühe Berufungsjahr 615, in dem nach HOLLADAYS Konzept der Prophet erst zwölf Jahre alt war, wird mit einer eigenwilligen Theorie in Verbindung gebracht. HOLLADAY setzt voraus, daß man Dtn 31, 9–13 sogleich im Reformjahr 622 in die Tat umgesetzt und mit periodischen Lesungen der Thora begonnen habe, die alle sieben Jahre in feierlicher Form wiederholt wurden und jeweils im Herbst der Jahre 615, 608, 601, 594 und 587 stattgefunden haben sollen. Bei diesen Gelegenheiten habe auch Jeremia regelmäßig das Wort ergriffen und sich in dtr Prosa geäußert[312]. Auf solche Weise gelingt es HOLLADAY, eine Art chronologisches Gerüst für Jeremias Aktivitäten zu gewinnen und die dtr

---

[312] HOLLADAY, Jeremiah 1 (1986) 1 f.

Abschnitte ihm als authentische Äußerungen zuzuschreiben. Der Stil-
wechsel im Jeremiabuch beruht dann auf bewußter Stilangleichung der
Reden Jeremias an die Sprachform der deuteronomisch geprägten
Thora-Lesung. Was Jeremia gegenüber dem Deuteronomium bietet,
sind "counterproclamations".

Daß für die Institution periodischer Thora-Lesungen beim Laubhüt-
tenfest, wie sie HOLLADAY postuliert, aus den Jahren zwischen 622 und
587, keinerlei Anhaltspunkte in irgendeinem Text vorliegen, scheint
HOLLADAY ebensowenig zu berühren wie der literarkritische Umstand,
daß Dtn 31,9–17 zum dtr Rahmen des Dtn gehört und vermutlich in
dieser Form noch nicht im Gesetzbuch Josias vorhanden war. Man wird
deshalb HOLLADAYS chronologisches Modell mitsamt der Annahme,
der Prophet sei 627 geboren worden, als Ganzes unbewiesen stehen
lassen müssen.

Alle weiteren Annahmen und Vermutungen HOLLADAYS unterliegen
zwangsläufig diesem chronologischen Aufriß. Sie zeugen vielfach von
der enormen Kombinationsgabe ihres Autors und sind nie ohne Begründungen, stehen aber der unbewiesenen Voraussetzungen wegen auf
Sand. Einige Beispiele sollen hier noch gegeben werden.

Wenn auch mit Zögern räumt HOLLADAY die Möglichkeit ein, Jeremia habe im Zusammenhang mit dem Beginn der zweiten Periode der
Thora-Lesungen im Jahre 615 seine Berufung erfahren. Bis zu Josias Tod
609 sei er, wie LOHFINK es will[313], als Propagandist Josias für dessen
Nordreichpolitik öffentlich aufgetreten. Zu Beginn der Regierungszeit
König Jojakims, wahrscheinlich beim Herbstfest 609, habe Jeremia
seine erste datierbare (vgl. Kap. 26) Äußerung getan, die Tempelrede
(7,1–12). Ihr Hauptinhalt: Wenn das Volk bereit ist zu Umkehr und
Reue, wird Gott es vor Katastrophen bewahren.

Dies, so folgert HOLLADAY, sei auch Inhalt und Zweck der ersten
Rolle gewesen, die Jeremia 605 dem Baruch diktierte (Jer 36,1–8). Sie
enthielt Material aus Jer 1,4 – 7,12, das HOLLADAY genau auflistet und
das der Periode zwischen 609 und 605 entstammen soll. Verbrannt
wurde die Rolle im Palast des Königs Jojakim nicht schon in dessen
5. Regierungsjahr, sondern (mit LXX) erst im 9. Monat des 8. Jahres
seiner Herrschaft, also im Nov./Dez. 601. Angesichts der babylonischen Niederlage in Ägypten im selben Jahr erscheint Jojakims frivoles
Verhalten zu diesem Zeitpunkt besser verständlich als unter den für
Juda bedrohlichen Verhältnissen des Jahres 604.

Die Verbrennung der Rolle bringt nach HOLLADAYS Meinung

---

[313] Siehe o. S. 155.

Jeremia zu der vollen Gewißheit, daß Gott unwiderruflich das Gericht über Juda beschlossen habe. In diese Zeit falle auch die Aufforderung an den Propheten, nicht zu heiraten, schließlich auch die Konzeption der ersten ›Konfessionen‹.

Jer 10, 17–22 sei unmittelbar vor der Belagerung Jerusalems im Jahre 597 geschrieben.

In die Regierungszeit Zedekias fiel die Konferenz der Gesandten der Nachbarvölker in Jerusalem (Jer 27) auf dem Hintergrund eines Aufruhrs in Babylonien, fiel ferner Jeremias Herausforderung durch den Pseudopropheten Chananja, aber auch der Text weiterer ›Konfessionen‹. In den Zusammenhang der postulierten Thora-Lesung des Jahres 594 verlegt HOLLADAY als Jeremias "counterproclamation" den Text von Jer 11, 1–17.

Mitten in der Belagerungszeit Jerusalems durch Nebukadnezar in den Jahren 588/87, als Zedekia bekanntlich Kontakt zum Propheten suchte und Jeremia gefangen saß, da soll er zu optimistischer Rede über Judas Zukunft aufgefordert worden sein. Er benutzte dazu Worte aus Jer 30 – 31, ursprünglich Worte seiner Jugend und an den Norden gerichtet, die er nun wieder zu Ehren brachte und durch Worte für den Süden ergänzte. In den Herbst 587 fiel nach HOLLADAYS Programm die letzte der periodischen Thora-Lesungen. Sie fand statt, obwohl Jerusalem schon gefallen war, und Jeremia antwortete dem deuteronomischen Text der Lesung mit dem Wort vom „neuen Bund", nach HOLLADAY seinem letzten Wort in Jerusalem.

Man wird HOLLADAY die Geschlossenheit seines Entwurfs bescheinigen müssen, auch wenn man seine chronologischen Voraussetzungen, besonders den Sieben-Jahre-Rhythmus der Thora-Lesungen, nicht teilt. Diese festlichen Begehungen sind letztlich als Vorbedingungen für Jeremias Auftreten auch nicht zwingend. Denn in kritische Auseinandersetzung mit den Forderungen des Deuteronomiums hätte er jederzeit eintreten können. Weil HOLLADAY dtr Arbeit notorisch ablehnt, muß er zu einer anderen Erklärung des Stilwechsels im Jeremiabuch greifen, und sie findet sich in dem geschickten Schachzug der "counterproclamations" Jeremias, die den Propheten zur Aufnahme deuteronomischer Stilmittel veranlaßten. Daß Jeremia auch ganz anders zu reden vermochte und in seinen poetischen Äußerungen eine ungleich anspruchsvollere Rede pflegte, ist ein Problem, das sich für HOLLADAY nicht zu stellen scheint. Das ist um so seltsamer, weil er stilistischen Besonderheiten im Jeremiabuch und Berührungen mit anderen alttestamentlichen Texten starke Aufmerksamkeit widmet; es sind letztlich sprachliche Beobachtungen, die HOLLADAY dazu verhalfen, die "archi-

tecture of Jeremiah" zu begründen, wie er es für Kapitel 1 – 20 explizit
darlegte (1976). In dieser Suche nach der "architecture" des Buchganzen
offenbart sich HOLLADAYs Wunsch, auch die Botschaft Jeremias zu
einem widerspruchslosen Ganzen zu vereinigen, um nicht zu sagen: zu
harmonisieren. Ob das möglich ist, ob die Absicht zu solch ausgegli-
chener Harmonie auch die Redaktoren des Jeremiabuches, und mögen
das Jeremia oder Baruch selbst gewesen sein, überhaupt beseelte, ist
eine offene Frage, die sich freilich jeder Jeremia-Kommentator einmal
stellt. Dies zeigt auf ganz andere Weise und mit ganz anderen Mitteln
der Kommentar von CARROLL, der sich fast wie ein Antipode zu
HOLLADAY ausnimmt.

Die Frage nach dem Grundverständnis des Jeremiabuches beschäftigt
ROBERT P. CARROLL von der ersten Seite seines Kommentars an (33):
"Is it historical, biographical, theological, imaginative, fictional or
what?" Indem solche Probleme an der Spitze des Kommentars erörtert
werden, zeigt der Verfasser ein ausgesprochenes Problembewußtsein,
das sich verschiedener Lösungsmöglichkeiten vergewissert, wohl wis-
send, daß er selbst über einen der möglichen Zugangswege zur Interpretation des Ganzen entscheiden muß, dem er selbst folgen will. CAR-
ROLL gibt zu, daß es sehr verschiedene Zugänge gibt, dem Jeremiabuch
gerecht zu werden. Aber er spitzt das Problem zuletzt in der Feststellung zu: "But the problems of the composition and editing of the book
remain the key to the interpretative approach to Jeremiah" (37).

Mit diesem Grundsatz hat sich CARROLL zunächst das Gelände frei-
gemacht, um mit der Verarbeitung sehr verschiedener Traditionen im Jeremiabuch rechnen zu können, die bekannt waren, woher auch immer
sie kamen und welcher Intention sie folgten. Er ist nicht mit HOLLADAY
und anderen der Meinung, daß man ein biblisches Buch, und also auch
das Jeremiabuch, erst dann verstehe, wenn man einen kohärenten Zusammenhang aufdeckt und diesen auch die Intention seiner Verfasser
oder Redaktoren sein läßt. Vielmehr gewann das Jeremiabuch seine Gestalt durch Aufnahme verschiedener Traditionen, die je aus sich heraus
verstanden werden müssen, ohne daß eine übergreifende Idee als vorge-
gebenes Redaktionsprinzip gesucht werden muß. Das Jeremiabuch ist
darum nicht biographisch oder historisch zu verstehen, eher eine Anthologie dessen, was von und über Jeremia existierte, wobei völlig offen
bleibt, ob und in welchem Umfang noch anderes Material existierte, das
in unserem heutigen Prophetenbuch keine Aufnahme fand.

Auf diesem Hintergrund versteht es sich gut, daß CARROLL mit der
Wirksamkeit von Redaktionskreisen rechnet, die in exilischer und nachexilischer Zeit das mutmaßlich von und über Jeremia erreichbare

Textgut sammelten. Sie werden von CARROLL mit deuteronomistischen (dtr) Zirkeln in Verbindung gebracht. CARROLL erkennt eine ganze Reihe von speziellen Interessen, die in den verschiedenen Texten wirksam sind, die sich bald mehr auf das Königtum, auf den Kult, auf die Fremdvölker, aber auch auf die Rückkehr aus dem Exil und anderes beziehen (70) und die es erschweren, die Texte zeitlich genauer festzulegen. Es müssen verschiedene Gruppen von Tradenten am Werk gewesen sein, die die Texte auch nach eigenen Vorstellungen prägten. Gruppeninteressen können bis in recht späte Zeiten eine Rolle gespielt haben, namentlich in der Auseinandersetzung zwischen babylonischer Gola und Mutterland. Der Einbezug so verschiedener Aspekte verbreitert zwangsläufig die Interpretationsmöglichkeiten der Texte und kann zur Gefahr der Überinterpretation führen[314]. Aber auch die umgekehrte Versuchung ist groß, schwer Erklärbares auf die Feststellung zu reduzieren, daß Tradition am Werke war, die zu anderen Äußerungen in Spannung stand, im übrigen aber historisch nicht verifizierbar ist, auch historisch nicht verifiziert zu werden braucht.

Wenn beispielsweise im Anschluß an die Erwähnung des 13. Jahres Josias (i. e. 627) als des Berufungsjahres Jeremias für die Zeit zwischen 627 und 609 konstatiert wird, "there is virtually nothing in the tradition which may be *clearly* attributed to Josiah's period" (91), dann mag das auf den ersten Blick richtig sein. Eine „klare" Zuweisung von Sprüchen für diese Zeit ist nicht möglich, wenn man sich an die wenigen Datierungen im Jeremiabuch hält, die über einzelne Sprüche gesetzt wurden. Man kann aber die Schwierigkeit nicht dadurch aus der Welt schaffen, daß man die unbequeme Datierung in Jer 1,2 für historisch unzuverlässig erklärt, indem man darin allein ein Produkt dtr Konvention sieht, in die Titel der Prophetenbücher Königsnamen einzutragen, die nicht unbedingt als biographische Information für die folgende „Anthologie", sprich: das Prophetenbuch, verstanden werden müssen: "It would, however, be wrong to read such stereotypical introductions to the various anthologies as affording biographical information" (92). Eine solche Feststellung liest sich kurios, wenn andererseits die übrigen

---

[314] CARROLL, Komm. 81 f. berührt dieses Problem zumindest, wenn er sagt: "Every level of tradition incorporated into the book extends its interpretation and vitiates the attempt to provide a consistent reading of Jeremiah. Thus the wise reader will note the many different interpretations of the text offered by commentators and will pay due attention to the conflicting meanings suggested by various readings of the book without seeking to avoid the questions and lack of certitude which remain after the hermeneuts have had their say."

Daten im Jeremiabuch als zuverlässig angesprochen und zu der Feststellung benutzt werden, Jeremia habe bis zum Jahre 609 eine lange Zeit geschwiegen. Konsequenterweise sollten dann alle Daten, die im Prophetenbuch stehen, als potentiell zweifelhaft angesehen werden.

Das Beispiel zeigt die Schwierigkeit, über die Zuverlässigkeit einer Textaussage im Verhältnis zur Tradition zu entscheiden. Wenn schon historisch gemeinte Mitteilungen, vorab Zahlenangaben, zu unverbindlichen Traditionselementen erklärt werden, ist der Interpretationsspielraum ungewöhnlich ausgeweitet.

CARROLL vermag in seinem Kommentar Probleme dieser Art nur anzudeuten, sie überzeugend zu erörtern und zu begründen, gelingt nicht immer. So bleiben hin und wieder Unsicherheitsfaktoren zurück. Doch der Kommentator muß, wenn er an seine Äußerungen weitere Folgen anschließen will, eine Entscheidung treffen, die er selbst zu verantworten hat und die seine persönliche bleibt. CARROLL hat das Dilemma gesehen und in seiner ›Apologia pro libro suo‹ (82–86) erörtert. Feststeht, daß CARROLLS Kommentar dem Leser ebensoviel Information zu seiner Urteilsbildung gibt, wie er ihm Freiraum für eigene Entscheidungen lassen möchte.

Der Kommentar von WILLIAM MCKANE im Rahmen des "International Critical Commentary" (ICC) ist seiner Natur nach anders angelegt. Seine 1986 erschienene erste Hälfte (Jer 1 – 25 umfassend) ist bereits mit einer ausführlichen Einleitung (XV–XCIX) versehen, die aber auch nur die ersten 25 Jeremiakapitel in den Blick nimmt. MCKANES Kommentar ist im besten Sinne ein Kommentar alter Schule, der mehr noch, als HOLLADAY es tat und CARROLL es im Blick auf die LXX-Tradition intensivierte, die Textüberlieferung und ihre Versionen berücksichtigt, auch die jüdische Auslegungtradition einbezieht, hauptsächlich auf der Grundlage von D. QIMCHI und RASCHI, beide nach *Miqrā'ôt Gᵉdôlôt* zitiert. In der akribischen Berücksichtigung der Details, besonders in textkritischer und philologischer Hinsicht, droht freilich die Gesamtkonzeption oft unterzugehen, mindestens zurückzutreten. Aber der Kommentar ist nicht ohne Konzept und auch nicht ohne seine eigene Theorie.

Das literarkritische Stichwort, das MCKANE einführt, lautet "the rolling *corpus*", genauer spricht er von "the idea of a rolling *corpus*". Diese „Idee" hat ihren Ausgangspunkt von Beobachtungen genommen, die am LXX-Text in seinem Verhältnis zum masoretischen Text (MT) gemacht wurden. Gegenüber dem griechischen Text hat MT Erweiterungen, die darauf schließen lassen, daß ein vorhandener Text sukzessiv erweitert und bei Angleichung an vorgegebene Stilformen bereichert oder kommentiert wurde. Den Ausgangspunkt dieses Prozesses kann eine kleine Sprucheinheit gebildet haben, unter Umständen nur ein einziger Vers, der erweitert, verändert oder kommentiert wurde und so zum Auslöser für eine größere literarische Einheit werden konnte. Die Entstehung des Jermiabuches ist also ein langwährender Prozeß, der als ein Vorgang beständiger Anreicherung und Neuvergegenwärtigung des Materials begriffen werden will. Der MT erweist sich dann gegenüber der LXX als eine letzte Stufe dieses Prozesses. Zumindest gelten diese Grundsätze für die Kapitel Jer 1 – 25, die McKane bisher kommentierte.

Der Begriff des "rolling *corpus*" fordert zwangsläufig die Frage heraus, was dieses "*corpus*" eigentlich sei. Es ist, formal gesprochen, der in sukzessivem Wachstum befindliche Text des Buches Jeremia, dessen Endprodukt das heute vorliegende literarische Ganze ist, sei es nun in der Form der LXX oder des MT. Am Anfang des Prozesses kann ein Text Jeremias stehen; er muß es nicht sein. Das *ipsissimum verbum* ist nicht die *conditio sine qua non*. In diesem Zusammenhang gebraucht McKane sogar den leicht mißverständlichen Begriff des "pre-existing Jeremianic content" als Bezeichnung für ein Material, das existierte, bevor es überhaupt gesammelt und im Jeremiabuch literarisch weiter bearbeitet und verwertet wurde. "The use of this term", so verteidigt McKane den Ausdruck "*corpus*", "is justified in so far as my contention is that the growth of 1 – 25 is generated and its shape, to a greater or lesser degree, determined by the pre-existing Jeremianic content which triggers it" (Komm. L).

Diese hier beschriebene Betrachtungsweise schließt eine Reihe weiterer Überlegungen ein. Vorausgesetzt wird unter allen Umständen ein unserem MT vorangegangener Textbestand, wie ihn die LXX kennt. "I have concluded that Sept. gives us access to a Hebrew text which is shorter than MT, and so enables us to identify expansions of the Hebrew text in the period which lies between the Hebrew *Vorlage* of Sept. and MT" (Komm. L f.). Aber die Entstehung der hebräischen „Vorlage" für die LXX, die Übersetzung der LXX und die Erweiterungen in MT beschreiben doch ein relativ vorgerücktes Stadium der Textfassung. Zu erklären bleibt vor allem die Frage nach dem Werden der verschiedenen Texte überhaupt, die das Jeremiabuch bilden und die auf uns gekommen sind. Wo schließlich ist der authentische Jeremia?

McKane antwortet darauf mit einem anderen (oder ergänzenden) Konzept, das er "the 'kernel' idea" nennt. Dahinter steht die klassische Frage, was ist „echt", was ist dem Propheten selbst zuzuweisen, was nicht. Ganz bewußt spricht McKane vom "kernel", nicht vom "Jere-

mianic kernel". Damit will angedeutet sein, daß nicht nach den *ipsissima
verba* des Propheten gesucht wird, sondern nach einem literarischen
Grundbestand, der als "Jeremianic core" angesprochen werden kann.
In diesem Zusammenhang bedient sich McKane des Thielschen Ent-
wurfes und macht in seinem Kommentar folgende Unterscheidungen
zur Näherbestimmung der Texte (prinzipielle Erörterungen und Mate-
rialübersicht: Komm., Introduction, LIII–LV): a) Exegeten, die anders
als Thiel entscheiden; b) Thiels Auffassung; c) McKanes Auffassung,
was er dem "kernel" zurechnen möchte.

In der Auseinandersetzung mit Thiel, dessen Einzelentscheidungen
McKane teils übernimmt, teils zurückweist, ist er von der Skepsis be-
fallen, ob man überhaupt mit einer einheitlichen D-Konzeption als Redaktionsprinzip rechnen dürfe. Er ist nicht davon überzeugt, daß biblische Bücher überhaupt einer einheitlichen redaktionellen Vorstellung
unterworfen werden können; zumindest besteht die Gefahr, daß eine
solche Vorstellung als eine vorgefaßte Meinung das Textverständnis im
einzelnen verbiegen kann. Einer dtr Gesamtredaktion von Jer 1 – 25 im
Sinne Thiels begegnet darum McKane mit Vorbehalt. Besser kommt
bei ihm Helga Weippert zu stehen, weil sie gleichfalls ein redaktio-
nelles, die Texte übergreifendes Konzept, insbesondere dtn-dtr Natur,
zurückweist. Was McKane ihr zugute hält, ist die Konzentration auf
sprachliche Erscheinungen innerhalb des Jeremiabuches unter möglichster Ausschaltung außerjeremianischer Parallelen, wie etwa aus dem dtr
Bereich, um ein für Jeremia selbständiges Idiom zu konstatieren. Allerdings scheint für ihn Frau Weippert stellenweise zu weit zu gehen, eine
Folge ihrer gegen Dtr gerichteten Polemik. Denn er erkennt durchaus
einen nicht zu leugnenden dtr Einfluß auf die Prosaüberlieferung an.

Hat also nun McKane eine übergreifende redaktionelle Idee für die
Redaktion des Jeremiabuches weitgehend ausgeschaltet, die Suche nach
den *ipsissima verba* des Propheten zurückgestellt, sich auf die sprachlichen Vorgänge innerhalb des "kernel" konzentriert und einen insgesamt komplizierten Entstehungsprozeß des Gesamtwerkes konzediert,
so kann Holladay zum Zuge kommen und mit ihm eine neue Idee
McKanes, "the 'reservoir' idea". Gemeint ist, daß jeremianische Poesie
und ihr Vokabular in Prosastücken wiederverwendet wurde, also die
Poesie als „Reservoir" für Gestaltungen in Prosa diente. Eben dies war
die alte Idee Holladays, die er programmatisch unter den Stichworten
›Prototypes and Copies‹ (1960) vortrug. Anders gegenüber Holladay
ist die Entscheidung McKanes, daß solche prosaische Wiederbenut-
zung poetischer Vorlagen die dtr Redaktion nicht ausschließt, im Gegenteil: McKane entnimmt seine Beispiele ausdrücklich dem Werk

THIELS und unterzieht sie einer Prüfung, inwieweit sie Rückgriffe auf poetische Wendungen verraten (Komm. LVI–LXII).

Die „Reservoir-Idee" erweist sich jedoch als in sich noch weiter entwicklungsfähig. Denn im Zuge der Umsetzung von Poesie in Prosa ist nicht auszuschließen, daß der Prosatext neue Gestaltungen schafft, dergestalt daß er den ursprünglich poetisch gefaßten Gedanken umprägt oder weiterführt. Diese literarisch gegenseitige Befruchtung nennt McKANE "the idea of 'generation' or 'triggering'". Damit sind jene Vorgänge angesprochen, bei denen a) poetische Verse Prosatexte anregen oder hervorbringen ("generate") oder b) poetische Texte andere poetische Kompositionen „auslösen" ("triggering") oder c) Prosatexte andere Prosa schaffen oder beeinflussen. Hier nun, in Weiterentwicklung und gegenseitiger Beeinflussung, kommt McKANE auf das "rolling *corpus*" zurück, auf die beständige Erweiterung und Bereicherung eines im einzelnen freilich nur schwer definierbaren "kernel", der am Anfang des "*corpus*" stand.

Diesen schwierigen und vielfältigen Prozeß, den McKANE zur Erklärung mindestens von Jer 1 – 25 voraussetzt, faßt er schließlich selbst in diese Worte zusammen (Komm. LXXXIII):

"What is meant by a rolling *corpus* is that small pieces of pre-existing text trigger exegesis or commentary. MT is to be understood as a commentary or commentaries built on pre-existing elements of the Jeremianic *corpus*. Where the argument is that poetry generates prose there is an assumption that the poetry which has generated prose comment is attributable, for the most part, to the prophet Jeremiah. Where the thesis is that prose generates prose, the kernel may not be regarded as giving access to the period of the prophet Jeremiah and preserving the sense of words which he spoke. In general, the theory is bound up with the persuasion that the rolling *corpus* 'rolled' over a long period of time and was still rolling in the post-exilic period."

Man wird nicht bestreiten können, daß McKANE mit der Folge seiner „Ideen" dem schwierigen Jeremiatext auf eine bisher so nicht gekannte Weise methodisch konsequent gerecht zu werden sucht, und zwar nicht in Übernahme oder Entwicklung einer ganz neuen Prozedur, sondern in Aufnahme bisheriger Modelle je nach Gewicht und Berechtigung, WEIPPERT ebenso wie THIEL, HOLLADAY ebenso wie sein eigenes Programm, das auf einen „rollenden" Prozeß hinausläuft. Daß damit alles gesagt sei, wird niemand behaupten wollen, und einige Schwachstellen lassen sich rasch ausmachen.

Die Idee des "rolling *corpus*" ist logisch überzeugend. Sie basiert aber auf einer relativ mechanischen Vorstellung von der Entstehung eines

Literaturwerkes, die auf schwer beweisbaren Voraussetzungen aufbaut. Was MCKANE den "kernel" nennt, beruht weitgehend auf subjektivem Ermessen. Logische Ansatz- und Ausgangspunkte, die "kernel" sein können, gibt es viele; es ist nur die Frage, ob die literarischen Kompositionen, die "kernel" sein sollen, nicht doch auch das Ergebnis einer sukzessiven Erweiterung und Ausgestaltung sind oder kraft einer selbständigen Aussage sachlichen und literarischen Eigenwert besitzen. Die Situation wäre sofort klarer, wenn wir überzeugende Kriterien für die *ipsissima verba* des Propheten hätten. Dann ließe sich auch ein "kernel" bestimmter definieren.

Mit der Authentizität Jeremias macht es sich MCKANE zu leicht, wenn er Poesie a priori den Vorzug gibt, "attributable" für den Propheten zu sein. Schließlich kann auch Prosa einen hebräischen Barden zur Poesie gereizt haben, eine Perspektive, die es für MCKANE nicht zu geben scheint.

Wichtiger noch als Aufweis und Nachweis eines im "rolling *corpus*" sich ereignenden mechanischen Wachstumsprozesses des Textes ist die Frage nach den treibenden Kräften, die den Vorgang in Bewegung hielten. Wo lagen und woher kamen die Interessen, Jeremias Wort in so mannigfacher Weise aufzubewahren, aufzubereiten, zu verarbeiten und zu erweitern? Hier wird am deutlichsten, was es heißt, wenn der Auslöser der Überlieferung, der Prophet selbst, allzu stark in den Hintergrund gedrängt wird. Die Frage nach dem historischen Jeremia, die MCKANE mit äußerster Zurückhaltung behandelt (was durchaus nicht ganz ohne Recht ist), darf nicht zur quantité négligeable werden. Es bestand offenbar ein erhebliches Interesse, Jeremia nicht nur im Gedächtnis zu bewahren, nicht nur seine Sprache zu fixieren, das Interesse richtete sich auf den Nachweis der bleibenden Geltung seines Wortes. Er hatte nicht nur Judas Untergang kommen sehen, er sollte auch zum Garanten seiner Wiederherstellung werden. Zu diesem Zweck ist tatsächlich an den Texten gearbeitet worden, ist nicht zuletzt auch die an dtr Vorstellungen gemessene ideale Zukunftsordnung zu entwerfen versucht worden. Es war allerdings ein sehr sachbezogener und geschichtlich bedingter Prozeß, der das literarische Wachstum im einzelnen vorantrieb und seine Vielfalt verursachte. Nicht der Mechanismus geschickter literarischer Techniken allein bestimmte die Arbeit am Jeremiabuch, sondern der Wandel der Zeiten vor und nach der Katastrophe führte zu neuen Konzeptionen, die bald von Jeremias eigenem Wort, bald von der durch das Deuteronomium ausgelösten Neuinterpretation der ganzen Geschichte Israels ausging. Was in Poesie und Prosa festgehalten wurde, war der Spiegel einer Zeit mit ihren Strömungen, die sich in Rückschau und Vorschau mit Israels Schicksal befaßten, welche Sprache und Bildwelt dabei auch jeweils den Vorzug bekam. Was in Poesie und Prosa ausgesprochen und niedergelegt wurde, muß weder einen "kernel" haben noch bedarf es eines poetischen „Reservoirs", um in Prosa etwas sagen zu können. Es sind im Laufe der Zeit durch Jeremia, aber nicht nur durch ihn angesprochene Sachfragen, die in geprägter Idiomatik, sei es Dtr näher oder ferner, ihren spezifischen Ausdruck suchten.

McKanes Nomenklatur ist eine wesentliche Hilfe zur Definition literarischer Komposition und ihres Verstehens im Zuge eines längeren literarischen Prozesses. Aber mehr als eine Hilfskonstruktion kann es nicht sein.

An dieser Stelle soll nicht übergangen werden, daß im Jahre 1986 ein viertes Kommentarwerk über Jeremia zu erscheinen begann, der auf etwa 20 Lieferungen berechnete Kommentar von Siegfried Herrmann im Rahmen des Biblischen Kommentars Altes Testament/Neukirchen. Allerdings erreichte die 1986 herausgekommene 1. Lieferung noch nicht einmal das Ende von Jer 1. Die ungemein vielschichtige Problematik dieses einen Kapitels und eine Reihe von Grundsatzentscheidungen zur Formgeschichte und zur Chronologie, und nicht zuletzt die breit gefächerte Sekundärliteratur, verlangten an der Spitze des Kommentars ausführliche Behandlung und Begründung. Da mit der Vollendung des Gesamtwerkes kaum mehr in diesem Jahrtausend gerechnet werden kann, sollen hier einige vorläufige Bemerkungen zu seiner Charakteristik gesagt werden.

Angesichts so ausführlicher Kommentare wie der von Holladay, Carroll und McKane mag man nach dem Recht eines so großen vierten Werkes fragen. Kann es mehr tun, als Bekanntes zusammenzufassen? Wird es einer ganz neuen Konzeption zum Durchbruch verhelfen können? Ist eine solche überhaupt denkbar? Die drei englischsprachigen Werke haben, wie gezeigt, verschiedene Schwerpunkte. Holladays Unternehmen, das sich wegen seiner Gesamtkonzeption einer bestimmten Interpretationsweise verbunden hat, bedarf der Überprüfung. Herrmann läßt das 13. Jahr Josias das Berufungsjahr des Propheten sein; die definitive Begründung wird im Verlauf des ganzen Kommentars zu geben versucht. Dasselbe gilt für die Komposition des Jeremiabuches, für die die Urrollen-Theorie schwerlich als Regulativ dienen kann. Es fehlt an beweisbaren Kriterien, die es auch nur annähernd sicher machen, daß das heute vorliegende Jeremiabuch tatsächlich Sprüche im Wortlaut enthält, die auf dem nachträglichen Diktat Jeremias beruhen könnten. Andererseits erscheint der Kommentar von Carroll in mancher Hinsicht zu skeptisch gegenüber historischen

Einzelheiten. Der Prophet selber muß als Initiator einer eigenständigen Botschaft ernst genommen werden; er ist mehr als die literarische Autorität einer exilischen oder nachexilischen Theologie. Die
von McKane vorgebrachte Skepsis gegenüber einer dtr Redaktion
verdient stärkere Beachtung. Ihr relatives Recht ist neu zu definieren
und in ein überzeugendes Verhältnis zur Vorstellung des "rolling
corpus" zu bringen. Überhaupt ist es einer der Vorzüge des Neukirchener Kommentars, daß er ausführlichen Begründungen exegetischer Entscheidungen Raum gibt, mehr als es den anderen Kommentaren möglich ist.

Leider konnten die genannten Kommentare, soweit sie 1986 erschienen waren, in dem Werk von R. E. Clements (1988) keine Berücksichtigung mehr finden. Diesem in der Reihe ›Interpretation‹ herausgekommenen Kommentar liegt allerdings von seiner Anlage her nicht an
detaillierter Auseinandersetzung mit anderen Meinungen, sondern an
der geschlossenen Darbietung eines einzigen Konzeptes, das für Lehre
und Predigt Maßstäbe und Informationen an die Hand gibt. R. E. Clements tut das mit Zurückhaltung und Präzision.

Kommentare mögen Summarien in einem bestimmten Stadium der
Forschung sein, ihr Ende bedeuten sie nicht. Künftige Aufgaben
zeichnen sich angesichts und trotz der Fülle des Geleisteten in Umrissen bereits ab.

Erneute und erhöhte Aufmerksamkeit zieht neuerdings der Text des
Jeremiabuches auf sich[315]. Dabei spielt nicht nur die alte Frage nach
dem Verhältnis des kürzeren LXX-Textes gegenüber dem längeren masoretischen Text (MT) des Jeremiabuches eine Rolle, sondern ebenso
die Einzeluntersuchung sprachlicher Phänomene und ihrer Häufigkeit,
wie sie jetzt unter neuen Gesichtspunkten in der Studie von Louis
Stulman (1986) vorliegt. Ausgewählt wurden 19 Prosastücke aus den
Überlieferungen des Jeremiabuches, die gewöhnlich als deuteronomistisch eingestuft werden. Sie vergleicht Stulman mit dem griechischen
Text ("the Old Greek Version" = OG) und versucht eine rückläufige
Rekonstruktion des hebräischen Textes, der den Übersetzern ins Griechische als „Vorlage" diente. Auf diese Weise entstand eine Übersicht
über das, was die OG „Vorlage" mit dem MT gemeinsam hat und was
MT allein bietet. Das Ziel ist ein Einblick in die Stadien der Textentwicklung, der zugleich exegetische Folgerungen ermöglichen kann und soll.

---

[315] Vgl. dazu unten den Abschnitt IV über die Überlieferung des Jeremiatextes S. 182 ff. Eine knappe Übersicht neuerdings auch bei Carroll, Jeremiah
(1989) 21–30.

Speziell eingerichtete Sigla machen die Arbeitsweise und das ange-strebte Resultat deutlich. Unterschieden werden:

C   = Prosaüberlieferung MT;
C+ = Interpolationen in MT, zusätzlich zu OG;
C' = Lesarten, die MT und die hebr. OG „Vorlage" gemeinsam haben.
   C' repräsentiert also das älteste Stadium erreichbarer Textüber-lieferung, soweit es OG als „Vorlage" diente.

Das scheinbar komplizierte Verfahren verfolgt eine methodisch ein-sichtige Linie. Voraussetzung ist die Annahme, daß der Kurztext der ur-sprünglichere ist; LXX bzw. OG bieten ihn uns dar; er wird in seiner hebräischen Gestalt an Hand von MT ermittelt (C'); automatisch fallen die in MT zusätzlichen Texte heraus (C+). Der uns vorliegende MT des Jeremiabuches erscheint so als Endprodukt einer sukzessiven Textanrei-cherung; sie fand erst in spätnachexilischer Zeit ihren Abschluß. Der Anteil von D bzw. Dtr an diesem Prozeß wird von STULMAN dadurch er-faßt, daß er die stereotypen Wendungen der jeremianischen D-Stücke zusammenstellt und auf ihr Vorkommen und ihre Häufigkeit im Deute-ronomium und im dtr Geschichtswerk befragt.

Das Ergebnis stellt sich in abgekürzter Form so dar: Die deuteronomi-stische Diktion findet sich in höherem Maße in C' als in dem längeren Text von C. Das bedeutet, daß in exilischer Zeit eine enge Affinität be-stand zwischen dem Kurztext und der dtr Literatur. Demgegenüber entfernen sich die Zusätze in C+, die der MT enthält, von der dtr Idio-matik, auch wenn sie zuweilen deren Klischees übernehmen. Sie sind Ausdruck eines späteren erweiterten Stadiums der Textüberlieferung.

Man wird mit aller Vorsicht diese Resultate rein statistischer und teil-weise auf hypothetischer Basis (rückläufige Konstruktion; Text C') be-ruhenden Feststellungen behandeln müssen. Immerhin weisen sie in eine Richtung, die geeignet ist, bisherige Überlegungen, gerade hin-sichtlich der Einschätzung des dtr Bestandes im Jeremiabuch, zu über-prüfen und neu zu bedenken. Nicht zu übersehen ist, daß STULMAN mit seiner Methode nahe an das herankommt, was McKANE "the rolling *corpus*" nannte, nämlich einen sukzessiven Prozeß der Texterweiterung und Textbearbeitung.

In kritisches Licht rücken aber auch die Probleme um die dtr Redak-tion im Jeremiabuch. Wenn auch die dtr Wendungen einem frühen exili-schen Stadium zugewiesen werden können, müssen sie nicht im ganzen Jeremiabuch ursprünglich und von gleichem Gewicht sein, jedenfalls dann nicht, wenn in Zusätzen mit Anlehnungen an dtr Stil gerechnet werden muß. Jedenfalls wird man das Verhältnis von C+ zu C' exege-tisch noch genauer bestimmen müssen.

Über all dem ist schließlich nicht zu vergessen, daß nur dtr genannte Partien von STULMAN ausgewählt worden sind und daß damit ein Urteil über Komposition und Redaktion des ganzen Jeremiabuches noch nicht getroffen werden kann. Die exegetische Arbeit wird sich darum unter anderem auch darauf zu konzentrieren haben, ob überhaupt und in welchem Umfang es berechtigt ist, Jer 1 – 45 einer relativ einheitlichen, nach gemeinsamen Kriterien verlaufenen dtr Redaktion unterworfen zu denken. Die Möglichkeit ist nicht grundsätzlich auszuschließen, daß mit mehreren Redaktionen zu rechnen ist, die innerhalb einzelner Sammlungen erfolgten wie etwa Jer 30. 31; 21, 11 – 23, 8; 23, 9–40, schwerer faßbar in 2 – 6 und 13 – 20, von den erzählenden Partien ab Kap. 26 hier ganz abgesehen. Erst in einem späteren Stadium können solche Sammlungen zu dem großen, heute bekannten Buch formiert worden sein.

Es bleibt zu fragen, ob die Sprache von D bzw. Dtr im Jeremiabuch überhaupt einheitlich ist. Zwar kann Wortstatistik immer nur relativ zutreffende Resultate erbringen; Exegese muß hinzukommen. Sollten sich aber die Ergebnisse der Textkritik auch exegetisch bestätigen lassen, nicht zuletzt durch genauen Vergleich der Versionen, so könnten sich für das Verständnis des Jeremiabuches einige neue Perspektiven eröffnen.

Die Beobachtung der Texte kann in der Tat noch weiterreichende Konsequenzen haben, wenn sich als begründet und richtig erweisen sollte, was neuerdings CHRISTOF HARDMEIER zu erkennen meint[316], daß uns im dtr Geschichtswerk ein ganz anderer Typ von Deuteronomismus entgegentritt als im Jeremiabuch. Gab es einen Deuteronomismus, der nach 587 den Propheten der vorexilischen Zeit skeptisch begegnete und einen solchen, der Jeremia unterstützte, der sich in der Bearbeitung des Jeremiabuches niederschlug und möglicherweise in der Tradition der Jeremia nahestehenden Schaphan-Familie zu Hause war? Dann blieben noch manche Fragen offen, und noch weiter geöffnet wäre das Feld für noch viele neue Hypothesen ...

Die Annahme einer Verbindung Jeremias besonders zur Schaphan-Familie hat neuerdings wieder Auftrieb bekommen. J. A. WILCOXEN[317] und später J. SCHARBERT[318] haben ihre Aufmerksamkeit auf die Bezie-

---

[316] CHR. HARDMEIER, Prophetie im Streit vor dem Untergang Judas, in: BZAW 187 (1990).

[317] J. A. WILCOXEN, The Political Background of Jeremiah's Temple Sermon, in: Scripture in History and Theology. Festschrift J. C. Rylaarsdam (1977) 151–166.

[318] J. SCHARBERT (1981) 53 f.

hungen gerichtet, die sich aus dem Jeremiabuch zugunsten einer Parteinahme zeitgenössischer Familien für Jeremia ablesen lassen. Neuerdings schließt es ELSE KRAGELUND HOLT (1989) nicht aus, daß probabylonische Zirkel, zu denen auch Mitglieder der Schaphan-Familie gehört haben können, die Redaktion des Jeremiabuches besorgten und eine enge Verbindung mit den Deuteronomisten eingingen. Die Frage legt sich nahe, die E. HOLT schon im Titel ihres Aufsatzes stellt: War Jeremia Mitglied der deuteronomistischen Partei? Sind es Anhänger probabylonischer Gruppen gewesen, Gruppen der späterhin sozusagen „siegreichen" Partei, die sich Jeremia zum Prototyp und Repräsentanten ihrer Ideen wählten? Frau HOLT spitzt die Frage zu: Was war früher, der Prophet Jeremia oder die deuteronomistische Bewegung – "the chicken or the egg"? Aber Frau HOLT ist klug genug, die Alternative selbst zu entschärfen. Sie stellt Jeremia in die prophetische Tradition, die von Hosea herkommt und ihre Wurzeln im Deuteronomium hat. Jeremias Nachwirkungen reichen bis tief ins Exil. Der deuteronomistische Anteil am Jeremiabuch sei, so E. HOLT, keine Fälschung, sondern die Aktualisation prophetischen Wortes. Also dann vielleicht doch "no chicken and no egg". Das klingt überzeugend. Wird es alle überzeugen? Das Verhältnis des historischen Jeremia zu seiner eigenen Zeit und die Wirkungsgeschichte seines prophetischen Wortes, in welcher Gestalt auch immer, verbergen sich im Jeremiabuch hinter einem Geflecht von Problemen, die die Exegeten der letzten hundert Jahre erkannt zu haben glauben, die zu lösen sie aber bisher nicht in der Lage waren. Es bleibt abzuwarten, ob es der Jeremiaforschung gelingt, eines Tages das Ei zu finden, das sie braucht, das „Ei des Columbus".

IV. DIE ÜBERLIEFERUNG DES JEREMIATEXTES

In erster Linie ist hier auf den außergewöhnlichen Sachverhalt hinzuweisen, daß der griechische Text des Jeremiabuches (LXX) um etwa ein
Siebentel kürzer ist als der masoretische Text (MT). Es fehlen in LXX
Verse und Versteile, aber auch größere Abschnitte wie 33, 14–26;
39, 4–13; 51, 44 b–49 a; 52, 27 b–30. Der auffälligste Unterschied ist, daß
die Fremdvölkersprüche Jer 25, 15–38 + 46–51 (MT) sowie Kap. 45
(MT) in den Text der LXX anders eingeordnet sind. Sie erscheinen dort
im unmittelbaren Anschluß an 25, 13 (MT); 25, 14 (MT) fehlt in LXX.
Durch Vorziehen des Babylon-Textes 50 – 51 (MT) vor den Philister-
spruch 47 (MT) ergeben sich auch in der Reihenfolge der Fremdvölkersprüche in LXX Verschiebungen gegenüber MT. Eine vergleichende
Textübersicht über die unterschiedliche Anordnung in MT und in LXX
wird hier nicht wiederholt; vgl. dazu die entsprechenden Angaben in
der tabellarischen Übersicht oben in Abschnitt II (S. 48–52).

Die Gründe für die andere Überlieferung des Jeremiabuches in LXX,
vor allem ihre kürzere Form gegenüber MT, sind bis zum heutigen Tage
nicht zuverlässig anzugeben und haben eine breite Debatte ausgelöst,
die noch anhält. Ältere Erklärungen rechneten damit, daß es sich in
einzelnen Fällen um Auslassungen des Übersetzers handeln könne
oder die hebräische Vorlage überhaupt eine andere Gestalt besessen
habe. Die letztere Vermutung wird handgreiflich bestätigt durch ein
Bruchstück in hebräischer Sprache aus Qumran (4QJer[b]), das den
Text Jer 9, 22 – 10, 18 enthält, der nicht der Fassung des MT, sondern
LXX folgt. Zu diesem und weiteren Bruchstücken s. J. G. JANZEN
(1973) 173–184[319].

Die Debatte bewegt sich nun, angestoßen durch Qumran, hauptsächlich um die Frage, ob von einem ursprünglichen hebräischen „Kurztext" gesprochen werden kann, der LXX als Vorlage diente und eine
selbständige hebräische Textfassung gegenüber MT darstellte[320], oder

---

[319] Zu den Bruchstücken aus 2Q13, enthaltend jeweils einige Verse aus Jer
42 – 49, H. BAILLET u. a., Discoveries III, Oxford 1962, 62–69.

[320] Als ihre Hauptvertreter sind gegenwärtig anzusehen F. M. CROSS (1975);
J. G. JANZEN (1973); R. W. KLEIN (1974); P.-M. BOGAERT (1981) 168–173,
222–238.

ob mit dem sukzessiven Wachstums- und Bearbeitungsprozeß einer einzigen Textfassung zu rechnen ist, wobei die kürzere hebräische LXX-„Vorlage" nur ein Zwischenstadium der Textentwicklung repräsentiert, dem weitere Schritte der Textbearbeitung und Textergänzung folgten, die zum heutigen längeren MT führten[321].

Die gern gestellte Frage, ob es mit Hilfe der LXX möglich sei, dem „Urtext" näherzukommen oder doch einer Textfassung, die dem MT vorauslag, stellt sich am Text des Jeremiabuches besonders dringlich, weil die verschiedenen Textfassungen von MT und LXX auch das Urteil über ein zeitliches Nacheinander zu ermöglichen scheinen. E. Tov weist jedoch darauf hin, daß der Kompositionsprozeß der biblischen Bücher weitgehend abgeschlossen war, als sie übersetzt wurden. Sie bildeten also in diesem Stadium des Kompositionsprozesses bereits eine literarisch verfestigte Einheit. Das schließt Phasen vorausgegangener mündlicher und schriftlicher Tradition nicht aus; jedoch sind diese aus den vorliegenden Texten nicht mehr unmittelbar ableitbar[322]. Das bedeutet freilich, daß ein „Urtext" eine denkbare, aber nach wie vor hypothetische Größe bleibt.

Eine andere Ausgangslage ergibt sich für P.-M. Bogaert, der mit zwei Redaktionen rechnet; die eine (Red. A) repräsentiert eine ältere hebräische Redaktion des Jeremiabuches, die die Vorlage für den LXX-Text bildete und durch ihn uns bekannt geworden ist; die andere Redaktion (Red. B) ist die des MT, die sich von dem Kurztext ableitet, den sie überarbeitete und paraphrasierte («relecture et paraphrase»).

Einer der auffallenden Unterschiede der beiden Redaktionen, auf den Bogaert hinweist, zeigt sich an der Position des Wortes über Baruch (45, 1–5 MT). In Red. A kommt es, von Jer 52 hier abgesehen, am Ende des Buches zu stehen (51, 31–35 LXX), während in Red. B der gleiche Text die Erzählungen der Kap. 36 – 44 abschließt und sodann (ab Kap. 46 MT) die Fremdvölkersprüche folgen, die mit der Bemerkung schließen: „Bis hierher (reichen) die Worte Jeremias" (Jer 51,64), eine Wendung, die in LXX fehlt. Auf solche Weise ist die Autorität Baruchs verdrängt, die in Red. A am Ende des Buches pointiert herausgestellt war und wie ein Siegel auf alles zuvor Gesagte wirkte. Die Aufnahme

---

[321] E. Tov (1972, 1976, 1981); Y.-J. Min (1977).

[322] "Reference to the originality of details in the texts pertains to this entity and not to an earlier or later literary stage." Aus einem unveröffentlichten Arbeitspapier für den Internationalen Alttestamentler-Kongreß Leuven (1989); s. auch in Congress Volume Leuven 1989 (im Erscheinen).

des Namens Jeremia in 51,64 (MT) macht nunmehr Jeremia selbst zum Garanten des ganzen Buches[323].

Das Beispiel ist geeignet, die Existenz zweier Redaktionen zu unterstreichen, die aufeinander folgten, die aber auch hinsichtlich der für sie verbindlichen Autorität unterschiedliche Auffassungen zu vertreten scheinen. Der Prozeß der Überarbeitung im Sinne von «relecture et paraphrase» läßt sich noch auf andere Weise beobachten. Ein Vergleich des Philisterorakels Jer 47,1–7 MT = 29,1–7 LXX legt es sogar nahe, daß die Überarbeitung, die MT erkennen läßt, in die Zeit der Auseinandersetzung zwischen Ptolemäern und Seleukiden fällt und also damit zu rechnen ist, daß zwar nicht das ganze Jeremiabuch, aber doch der MT dieses Spruches und einiger anderer Stellen in den Fremdvölkersprüchen spätestens erst im 2. Jahrhundert v. Chr. seine heutige Gestalt erhielt[324].

Es liegt auf der Hand, daß unterschiedliche Auffassungen über Entstehung und Verarbeitung von Traditionen in MT ebenso wie in LXX und ihr Verhältnis zueinander nur an einzelnen Texten überzeugend zu erwägen und kritisch zu klären sind. Angesichts der Textmasse allein im Jeremiabuch bedarf es vieler Beobachtungen und Vergleiche, die bisher noch nicht in vollem Umfang durchgeführt, geschweige exegetisch ausgewertet sind. Es entspricht deshalb diesem Stand der Forschung, wenn neuerdings SVEN SODERLUND (1985) einen einzigen Text exemplarisch behandelte, nämlich das Kap.29 der LXX-Fassung im Jeremiabuch (Jer-LXX), die Fremdvölkersprüche gegen die Philister und gegen Edom (in der Ausgabe von RAHLFS Kap.29,1–7 + 30,1–16; im MT Kap.47,1–7 + 49,7–22). An diesem dafür besonders geeigneten Text demonstrierte und erörterte SODERLUND die Komplexität der LXX: "Ch. 29 becomes the springboard for a discussion of issues that is comprehensive for the whole text of Jeremiah" (3).

Auf der Grundlage einer eingehenden textkritischen Erhebung unter Berücksichtigung der verschiedenen Rezensionen des griechischen Textes und unter Hinzunahme patristischer Zitate und der Tochterübersetzungen (Altlateinisch, Koptisch, Syrisch, Äthiopisch, Arabisch, Armenisch) setzt sich SODERLUND kritisch mit ZIEGLERS Textausgabe

---

[323] Vgl. BOGAERT (1981) 168–173; zu Jer 45 auch A. GRAUPNER in: Festschrift Gunneweg (1987) 287–308, der allerdings nicht ausführlich auf die LXX eingeht.

[324] BOGAERT, Relecture et déplacement de l'oracle contre les Philistins. Pour une datation de la rédaction longue (TM) du livre de Jérémie, in: La vie de la parole. Etudes P. Grelot (1987) 139–150.

(1957) auseinander, sodann mit der Konzeption von E. Tov (1976), der sich gegen die Annahme zweier oder mehrerer Übersetzungen wandte, sodann mit dem Werk von J. G. Janzen (1973), der die Integrität und Priorität der hebräischen „Vorlage" gegenüber MT verteidigte. Auf Einzelheiten muß hier verzichtet werden. Doch wird Soderlunds Studie dazu beitragen, dem griechischen Text noch weit mehr Aufmerksamkeit zu schenken als bisher. Schon Bogaert (1981) 168 und wiederum McKane (Komm. 1986, XV) haben mit Recht darauf hingewiesen, daß in den großen Kommentaren die LXX und die anderen Versionen nur gelegentlich, keineswegs mit systematischer Konsequenz Berücksichtigung fanden. Das ist jedoch in den 1986 erschienenen Kommentaren auffallend intensiv geschehen, insbesondere bei McKane, der sogleich in der Einleitung seines Werkes die abweichenden Lesarten der älteren Versionen auflistet, LXX ebenso wie Vulgata, Peschitta und Targum, die, abgesehen von LXX, meist mit MT übereinstimmen. Jedoch gibt es einige bemerkenswerte Übereinstimmungen zwischen LXX und Peschitta.

Auf exegetische Konsequenzen, wie sie sich möglicherweise aus den Aufstellungen von L. Stulman (1985/86) ergeben könnten und dessen Bemühungen bereits oben in Abschnitt III (S. 178 ff.) vorgestellt wurden, wird McKane vermutlich im 2. Band seines Kommentars eingehen.

Abschließend sei darauf hingewiesen, daß die neuere Auseinandersetzung um das LXX-Problem, wie sie sich in der englisch-sprachigen Literatur unter den beiden Stichworten "the multiple translator theorie", die mit mehreren Übersetzern (mindestens zwei) rechnet und größere Anhängerschaft besitzt, und "the translator/reviser theory" (Tov 1976) äußert, bereits in einer Bemerkung Zieglers (1957) 128 Anm. 1 vorbereitet ist. Er sagt dort: „Bei der Untersuchung des Übersetzungscharakters ist zu beachten, daß die Ier.-LXX nicht einheitlich ist. Dies haben schon ältere Textkritiker bemerkt, so Spohn. Thackeray[325] nimmt zwei Übersetzer an: der erste habe Kap. 1–28, der zweite Kap. 29–51 übersetzt. Kap. 52 sei ein späterer Nachtrag. Man muß Thackeray zustimmen; nur müßte noch genauer untersucht werden, ob wirklich zwei Übersetzer beteiligt waren oder bloß ein Redaktor am Werk war, der den einen Teil nur überarbeitete. Es kann nämlich beobachtet werden, daß sich in der ganzen Ier.-LXX einheitliche Züge finden, die sie von anderen Büchern abheben. Sehr fraglich bleibt, ob Kap. 52 wirklich nur ein späterer Nachtrag ist." E. Tov hat, hauptsächlich auf Grund

---

[325] H. S. J. Thackeray, The Septuagint and Jewish Worship, in: Schweich Lectures XIII (1920) 28–37. 116 f.

lexikalischer Beobachtungen, die Hypothese aufgestellt, daß Jer-LXX
1 – 28 (Jer a') allein die originale griechische Übersetzung enthält,
während 29 – 52 (Jer b' und dazu Baruch 1,1 – 3,8) die Überarbeitung
(revision) der verlorenen Originalübersetzung darstellt. Diese Überarbeitung erfolgte vielleicht erst im 1. Jahrhundert v. Chr. Ob diese Hypothese freilich die "multiple translator theory" wirklich zu widerlegen
vermag, ist vorerst eine offene Frage der Septuaginta-Forschung[326].
Vielleicht wird sie für immer offen bleiben müssen[327].

---

[326] Vgl. die von SODERLUND (1985) 153–192 vorgebrachte Kritik.
[327] Zur Auseinandersetzung zwischen E. Tov und P.-M. BOGAERT vgl. jetzt
den oben in Anm. 322 genannten Kongreßband.

V. THEOLOGISCHE KONZEPTIONEN IM JEREMIABUCH

Unter der Voraussetzung, daß das im Jeremiabuch verarbeitete Schrifttum nicht durchweg das geistige Eigentum einer einzigen Persönlichkeit genannt werden kann, sondern das ganze Buch aus einer Reihe unterschiedlicher Quellen und Quellenbearbeitungen hervorging, muß damit gerechnet werden, daß mehrere und stellenweise modifizierte theologische Konzeptionen vorgetragen werden, die in sich nicht abgerundet sein müssen. Immerhin kann man sagen, daß sich im Jeremiabuch die theologische Auseinandersetzung einer Epoche spiegelt, die zwar relativ kurz war, aber für das ganze Alte Testament hochbedeutsam geworden ist. Es sind nicht nur Traditionen der älteren Prophetie aufgenommen, etwa solche, die an das Buch Hosea erinnern, es sind ebenso Einflüsse aus dem Umkreis des Deuteronomismus, aber auch aus einem Teil der Psalmen und der Weisheitsliteratur spürbar. Zahlreich sind Bilder und Motive aus sehr verschiedenen Lebensbereichen, die nicht unbedingt auf Jeremia als professionellen Poeten schließen lassen müssen, die aber doch eine Verbindung des Propheten oder seiner Schüler und Bearbeiter zur poetischen Tradition Israels vermuten lassen. Der Reichtum des Buches Jeremia, das mag seine Faszination ausmachen, liegt gerade in der Verbindung des Vielfältigen: In einer aufgewühlten Epoche der Weltgeschichte, mitten im Machtkampf der führenden Weltmächte erscheint ein Prophet, der anfangs das kühne Projekt eines Reformkönigs beobachtet, nicht ohne Zurückhaltung und Kritik, der dann einem teils frivolen, teils unfähigen Herrschertum begegnet, ein Prophet, der keinem nach dem Munde redet, der die Unterwerfung empfiehlt und die Katastrophe kommen sieht, sie selbst erlebt, das Land wider Willen verläßt und in der Fremde, so darf man schließen, stirbt; dies alles ist im Jeremiabuch eingebunden in schicksalsschwere Worte, in Weisungen und Dichtungen, in Erzählungen und bisweilen aphorismenhafte Dicta. Die Fülle des Gesagten läßt sich als Dokumentation eines Prophetenlebens begreifen und darstellen, und die Möglichkeit einer einheitlichen Gesamtkonzeption ist nicht auszuschließen. Und dennoch, das Buch bleibt voller offener Fragen, sucht man seiner Vielfalt in Form und Inhalt auf den Grund zu gehen.

Es gibt zwei Möglichkeiten, die Theologie dieses Prophetenbuches zu erfassen: Die eine ist, sie in ein gesamtbiblisches Konzept einzuordnen und sie mit den Begriffen herkömmlicher dogmatischer Sprache zu erläutern, wobei man einen weitgehend einheitlichen Aussagewillen des ganzen Buches voraussetzt. Dann kommen jene übergreifenden und normativen Vorstellungen von Gericht und Heil, von Reue und Umkehr, von Gesetz und Gnade, am Ende sogar von messianischer Hoffnung und eschatologischem Ausblick zur Sprache. Die Frage ist nur, ob solche aus der allgemeinen theologischen Systematik gewonnenen Rahmenvorstellungen dem Detail prophetischer Rede gerecht werden.

Der andere Weg, das Jeremiabuch theologisch zu bewältigen, ist ein tieferes Eindringen in die zeitgeschichtlichen Voraussetzungen, ist die Beobachtung der Wandlungen im Gefüge israelitischer Traditionen und die an der Komposition einzelner Abschnitte erkennbare Weiterentwicklung älteren Gedankengutes, namentlich unter dem Einfluß der Zeitgeschichte und ihrer Herausforderungen.

Beide Typen der Darstellung liegen, in mehr oder minder umfassender Form, bereits vor. THOMAS M. RAITT legte in ›A Theology of Exile. Judgement/Deliverance in Jeremiah and Ezekiel‹ (1977) ein von allgemeinen theologischen Begriffen ausgehendes Werk vor, das, bei aller Beschränkung auf die beiden großen Propheten am Exilsbeginn, Zentralfragen der theologischen Auseinandersetzung mit der Exilsproblematik verbindet. Gericht und Heil, das Verwerfungsmotiv und die Theodizee, der Übergang vom Gericht zum Heil und die Botschaft der Befreiung sind die maßgebenden Topoi. Das Buch möchte methodisch der Formgeschichte verpflichtet sein, aber die Formen sind weit gespannt, und es sind eher thematische Einheiten, die RAITT zusammenbindet und deren inhaltliche und formale Gemeinsamkeiten in den Dienst der theologischen Themen gestellt werden, die der Text herausfordert. Die Formgeschichte deutscher Provenienz wird vorausgesetzt, sie wird aber auch kritisiert und, wie es zuweilen scheint, leicht mißverstanden. Daß die Aussagen der beiden Prophetenbücher Jeremia und Ezechiel und ihr zeitgeschichtlicher Hintergrund bisweilen dazu dienen, Erscheinungen aus moderner Zeit zu beleuchten, beweist das theologische Engagement des Autors. Aber es wäre wirkungsvoller gewesen, hätte er auch die „Zeitgeschichte" der vorexilischen und exilischen Zeit stärker ins Spiel gebracht und die literarische Auseinandersetzung um das Jeremiabuch berücksichtigt. Dann wären auch die theologischen Urteile profilierter ausgefallen. So bleibt manches flach und für Jeremia und Ezechiel nicht unbedingt spezifisch. Wenn, um nur dies zu nennen, die prophetische Entwicklung des 8. und 7. Jahrhunderts auf der Basis mosaischer Bundestheologie beurteilt wird, dann ist das eine Voraussetzung, die in jüngerer Zeit gerade zum Problem geworden ist.

So bleibt denn doch, wenn auch nicht durchweg theologisch ausge-
richtet, das bekannte Werk von PETER R. ACKROYD, Exile and Resto-
ration (1968), ein noch immer unübertroffener Klassiker, der „das
Denken des 6. Jahrhunderts v. Chr." von Jeremia bis Sacharja aufzudecken suchte, und dies in engem Kontakt mit der Literarkritik und der
Theologie des Alten Testaments überhaupt.

Ihm an die Seite zu stellen ist ein Werk, das sich auf das Buch Jeremia
beschränkt, wenigstens seinem Untertitel nach, das aber in verschiedener Hinsicht weiter ausgreift auf das Exil und außerdem seine eigene
Zielrichtung verfolgt: ›Theology in Conflict‹ von CHRISTOPHER R.
SEITZ, mit dem bezeichnenden Untertitel ›Reactions to the Exile in
the Book of Jeremiah‹[328]. Diese Dissertation aus dem Jahre 1986 sucht
nun gegenüber so mancher redaktions-kritischen Arbeit bewußt den
engen Kontakt zur Geschichte. SEITZ setzt ein mit einer „sozio-histori-
schen" Analyse der vorexilisch-exilischen Zeit, ehe er sich dem literarkritischen Problem des Jeremiabuches stellt; er behandelt also die Geschichte vor der Literarkritik. Dieser unkonventionelle methodische
Ansatz dient dazu, die Kompliziertheit der äußeren Umstände zuerst
zu beschreiben, die das prophetische Reden auslösten; erst dann
werden die "reactions" in den Texten aufgesucht und in ihrer Eigenart
bestimmt. Auf allen Gebieten des sozialen, religiösen und bürgerlichen
Lebens glaubt SEITZ Konflikte zu entdecken, die unter dramatischen
Umständen sich intensivierten, in Juda bis zur ersten Wegführung 597,
in den judäischen Gemeinschaften in Juda und Babylonien zwischen
597 und 587 und vor allem nach 587. Einen besonderen Schwerpunkt
der Auseinandersetzungen bildete also die Zeit zwischen den beiden
Wegführungen, als Judäer und Golah sich in unterschiedlicher Weise
von Gottes Gericht getroffen fühlten. Deshalb wird das Jahr 597 als der
eigentliche große Wendepunkt empfunden, der sich auch auf die Redaktion im Jeremiabuch auswirken mußte. Was Jeremia vor 597 aussprach,
die Botschaft des Gerichts, die sich mit der ersten Wegführung erfüllte,
mußte von den Exulanten anders begriffen werden als von den Daheim-
gebliebenen, die sich Illusionen machten und dennoch unter Gottes
Gerichtswillen blieben.

Unter Beachtung solcher aus dem Geschichtsablauf gewonnener
Überlegungen und Schlüsse beobachtet SEITZ in den erzählenden Traditionen des Jeremiabuches hauptsächlich zwei entscheidende Redak-

---

[328] BZAW 176 (1989); s. auch SEITZ, The Crisis of Interpretation over the
Meaning and Purpose of the Exile. A Redactional Study of Jeremiah XXI–
XLIII, in: VT 35 (1985) 78–97.

tionsschichten, eine dem Propheten näherstehende ›Scribal Chronicle‹ und eine an POHLMANN (1978) erinnernde ›Golah-redaction‹. Daß in diesen beiden Schichten auch unterschiedliche Bewertungen des Gerichts und der Zukunft des Volkes vorgenommen wurden und entsprechende theologische Folgerungen auslösen mußten, liegt auf der Hand; wie sich diese Folgerungen auch im Buche Ezechiel und im deuteronomistischen Geschichtswerk spiegelten, ist ein eigenes, von SEITZ vielfach berücksichtigtes Thema.

Es wird deutlich, wie schwierig es zu sein scheint, die Geschichte samt ihren Rückwirkungen auf die literarischen Äußerungen in den Prophetenbüchern zutreffend zu beschreiben. Der Preis, den SEITZ zahlt, besteht im Herausarbeiten eigener Redaktionseinheiten, die unter Umständen mit bisherigen literarkritischen Resultaten in Konflikt kommen. Aber eine richtige Erkenntnis liegt dem Ganzen zugrunde. Das Jeremiabuch bietet nicht allein die Botschaft eines Propheten, es enthält ebenso ein Stück seiner Wirkungsgeschichte und ist zugleich das Zeugnis über den grundstürzenden Wandel theologischer Bewertungen und Einstellungen. Dieser Wandel kann darum nur im engen Kontakt mit der Zeitgeschichte gesehen und erklärt werden. Man mag im einzelnen an SEITZ Kritik üben, seine Voraussetzung stimmt (4): "The Jeremiah traditions, be they close historical accounting or distant redactional reminiscence, describe the prophet as a man in conflict living in times of conflict."

So ist es gewiß nicht zufällig, daß in auffallender Ähnlichkeit zu SEITZ, wenn auch ohne breit entfalteten redaktionskritischen Hintergrund, ja sogar in kritischer Distanz zu ihm, JEREMIAH UNTERMAN 1987 das theologische Problem des Jeremiabuches in chronologischer Ordnung zu fassen suchte, der Biographie Jeremias folgend. Unter dem Titel ›From Repentance to Redemption‹ wird ›Jeremiah's Thought in Transition‹ (Untertitel) dargestellt. Dies geschieht in drei entscheidenden Phasen: Die Botschaft Jeremias zur Rettung seines Volkes erging an Ephraim zur Zeit Josias, nach 597 an die exilierten Judäer mit Jojachin und schließlich an Juda und Ephraim nach der Zerstörung Jerusalems 587. Man ist überrascht, wie eine so relativ exakte zeitliche Einordnung jeremianischer Sprüche möglich sein soll. Sie wird mit einem Verzicht auf literarkritische Fragen erkauft; insbesondere wird die Hypothese deuteronomistischer Bearbeitung zurückgewiesen. Jeremia selbst sei mit der Sprache des Deuteronomiums so vertraut gewesen, daß er seine Idiomatik beherrschte und gebrauchte.

Der theologische Gewinn seiner Betrachtungsweise liegt für UNTERMAN in einem relativ geschlossenen, systematisch zu nennenden Gesamtbild, das sich am Lebens- und Schicksalsweg Jeremias orientiert. In der Frühzeit seines Wirkens unter König Josia sah Jeremia die Möglichkeit der Rettung für Ephraim in der Umkehr seiner Menschen zu dem Gott Israels, damit es zwischen Gott und Volk zu echter Gemeinschaft komme (Jer 3,6–13; 3,19 – 4,2; 31,2–9.15–22). Nach 597 begriff Jeremia, daß Umkehr allein die Rettung nicht bringen könne und eine Aufforderung dazu an die Exilierten ohnehin überflüssig sei. Sie hatten bereits das Gericht erlebt und waren nunmehr ganz auf Gott angewiesen, wenn sie noch Rettung und Hilfe erfahren sollten (Jer 3,14–18; 24,4–7; 29,10–14; 50,4–7). Nach der Zerstörung Jerusalems erging eine Heilsbotschaft an Juda und Ephraim. Der alternde Jeremia gelangte zu der Erkenntnis, daß Israel zu wirklicher Umkehr unfähig sei, Gott dennoch aber sein Volk nicht aufgeben wolle. Ein neuer Bund, unveränderlich und dauernd wie die Schöpfung selbst, solle am Ende der Tage sicherstellen, daß vollkommene Harmonie herrsche zwischen dem Gott Israels und seinem Volk (Jer 31,27–37; 32,37–44; 33,1–26; 50,17–20).

Die vorgenannten Untersuchungen zur Theologie des Jeremiabuches zeigen in sehr charakteristischer Weise das Dilemma, in das jeder gerät, der sich angesichts des gegenwärtigen Forschungsstandes an diesen komplexen Gegenstand wagt. Er macht sich entweder abhängig von profangeschichtlichen Daten, in die das Wirken Jeremias hineingehört, oder er hält sich an literarkritische Einsichten, die notwendig vage und nur teilweise beweiskräftig sind. Dennoch aber kann kein Zweifel bestehen, daß das Jeremiabuch handfeste Aussagen der verschiedensten Art macht, die theologisch bewertbar oder selbst theologisch verstanden sein wollen, wann und unter welchen Umständen auch immer sie geprägt und zu aktueller Wirkung gebracht wurden. Ohne erschöpfend sein zu können, sollen im folgenden fünf Themenbereiche genannt und erläutert werden, die für das Jeremiabuch als Ganzes, aber auch in zahlreichen Einzelheiten von theologischer Bedeutung sind. Es wird dabei bewußt darauf verzichtet, eine „Theologie des Propheten" als persönliches Zeugnis zu rekonstruieren. Eine solche kennen zu wollen, wäre vermessen. Nur aus den verschiedenen Einzelzeugnissen des Jeremiabuches lassen sich Aussagen zusammenstellen, die für den Propheten, für seine Zeit und für die Zeit danach von bleibender Bedeutung wurden durch ihre Niederschrift, weitgehend aber durch den Prozeß von Rezeption und Neubearbeitung. Auf diese Weise werden wenigstens einige dominante Züge jeremianischer und nachjeremianischer Theologie erfaßt.

1. Der hoseanisch-deuteronomisch/deuteronomistische Gedankenkreis:
Gott, das Volk und sein Land. Falsche Götter.
Die innere Verfassung des Volkes

Israels Landbesitz ist ein weit gespanntes Thema im Jeremiabuch, das aber dort keineswegs immer unter den gleichen Voraussetzungen aufgenommen wird, sondern unter je eigenen Aspekten erscheint. Sie lassen sich vergleichen mit Konzeptionen, wie sie unter den klassischen Propheten namentlich Hosea, aber nicht Amos und nicht Jesaja, durchreflektierten. Sie haben Parallelen im Deuteronomium, dort aber zumeist nur in den sog. „Rahmenstücken". Der Landbesitz und seine Erhaltung werden im Zusammenhang des Verhältnisses beurteilt, das Israel zu seinem Gott hat, und dies bedeutet, daß eine lebendige Relation zwischen dem Verhalten des Volkes Gott gegenüber und seinem Schicksal im Land besteht. Das Land ist als Gabe Gottes nicht der angestammte Boden, auf dem sich das Volk mit natürlicher Selbstverständlichkeit bewegen darf, es ist gefährdetes Land, das Gott zwar schon den Vätern zugeschworen hat, aber doch unter der Voraussetzung, daß allein der Gott Israels in diesem Land Verehrung genießen soll. Sobald andere Götter ins Spiel kommen und dem Gott Israels Konkurrenz machen, droht dem Volk der Verlust seines Landes und damit seiner selbständigen Existenz.

Dieses klare Grundkonzept wird im Jeremiabuch variiert und nach seiner religiösen und rechtlichen Seite hin erweitert und verfeinert. Wie in einem Idealbild erscheint es in Jer 2,1–3 in scharfen Konturen. Es wirkt dort vor der folgenden Überlieferung wie ein Prooemium, das den Leser in kürzester Form mit der Eigenart dieses Problems vertraut machen will. Gott denkt zurück an die Frühzeit, als Israel in Liebe und Treue ihm folgte. Dieses Israel war seinem Gott „heilig", es war „ausgesondert" und zu besonderem Rang erhoben, zu der Würde uranfänglicher Schöpfung. Also sollte es auch geschützt sein vor dem Verderben.

Aber dem Idealbild steht von 2,4 an die rauhe Wirklichkeit gegenüber. Schon die Väter hatten sich von ihrem Gott entfernt und verfielen dem vergänglichen Wesen anderer Götter. Dadurch haben sie das fruchtbare Land, in das Gott sie führte, verunreinigt. Nun prozessiert er mit seinem Volk und fragt, wie das geschehen konnte, daß man den eigenen Wohltäter verläßt, den „Quell lebendigen Wassers" und sich Göttern zuwendet, die keine sind. Darum droht dieses untreue Volk zu einer Beute der anderen zu werden, seine Städte werden zerstört, sein Land wird entvölkert.

Kap. 2 – 6 sind erfüllt von diesem Thema. Doch werden in Kap. 3 und

4 Andeutungen gemacht, wie die Verhältnisse sich ändern könnten und Gott auch bereit ist, Voraussetzungen zu einem Wandel zu schaffen. „Brecht euch einen Neubruch und sät nicht in Dornen hinein. Beschneidet euch für Jahwe und entfernt die Vorhaut eures Herzens" (4,3 f.). Im Grunde ist der Landbesitz schon vertan, denn was das Land hervorbringt, sind Dornen. Es bedarf eines Neubruchs. Israel sät in die Dornen, solange es sich nicht für seinen Gott beschneidet und sein Herz ihm zuwendet. In einzigartiger Weise vereint das Wort die Verantwortung gegenüber dem Land mit der Forderung der totalen Hingabe seiner Menschen an ihren Gott, den Gott Israels. Sie ist die Voraussetzung aller äußeren und inneren Existenz. Ihre Gipfelung erfährt die Beschreibung des gefährdeten Landes in den Sprüchen vom „Feind aus dem Norden" in Kap. 4 – 6, die zugleich den ersten Gedanken- und Überlieferungskreis im Jeremiabuch beschließen.

In den Kap. 7 – 9 bekommt die gleiche Thematik eine etwas andere Färbung. Es ist nicht allein die Abkehr von Jahwe und die Zuwendung zu fremden Göttern, die das Volk in Gefahr bringt, es ist im wesentlichen die Mißachtung göttlichen Rechts und ethischer Forderungen, die Israels Wohnen im Lande und seinen Besitz fraglich machen. „Das ist das Volk, das den Befehlen Jahwes, seines Gottes, nicht gehorcht noch Zucht annimmt; geschwunden ist die Treue, weggetilgt aus ihrem Munde" (7,28). Erst wenn das Recht *(mišpāṭ)* zur Geltung gebracht wird, „dann will ich euch an dieser Stätte wohnen lassen, in dem Land, das ich euren Vätern verliehen habe" (7,7).

Die innere Zerrüttung des Volkes und der Mangel an Bereitschaft, Gottes Gesetz zu folgen, sind in Kap. 8 und 9 breit beschrieben und begründen die Notwendigkeit für einen Eingriff Gottes, der fundamental sein muß.

In vergleichbarer Weise verfährt das große Textkorpus 13, 1 – 17, 18, das voller Gerichtsankündigungen ist und sich hauptsächlich auf das Schicksal Jerusalems und Judas konzentriert. Hier allerdings wird nicht mehr über das Verhältnis zum Landbesitz in ähnlich grundsätzlicher Weise nachgedacht wie etwa in Kap. 2 und 3. Es zeigt sich, daß im Jeremiabuch Teilsammlungen von Texten zusammengestellt sind, die je ihre eigenen Konturen besitzen. Die Bilder aus dem Bereich von Liebe und Ehe, von Treue und Anhänglichkeit aus den Kap. 2 – 6 treten von Kap. 7 an zurück zugunsten von rechtlichen und ethischen Forderungen; was in 13 – 17, 18 zu lesen ist, erinnert kaum mehr an die Auseinandersetzungen in 2 – 6. Ein scheinbar isoliertes Dasein führt die Erinnerung an Gottes Bund mit Israel in 11, 1–17; aber das „Land" als Land der Verheißung ist angesprochen, und sein fernerer Besitz ist an den Gehorsam ge-

bunden, der den „Worten dieses Bundes" entgegengebracht wird. Das
bedeutet, daß das Thema „Land" sich auf bestimmte Traditionsbereiche
beschränkt, die als solche im Jeremiabuch noch auszumachen sind,
durch die aber das „Land" zu einem konstitutiven Element geworden
ist im großen Gefüge jeremianischer Überlieferungen.

2. Die Sünde des Volkes und des Einzelnen.
Der leidende Gerechte – Die Klage des Einzelnen

Ist es so, daß das Schicksal des Landes abhängig ist vom Verhalten des
Volkes gegenüber seinem Gott, so müssen sich Wohlverhalten und Fehl-
verhalten genauer definieren lassen. In Kap. 2 – 6 wird Israel Treubruch
vorgeworfen. Es wandte sich fremden Göttern und fremden Mächten
zu. „Abtrünnig" ist es geworden von seinem Gott (3,1–13; 5,10–13.
20–31). Zu diesen allgemein gehaltenen und oft nur gleichnishaft wie-
dergegebenen Vorwürfen tritt von Kap. 7 an in charakteristischer Weise
Kritik an der Tempelfrömmigkeit. Die Berufung auf den Tempelkult
und seine Ausübung genügt nicht. Die Eigenverantwortlichkeit der
Menschen wird ins Bewußtsein gerückt und ihre Taten werden an
Gottes Gebot gemessen. Es geht darum, das Recht zur Geltung zu
bringen und sich nicht auf verlogene Reden zu stützen (7,8). Israel muß
wissen, was es dem Nächsten schuldet (7,5), nicht „zu stehlen, zu
morden, die Ehe zu brechen und falsch zu schwören" (7,9). Aber man
wagt es, „in diesem Hause, das nach meinem Namen genannt ist" (7,10),
vor Gott hinzutreten und sich dabei sicher zu fühlen, während man
alsbald die greulichen Taten wiederholt.

Welche Rolle spielt bei solchen Formulierungen der deuteronomi-
sche Einfluß? Ist jenes Gebot Gottes, an das hier erinnert wird, die
Thora des Deuteronomiums, die Josia in Kraft setzte und deren Mißachtung der Prophet beklagen muß? Weiß das Volk eigentlich, was es
tut, und wer belehrt es darüber? Man weigert sich „umzukehren"
(8,4f.), obwohl man vorgibt, die „Thora Jahwes" zu besitzen (8,8).
„Aber mein Volk kennt nicht das ‚Recht Jahwes'" (*mišpāṭ Jhwh*, 8,7). Es
steht außer Zweifel, daß hier an geltendes normatives Gottesrecht erinnert wird, und es liegt sogar nahe, an kodifiziertes Recht zu denken. Es
ist nicht abwegig, im Deuteronomium die Anfänge „kanonisierten"
Schrifttums wiederzuerkenen, zumal dort auch das Schriftprinzip formuliert ist, das als Definition des „Kanons" gelten kann (Dtn 4,2; 13,1).
Liest man freilich im Jeremiabuch weiter, so fehlt es beispielsweise in
dem Komplex Kap. 13 – 17,18 an vergleichbar strenger Gedankenfüh-

rung, die sich auf das Recht beruft, so daß sich wiederum der Verdacht aufdrängt, daß dort andere Traditionen zugrunde liegen als etwa 7,1 – 8,3 oder auch 11,1–17. Ausgeklammert ist aus all diesen Texten der Vorwurf gegen die geistlichen und weltlichen Führer des Volkes, sofern nicht „Könige, Priester und Propheten" als Mittäter des Bösen pauschal zusammengenommen sind.

Die speziell gegen sie erhobenen Vorwürfe vereinigt die Sammlung 21,1 – 23,40. Deutlich ist, daß die Sprüche, die sich gegen die mit Jeremia zeitgenössischen Könige richten, auf spezielle Vergehen Bezug nehmen und das Schicksal einiger Herrscher besonders berücksichtigen; ebenso unverkennbar ist aber auch der Maßstab, dem die Könige insgesamt unterworfen werden. Er unterscheidet sich nicht von den Vorhaltungen und Ermahnungen, die dem ganzen Volk gemacht werden. Das gilt ebenso für die Sprüche gegen Propheten und Priester 23,9–40. Unterschiedliche Gesichtspunkte ergeben sich allerdings bei genauerer Analyse der poetischen Abschnitte im Vergleich mit den in Prosa abgefaßten Partien.

Von den Überlieferungen über die Sünden des ganzen Volkes und seiner führenden Schichten heben sich einige Texte ab, die sich mit dem Problem der individuellen Schuld befassen. Auffallend ist in ihnen das Ich der redenden Person, so daß es nahelag, sie dem Propheten zuzuschreiben als seine ganz persönlichen ›Konfessionen‹. Die verobjektivierende und zuweilen generalisierende Gattungsforschung spricht von „Klagegedichten". Wie auch immer man über die Authentizität dieser Texte urteilen mag, sie dringen ein in Bereiche der Selbstreflexion des Einzelnen angesichts äußerer Umstände und innerer Zweifel, wie sie in der Zeit vor Jeremia kaum bekannt waren. Stellenweise erscheinen sie wie eine Vorwegnahme des Hiob-Problems. Es handelt sich um Selbstzeugnisse über den vergeblichen Kampf eines Menschen, der ohne erkennbare Schuld, aber doch unter unausweichlichem göttlichen Zwang stehend, mit seiner Umgebung zerfallen ist und sich in seinem Leid völlig verlassen fühlt. Doch er bleibt davon überzeugt, daß Gott sich seiner annehmen sollte und dies am Ende wohl auch tun wird.

Die umstrittene Frage, ob in den ›Konfessionen‹ der Prophet selber spricht oder ein anderer, relativiert sich, wenn man bedenkt, daß Jeremia überhaupt in solches Licht gerückt werden konnte oder gar sich selbst so verstand und sein persönliches Schicksal in der Form der Klage eines Einzelnen beschrieben und bedacht wurde. Daß Jeremia sich selbst in solcher Weise äußerte, ist nicht auszuschließen, aber auch nicht zu beweisen. Was die Texte sagen, hat zumindest prototypische Bedeutung für das Verständnis prophetischer Existenz vor Gott und darüber

hinaus für menschliches Schicksal überhaupt. Den leidenden Gottes-
knecht aus dem deuterojesajanischen Buch sollte man freilich damit
nicht in unmittelbare Verbindung bringen. Die Dimension stellvertre-
tenden Leidens ist im Jeremiabuch noch nicht erreicht.

3. Die Überwindung der Sünde. Umkehr, Vergebung und neuer Bund. Der gnädige Gott

Die Propheten sind realistisch genug, um an eine Änderung des Menschen aus eigenem Vermögen nicht zu glauben. Dazu treibt sie keine
pessimistische Philosophie, sondern die Erfahrung. Ausdruck dieses
prophetischen Realismus ist die Einsicht, daß eine Wende zum Positiven
nur auf dem Weg über eine Katastrophe denkbar ist. Darin stimmt Jeremia mit allen anderen Propheten überein. Die Rettung des Volkes und
sein Überleben sind unter allen Umständen Tat Gottes und beruhen
nicht auf Verdiensten, die einzelne oder die Gesamtheit sich erworben
haben. Die häufig wiederholte Umkehrforderung sollte nicht in dem
Sinne mißverstanden werden, daß dadurch Israel die Möglichkeit hätte,
der Katastrophe aus eigener Kraft auszuweichen. Israel kann seinem
Gott nicht entgehen, und wenn es „umkehren" soll, dann soll es dadurch seinen Fortbestand nach schlimmen Erfahrungen, die die Katastrophe einschließen, als Werk Gottes verstehen lernen, der seinem Volk
den Weg zum Guten und zum Leben gewiesen hat. Wenn Gott sein Volk
erhält, dann tut er es nicht wegen erbrachter Leistungen, sondern gerade trotz der bei allem Tun mitwirkenden Bosheit und Uneinsichtig-
keit der Menschen. Deshalb erscheint der im Zusammenhang mit der
Propheteninterpretation zuweilen gebrauchte Hinweis auf den sogenannten „Tun-Ergehen-Zusammenhang" (Tat-Folge-Prinzip) einseitig
und mißverständlich. Denn nach prophetischer Auffassung kennt Israel
zwar das „Recht Jahwes", aber es befolgt es nicht und entfernt sich dadurch zwangsläufig von seinem Gott. Sein „Tun" ist verfehlte Tat. Seine
Anstrengungen zu rechter Lebensführung haben im Prinzip keinen
Einfluß auf das „Ergehen", sondern können nur dann erfolgreich sein,
wenn sie die notwendige Folge der Hinwendung zu Gott sind. Die Tor-
heit des Volkes ist, „daß sie mich nicht kennen" und darum keinen Verstand haben (4,22). Deshalb verfehlen sie auch den Garanten wahren
Lebens.

In geradezu paradigmatischer Weise kommt die hier angesprochene
Problematik in Jer 3 zum Ausdruck. Das Thema ist Israels Abtrünnig-
keit und Gottes immerwährende Bereitschaft, das Volk anzunehmen,

wenn es nur zu ihm zurückfindet. Entgegen der im Gesetz festgelegten
Ordnung (Dtn 24, 1–4), wonach der Mann zu der von ihm entlassenen,
aber nach Neuverheiratung abermals ledig gewordenen Frau nicht zurückkehren darf, soll Israel die Heimkehr zu seinem Gott offen bleiben,
denn „Gott zürnt nicht ewig" (3, 1–5). Aber in Wirklichkeit rückt Israel
nicht ab von seinen Übeltaten. Israel und Juda sind beide treulos geworden (3, 6–10), Judas Schuld wird höher bewertet (3, 11), doch der
Prophet darf der Abtrünnigen Israel gleichsam die Absolution zurufen:
Gott zürnt nicht für immer, er ist gnädig (3, 12). Diese ganz außergewöhnliche Definition der göttlichen Gesinnung findet ihre Bestätigung
in dem Entschluß der abtrünnig Gewordenen, zu Gott zurückzu-
kehren, weil sie dessen gewiß geworden sind, daß nur bei ihm Rettung
ist (3, 19–25, bes. 22). Nicht also enthält der Text Aufforderungen des
Propheten oder gar Ermahnungen, sich zu bessern in der Hoffnung,
daß dem gottgemäßen „Tun" auch das bessere „Ergehen" folge. Die
Sünde wird nicht durch einen Automatismus des Handelns überwunden, mögen die Absichten der Täter noch so gut sein; entscheidend
ist Gottes Verzicht auf permanente Verfolgung der Abtrünnigen und
seine Bereitschaft, seinem Zorn eine Grenze zu setzen.

Den Maximen des göttlichen Handelns, das sich menschlicher Einsicht entzieht, entspricht die mehrfach in unterschiedlichen Zusammenhängen verwendete Begriffsreihe, die Gottes Vorgehen als „Ausreißen
und Einreißen", „Bauen und Pflanzen" (1, 10 u. ö.) beschreibt. Damit
sollen nicht mögliche Alternativen göttlichen Verhaltens und Regierens
aufgewiesen werden, ebensowenig soll ein zwangsläufiges Hinterein-
ander von Zerstörung und Wiederaufbau zur Regel gemacht werden.
Gottes Freiheit wird dargestellt. Er allein entscheidet über Verwerfung
und Errettung und Wiederaufbau. Das sind gewiß Überlegungen, die
dem deuteronomistischen Reflexionsstil nahestehen, aber doch etwas
Selbständiges sind, weil ihnen das Paränetische fehlt und das Belehrende
überwiegt.

Aus allen Zukunftsworten des Jeremiabuches ragt das Wort vom
„neuen Bund" (31, 31–34) besonders hervor, spielt aber abgesehen von
32, 38–42 keine weitere Rolle. Das von Begriffen der dtn/dtr Gedankenwelt stark durchsetzte Stück hat zum Mittelpunkt, daß bei diesem
neuen Bundesschluß die Thora in die Herzen der Menschen geschrieben wird („steinerne Tafeln" als Gegensatz zum menschlichen
Herzen werden hier nicht erwähnt). Zur Voraussetzung hat das Leben
unter dem neuen Bund die Sündenvergebung (31, 34), zu der Gott bereit
ist. Diese Vergebung, die ganz und gar Gottes Sache ist, schafft dem
Volk jenen Freiraum, in dem es sich ungeteilt und ganz Gott zuwenden

kann. Die Last der Vergangenheit mag nicht vergessen sein, aber sie beschwert nicht mehr die Zukunft.

Daß Gottes Zorn begrenzt ist und er nicht für immer zürnen wird, daß er sogar von sich sagt, daß er gnädig sei (3, 12), sind Äußerungen, die im Jeremiabuch geradezu unerwartet aufleuchten und zumindest den Gedanken an jeremianische Authentizität nahelegen, so wenig das bewiesen werden kann. Immerhin eröffnen sie eine neue Dimension der Gotteserkenntnis, die auf dem Hintergrund der bewegten Zeitgeschichte von Untergang, Deportation und Exil ungewöhnlich genannt werden muß.

4. Prophetisches Selbstbewußtsein und falsche Prophetie

Allein wo der Kontakt zum Propheten von Gott gewollt und prophetischer Eigenwille so gut wie ausgeschaltet ist, gibt das prophetische Wort die göttliche Botschaft in klarer und zutreffender Form wieder. Der Anspruch, Prophet zu sein, ist nur dort begründet, wo nicht der Wunsch, im Auftrag Gottes zu reden, sondern allein die Berufung den Ausschlag gibt. Um seine Berufung weiß letztlich nur der Prophet selbst, und wer vorgibt, berufen zu sein, ohne einen Auftrag zu haben, lügt.

Jeremia gilt wie kein anderer als der Prophet, der unter seiner Berufung litt, der sich ihr zu entziehen versuchte, der von seinen Gegnern angegriffen wurde und unter der Last seines prophetischen Auftrages mit sich selbst und in aller Öffentlichkeit kämpfen mußte. Davon spricht der Berufungsbericht; dafür lassen sich aber auch die ›Konfessionen‹ ins Feld führen, wie auch immer ihre Herkunft beurteilt werden mag. Im Jeremiabuch sind diese Texte als prototypisch für die Krisen prophetischen Selbstbewußtseins anzusehen und wohl auch so gemeint. Eine Illustration erfahren sie durch die im Erzählungsstil gehaltene Überlieferung von Erlebnissen des Propheten in Jer 26 – 29. Anders gestaltet ist die Spruchsammlung gegen falsche Propheten und gottvergessene Priester 23, 9–40, die in breiter Form die Merkmale dieser Männer zusammenträgt.

Die ganze Reihe der Erzählungen in 36 – 44 dient im Sinne von 26 – 29 der Untermauerung und Darstellung der prophetischen Legitimation Jeremias, die sich dem König gegenüber und später, nach der Zerstörung Jerusalems, bei anderen Entscheidungen des Propheten als richtig erweisen sollte, auch wenn er wider Willen nach Ägypten mitziehen mußte. Dieser Abzug war nicht nötig; unter den Babyloniern

hätte man weiterleben können. Aber bis zuletzt mußte dieser Prophet
widrigen Umständen trotzen, ohne den Erfolg auf seiner Seite zu
haben.

5. Der Prophet für die Völker. Israels universaler Auftrag

War der zum „Propheten für die Völker" berufene Prophet (1,5) tatsächlich ein Mann, der sich mit seinem Wort über Israels Grenzen
hinaus an fremde Völker wenden sollte? Ganz gewiß kann Jeremias Auftrag nicht in einem so unmittelbaren Sinne verstanden werden; die in
das Jeremiabuch inkorporierten Fremdvölkerorakel (46 – 51), die eine
Gattung für sich bilden, enthalten nicht Worte an diese Völker, die man
diplomatischen Botschaften vergleichen könnte. Jeremia wurde nicht
zu diesen Völkern gesandt. Wohl aber waren die Verfasser dieser Sprüche davon überzeugt, daß der Gott Israels auch auf die Völkerwelt
Einfluß nahm, eine Erkenntnis, die schon die ältere Schriftprophetie bewegte. Was Jeremia zum „Propheten für die Völker" machte, war der
Anspruch, der im Bewußtsein Israels gewachsen war, daß die Taten
seines Gottes von den Völkern wahrgenommen werden sollten und daß
alles, was in Israel geschah, den Völkern zur Mahnung, zum Paradigma,
zur Wegweisung auch für ihr Schicksal dienen sollte. Die Weltgeschichte
verstand Israel aus dem Blickwinkel seines Gottes, aber auch umgekehrt sollte die Welt an Israel die Taten seines Gottes bewundern.

Daß diese völkerumspannende Perspektive kaum auf Jeremia selbst
zurückgeht, wenigstens nicht in ausgeprägter Form, sondern auf eine
relativ späte Interpretation seiner Überlieferungen, zeigt neben anderem, daß die Worte über Völker und Königreiche im Berufungsbericht
in den rahmenden Versen 5 und 10 stehen, während nur der Mittelteil
v. 6–9 dem bekannten „Berufungsschema" im Dialogstil folgt. Die wenigen Einsprengungen, die sich im ersten Teil des Buches finden und die
fremden Völker im Blick haben (beispielsweise 9,24 f.; 12,7–17; 10,25)
könnten anderen Sammlungen über die Nachbarvölker entnommen
sein. Der den ersten großen Überlieferungsteil beschließende Abschnitt
25,1–14 ist redaktionell; zu ihm passen auch Formulierungen aus
Kap. 1, so daß nicht auszuschließen ist, daß Jer 25 zusammen mit Kap. 1
eine Art Rahmung für den ersten Teil des Jeremiabuches darstellt, also
ein relativ spätes Stadium der Redaktion anzeigt. So legt sich die Einbe-
ziehung des Völkeraspekts in 25 in Verbindung mit 1,5 als Element der
Interpretation jeremianischer Botschaft nahe.

In die Völkersprüche ist das Motiv des Völkergerichts eingegangen.
Im Wort vom Zornesbecher 25,15–33 hat es einen starken bildhaften

Ausdruck gefunden. Die Herkunft von Jeremia ist nicht sicher auszumachen, aber die apokalyptische Gedankenwelt späterer Zeiten zeichnet sich ab.

Wenn es nach dieser kurzen Darstellung theologischer Konzeptionen
und Hauptthemen im Jeremiabuch noch eines Schlußwortes bedarf, so
sei auf einen seltener erwähnten Sachverhalt hingewiesen.
   Es besteht untrüglich ein Abstand zwischen der klassischen Prophetie des 8. Jahrhunderts und der prophetischen Literatur, wie sie im
Jeremiabuch gesammelt erscheint. Dieser Abstand beruht auf einer
geistesgeschichtlichen Wende in Israel, die sich im Laufe des 7. Jahrhunderts vollzogen haben muß. Es handelt sich um einen Prozeß der Selbst-
vergewisserung des Individuums, um einen für Aufklärungszeiten
charakteristischen Vorgang von der Entdeckung des handelnden Individuums und normativer Gesetzmäßigkeiten, denen es unterliegt. Der
Mensch erkennt sich als mitverantwortlicher Träger am Geschehens-
ablauf. Er reflektiert über seine Möglichkeiten und Grenzen. Er wird
sich darum auch seiner Schwächen und seiner Abhängigkeiten bewußt.
Seine persönliche Erfahrungswelt weitet sich, wird aber zugleich in
ihrer Gebrochenheit erlebt, wie es allem Menschlichen anhaftet.
   Wenn man Jeremia den persönlichsten aller Propheten genannt hat, so
hängt dies damit zusammen, daß er mehr als andere als Prophet der Reflexion und Selbstreflexion erscheint, der seine persönliche Schwäche erkennt und sie auch zugibt, der aber auch menschliche Schuld mit ihren
Folgen für die Gemeinschaft und das Einzelschicksal deutlicher und tiefer
erfaßt. Jeremias persönliches Erleben wird gleichzeitig zum Abbild einer
von politischen und religiösen Spannungen belasteten Zeit. Der Niedergang von Staat und Gesellschaft wird nicht allein als Folge irrationaler
Einwirkungen begriffen, sondern ebenso als Auswirkung menschlichen
Versagens über lange Zeit. Religion und Ethos werden in ein unmittelba-
res Verhältnis zueinander gebracht. Der Mensch des ausgehenden 7. und
des 6. Jahrhunderts begreift noch unmittelbarer als der des 8. Jahrhunderts
die Risiken und die Folgen der Großmachtpolitik, der er ausgeliefert ist.
Er wird sich, namentlich in den kleinen Staaten, seiner Abhängigkeit bewußt und fragt nach ihren Ursachen. Die Verantwortlichkeit des einzelnen kommt in den Blick. Wie nie zuvor wird Weltgeschichte im Span-
nungsfeld zwischen Schuld und Schicksal erlebt.
   Gleichzeitig aber wächst ein Instrumentarium, das es möglich macht,
dem Unausweichlichen zu begegnen. Im Gesetz, im Recht des Gottes
Israels, ersteht die normative Größe, die Halt verspricht. Mag man die
Reform Josias als punktuelles historisches Ereignis immer wieder in

Frage stellen, die Durchsetzung des Deuteronomiums hat in josianischer Zeit tatsächlich ihren geschichtlichen Ort, auch wenn vielleicht
erst später dieses Gesetz zum Maßstab der eigenen Existenzbewältigung in Juda wurde. Der Schritt vom historischen Propheten Jeremia
und seiner Botschaft zum „deuteronomistischen" Verständnis seines
Wirkens wird exakt als Folge dieses überlieferungsgeschichtlichen Prozesses um die Durchsetzung einer deuteronomistischen Theologie verständlich. Was sich im Jeremiabuch an Deuteronomistischem findet
– ein letztes Wort ist darüber gewiß noch nicht gesprochen –, beruht auf
dem partiellen Einfluß jener Kreise, die im Deuteronomium ein Instrument der künftigen Lebensordnung Israels erblickten. Das Jeremiabuch steht an der Wende der Zeit, in der erfahrene Geschichte zugleich
als reflektierte Geschichte zum Instrument der Existenzbewältigung
wird. Insofern hat es mit dem Deuteronomistischen Geschichtswerk
manches gemein.

Auf diesem Hintergrund wird nun aber auch jenes widersprüchliche
Bild verständlich, das das Jeremiabuch vom Propheten entwirft. Er ist
einerseits der schwache, der geschlagene und verzweifelte Mensch, andererseits aber auch der mit Überlegenheit ausgestattete und mit weit
vorausschauendem Blick begnadete Prophet, der dem Zeitgeist anti-
babylonischer Stimmungen widerspricht und nach katastrophalem
Niederbruch die Wiederherstellung von Land und Volk erwartet, vorausgesetzt, daß dieses sich ungebrochen seinem Gott zuwendet. Exakt
dieses Spannungsverhältnis zwischen der Person des Propheten und
seiner Botschaft erklärt sich als Folge des oben angedeuteten überlieferungsgeschichtlichen Prozesses. Die Individualität des Propheten unterliegt den Anfechtungen, die aus der Ungewißheit der Zeit er-
wachsen; er stemmt sich mit schwacher Kraft gegen sie, aber er ist
beiden zugleich ausgesetzt, dem unerbittlichen Zwang der Umstände
und dem ebenso harten Zwang, reden zu müssen. Andererseits jedoch
trägt die Interpretation des Propheten, also das Jeremiabuch in wesentlichen Passagen, das normative Element an ihn heran, das ihn ebenso
zum Anwalt des Gesetzes und der Umkehrforderung macht wie zum
Propheten des neuen Bundes und der Restitution Israels, zum Botschafter eines Gottes, der die Welt aufmerken läßt. Was also die überlie-
ferungs- und formkritische Forschung am Jeremiabuch aufgedeckt hat,
ist ein kontinuierlicher Interpretationsprozeß, der beim Propheten Jeremia seinen Ausgang nahm, was auch immer wir aus seinem eigenen
Mund noch namhaft machen können, ein Prozeß, in dem sich über Jeremia hinaus die geistige Auseinandersetzung am Ende der Königszeit
und der beginnenden Exilszeit in mannigfachen Brechungen Ausdruck

verschaffte. Wer die Schwankungen innerhalb der Jeremia-Überlieferungen, die wir besitzen, beobachtet, den Wechsel der Stile, Aspekte
und Auffassungen, dem entschwindet das klare Bild einer einzigen prophetischen Persönlichkeit. Es ist zu einfach, das Jeremiabuch allein das
Werk des Propheten und seines „Schreibers" Baruch sein zu lassen. Es
ist eine alte, aber doch zu erneuernde Erkenntnis, daß das Jeremiabuch
das Kompendium einer Epoche ist.

Wenn in den ›Konfessionen‹ sogar die Theodizee-Frage mit dem persönlichen Schicksal des Propheten in Verbindung gebracht ist, zeigt das
das Ausmaß theologischer Einsichten, die in das Jeremiabuch eingegangen sind. Möge der Prophet selbst seine Auseinandersetzung mit
Gott in die Form der persönlichen Klage gebracht haben, es ist ebensowenig auszuschließen, daß mit diesen Texten auf der Grundlage prophetischer Äußerungen ein Endstadium der theologischen Jeremia-Interpretation erreicht wurde, das nicht mehr zu überbieten war.

LITERATUR

Die Übersicht berücksichtigt in erster Linie die in diesem Buch genannte und besprochene Literatur. Monographien haben den Vorzug; Aufsätze, die sich nur mit einzelnen Kapiteln oder Versen des Jeremiabuches befassen, konnten nur in Auswahl aufgenommen werden. Ein vollständiges Literaturverzeichnis zum Jeremiabuch beanspruchte eine eigene Veröffentlichung. Für weitere Einzelheiten muß auf die Kommentare verwiesen werden, die allerdings auch keine Vollständigkeit aufweisen.

Die Abkürzungen entsprechen Siegfried Schwertner, Internationales Abkürzungsverzeichnis für Theologie und Grenzgebiete (IATG), 1974 (mit Ergänzungsheft).

Kommentare (in zeitlicher Folge)

19. Jahrhundert

Eichhorn, J. G.: Die hebräischen Propheten, Göttingen 1816–1819.

Dahler, J. G.: Jérémie traduit sur le texte original, accompagné de notes, 2 Bde., Straßburg 1825.

Rosenmüller, E. F. C.: Jeremiae Vaticinia et Threni. Latine vertit et annotatione perpetua I–II: Scholia in Vetus Testamentum 8, Leipzig 1826–27.

Hitzig, F.: Der Prophet Jeremia: Kurzgefaßtes exegetisches Handbuch zum Alten Testament (KEH) 3, Leipzig 1841, ²1866.

Umbreit, F. W. C.: Praktischer Commentar über den Propheten Jeremia: Praktischer Commentar über die Propheten des Alten Bundes, Bd. 2, Hamburg 1842.

Neumann, W.: Jeremias von Anathoth. Die Weissagungen und Klagelieder des Propheten, 2 Bde., Leipzig 1856/58.

Graf, K. H.: Der Prophet Jeremia, Leipzig 1862.

Naegelsbach, C. W. E.: Der Prophet Jeremia und dessen Klagelieder: Theologisch-homiletisches Bibelwerk (THBW) 15, Bielefeld und Leipzig 1868; engl.: The Book of the Prophet Jeremiah, New York 1871.

Luzzatto, S. D.: Commentary on Jeremiah (hebr.), Lemberg 1870.

Keil, C. F.: Biblischer Commentar über den Propheten Jeremia und die Klagelieder: Biblischer Commentar III, 2, Leipzig 1872.

Scholz, A.: Commentar zum Buche des Propheten Jeremias, Würzburg 1880.

Schneedorfer, L. A.: Das Weissagungsbuch des Propheten Jeremias, Prag 1881.

Cheyne, T. K.: Jeremiah: Pulpit Commentary, 2 Bde., London 1883/85.

Orelli, C. von: Die Propheten Jesaja und Jeremia: Kurzgefaßter Kommentar zu den heiligen Schriften Alten und Neuen Testamentes sowie den Apokryphen (KK) 4, München 1887, ²1891, ³1905.

Knabenbauer, J.: Commentarius in Jeremiam Prophetam: Cursus Scripturae Sacrae (CSS) II, 2, Paris 1889.

Giesebrecht, F.: Das Buch Jeremia: Handkommentar zum Alten Testament (HKAT) III, 2, Göttingen 1894, ²1907.

1900–1945

Duhm, B.: Das Buch Jeremia: Kurzer Hand-Commentar zum Alten Testament (KHC) XI, Tübingen und Leipzig 1901.

Schneedorfer, L. A.: Das Buch Jeremias, des Propheten Klagelieder und das Buch Baruch: Kurzgefaßter wissenschaftl. Commentar zu den Heiligen Schriften des Alten Testaments III, 2, Wien 1903.

Cornill, C. H.: Das Buch Jeremia, Leipzig 1905.

Driver, S. R.: The Book of the Prophet Jeremiah, London 1906.

Peake, A. S.: Jeremiah and Lamentations: Century-Bible (CeB), London 1910.

Streane, A. W.: Jeremiah: Cambridge Bible, ²1913.

Schmidt, H.: Die großen Propheten: Die Schriften des Alten Testaments (SAT) II, 2, Göttingen 1915, ²1923.

Elliot-Binns, L.: The Book of the Prophet Jeremiah: The Westminster Commentaries (WC), London 1919.

Rothstein, J. W.: Jeremia: Die Heilige Schrift des Alten Testaments (Kautzsch) (HSAT), Tübingen ⁴1922.

Condamin, A.: Le livre de Jérémie: Etudes Bibliques A. T. 3, Paris 1920, ³1936.

Volz, P.: Der Prophet Jeremia: Kommentar zum Alten Testament (KAT) 10, Leipzig 1922, ²1928.

Smith, G. A.: Jeremiah: Baird Lecture, London 1922, ⁴1929.

Ricciotti, G.: Il libro di Geremia, Turin 1923.

Aalders, G. C.: De profeet Jeremia opnieuw uit den grondtext vertaald en verklaard: Korte verklaring der Heilige Schrift met nieuwe vertaling, 1923, 1925.

Ravesteyn, T. L. W. van: Jeremia: Tekst en Uitleg, I. 1925, II. 1927.

Nötscher, F.: Das Buch Jeremia: Die Heilige Schrift des Alten Testaments VII, 2 Bonn 1934.

Lauck, W.: Das Buch Jeremias: Herders Bibelkommentar (HBK) IX, 1, Freiburg i. Br. 1938.

1946–1989

Rudolph, W.: Jeremia: Handbuch zum Alten Testament (HAT) I, 12, Tübingen 1947, ³1968.

Freedman, H.: Jeremiah: The Soncino-Books of the Bible (Soncino-B)⁶, Bournemouth 1949.

Bewer, J. A.: The Book of Jeremiah: Harper's Annotated Bible[5-6], New York 1951.

Gelin, A.: Jérémie / Les Lamentations / Baruch: La Sainte Bible de Jérusalem, 1951, [2]1959.

Penna, A.: Geremia: La Sacra Bibbia (SB), Turin 1952,

Weiser, A.: Das Buch Jeremia: Das Alte Testament Deutsch (ATD) 20.21, Göttingen 1952/1955, [6]1969.

Vittonatto, G.: Il libro di Geremia: La Sacra Bibbia (SB), Torino 1955.

Hyatt, J. P.–Hopper, S. R.: The Book of Jeremiah: The Interpreter's Bible (IB) 5, New York 1956, 775–1142.

Wambacq, B. N.: Jeremias / Klaagliederen / Baruch / Brief van Jeremias: De Boeken van het Oude Testament (BOuT), Roermond en Maaseik 1957.

Aeschimann, A.: Le prophète Jérémie, Neuchâtel 1959.

Dhorme, E.: Jérémie: La Bible de la Pléiade. L'Ancien Testament 2, Paris 1959.

Cunliffe-Jones, H.: The Book of Jeremiah: Torch Bible Commentaries (Torch-B), London 1960.

Neher, A.: Jérémie, Paris 1960 (dtsch.: Jeremia, übersetzt von K. Rauch, 1961).

Lamparter, H.: Prophet wider Willen. Der Prophet Jeremia: Die Botschaft des Alten Testaments (BAT) 20, Stuttgart 1964.

Bright, J.: Jeremiah: The Anchor Bible (AB) 21, Garden City, New York 1965, [2]1978.

Habel, N. C.: Jeremiah, Lamentations: Concordia Commentary, Saint Louis and London 1968.

Green, J. L.: Jeremiah: The Broadman Bible Commentary 6, Nashville, Tennessee 1971, 1–202.

Selms, A. van: Jeremia I–III: De Prediking van het Oude Testament (POuT), Nijkerk 1972–1974; I, [2]1980; II, [2]1984; III, 1974.

Haag, E.: Das Buch Jeremia: Geistliche Schriftlesung 5/1.2, Düsseldorf 1973/77.

Harrison, R. K.: Jeremiah and Lamentations: Tyndale Old Testament Commentaries (TOTC), 1973.

Nicholson, E. W.: Jeremiah, Ch. 1–25; 26–52: The Cambridge Bible Commentary on the New English Bible (CNEB), Cambridge 1973/75.

Freehof, S. B.: The Book of Jeremiah: The Jewish Commentary for Bible Readers, New York 1977.

Schneider, D.: Der Prophet Jeremia: Wuppertaler Studienbibel, Wuppertal 1977.

Thompson, J. A.: The Book of Jeremiah: The New International Commentary on the Old Testament (NIC.OT) Grand Rapids/Mich. 1980.

Schreiner, J.: Jeremia 1–25,14; 25,15–52,34: Die Neue Echter-Bibel, Würzburg 1981/84.

Huey Jr., F. B.: Jeremiah: Bible Study Commentary, Grand Rapids/Mich. 1981.

Sekine, M.: Commentary on Jeremiah, vol. 1: Works 14, Tokyo [2]1981.

Feinberg, C. L.: Jeremiah. A Commentary, Grand Rapids/Mich. 1982.

Boadt, L.: Jeremiah 1–25: Old Testament Message 9, Wilmington/Delaware 1982.

Carroll, R.P.: Jeremiah. A Commentary: Old Testament Library (OTL), London 1986.
Herrmann, S.: Jeremia: Biblischer Kommentar Altes Testament (BK) XII/1, Neukirchen 1986 (weitere Lieferungen im Erscheinen).
Holladay, W.L.: Jeremiah 1 (Ch. 1–25): Hermeneia, Philadelphia 1986.
McKane, W.: Jeremiah, Vol. I Introduction and Commentary on Jeremiah I–XXV: The International Critical Commentary (ICC), Edinburgh 1986.
Martens, E. A.: Jeremia: Believers Church Bible Commentary, Ontario 1986.
Clements, R.E.: Jeremiah: Interpretation. A Bible Commentary for Teaching and Preaching, Atlanta/Georgia 1988.
Holladay, W.L.: Jeremiah 2 (Ch. 26–52): Hermeneia, Philadelphia 1989.

Rabbinische Kommentare

Abrabanel, Isaac ben Judah, Kommentar zu Jeremia, veröffentl. 1504; Peruš ʿal neviʾ im ʾaḥaronim, Jerusalem 1957.
R. Joseph ben Simeon Kara (11. Jh.), Kommentar zu Jeremia, hrsg. von Léon Schlosberg, Paris 1881.
David Qimhi, Kommentar zu den Propheten, veröffentl. 1482.
Raschi (R. Salomo ben Isaac): Die Kommentare von Raschi, Joseph Kara und David Qimhi sind enthalten in: Mikraʾ ot Gedolot (Rabbiner-Bibel), Lublin 1911.
Mosheh ben Shesheth, A Commentary upon the Books of Jeremiah and Ezeqiel, hrsg. von Samuel Rolles Driver, London–Edinburgh 1871.

Forschungsberichte

Ackroyd, P.R.: The Book of Jeremiah. Some Recent Studies, in: JSOT 28 (1984) 47–59.
Bose, S. W. du: The Book of Jeremiah in Recent Criticism, Diss. Duke University 1946.
Crenshaw, J.L.: A Living Tradition: The Book of Jeremiah in Current Research, in: Interpr. 37 (1983) 117–129.
Fohrer, G.: Neuere Literatur zur alttestamentlichen Prophetie, in: ThR 19 (1951) 305–308, 321–346.
–: 10 Jahre Literatur zur alttestamentlichen Prophetie (1951–1960), in: ThR 28 (1962) 250–261.
–: Neuere Literatur zur alttestamentlichen Prophetie (1961–1970), in: ThR 45 (1980) 109–121.
Galeotti, G.: An Annotated Bibliography On Jeremiah, in: SWJT 24/1 (1981) 76–86.
Herrmann, S.: Forschung am Jeremiabuch, in: ThLZ 102 (1977) 481–490.

Hobbs, T. R.: Some Remarks on the Composition and Structure of the Book of Jeremiah, in: CBQ XXXIV/3 (1972) 257–275.

Perdue, L. G.: Jeremiah in Modern Research: Perdue, L. G.-Kovacs, B. W. (Hrsg.), A Prophet to the Nations, Winona Lake /Ind. 1984, 1–32.

Robinson, T. H.: Neuere Propheten-Forschung, in: ThR NF 3 (1931) 75–103.

Rowley, H. H., (Hrsg.): The Old Testament and Modern Research, Oxford 1951, 151–153.

–: Men of God, London 1963, 133–168.

Scharbert, J.: Die prophetische Literatur. Der Stand der Forschung, in: EThL 44 (1968) 346–406.

Thiel, W.: Ein Vierteljahrhundert Jeremia-Forschung, in: VF 31 (1986) 32–52.

Vogt, E.: Jeremias-Literatur, in: Biblica 35 (1954) 357–365.

Sammelwerke von Einzelstudien

Bogaert, P.-M. (Hrsg.): Le Livre de Jérémie. Le prophète et son milieu. Les oracles et leur transmission, in: BEThL 54 (1981).

Perdue, L. G.–B. W. Kovacs (Hrsg.): A Prophet to the Nations. Essays in Jeremiah Studies, Winona Lake/Ind. 1984.

Aufsätze zu Jeremia sind in Zeitschriften gesammelt: RExp 78 (1981) Nr. 3; SWJT 24 (1981) Nr. 1; OTWSA. P 24 (1981) 55–83; 93–119; Interpr 37 (1983) Nr. 2.

Der Prophet Jeremia und seine Zeit

Zur Zeitgeschichte vgl. auch die Werke zur „Geschichte Israels" und die Einleitungen der Kommentare zum Jeremiabuch.

Bentzen, A.: Die josianische Reform und ihre Voraussetzungen, Kopenhagen 1926.

Biran, A.: Zum Problem der Identität von Anathoth, in: ErIs 18 (1985) 209–214 (hebr.).

Cazelles, H.: La vie de Jérémie dans son contexte national et international, in: BEThL 54 (1981) 21–39.

–: La production de livre de Jérémie dans l'histoire ancienne d'Israël, in: Masses Ouvrières 343 (1978) 9–31.

–: Jérémie et le Deutéronome, in: RSR 38 (1951) 5–36; engl.: L. G. Perdue–B. W. Kovacs (Hrsg.), A Prophet to the Nations, Winona Lake/Ind. 1984, 89–111.

–: Sophonie, Jérémie et les Scythes en Palestine, in: RB 74 (1967) 24–44.

Erbt, W.: Jeremia und seine Zeit. Die Geschichte der letzten fünfzig Jahre des vorexilischen Juda, Göttingen 1902.

Gordon, T. C.: A New Date for Jeremiah, in: ET 44 (1932–33) 562–565.

Greßmann, H.: Josia und das Deuteronomium. Ein kritisches Referat, in: ZAW NF 1 (42) (1924) 313–337.

Hyatt, J. P.: The Peril from the North in Jeremiah, in: JBL 59 (1940) 499–513.

Hyatt, J. P.: The Beginning of Jeremiah's Prophecy, in: ZAW 78 (1966) 204–214; Neudr.: L. G. Perdue–B. W. Kovacs (Hrsg.), A Prophet to the Nations, Winona Lake/Ind. 1984, 63–72.

Holladay, W.L.: A Coherent Chronology of Jeremiah's Early Career, in: BEThL 54 (1981) 58–73.

Jepsen, A.: Die Reform des Josia: Erlanger Forschungen Bd. 10 (Festschrift F. Baumgärtel), (1959) 97–108.

Koch, K.: Die Profeten II. Babylonisch-persische Zeit, Urban-Taschenbücher 281, Stuttgart 1980, 21–86.

Malamat, A.: The Last Kings of Judah and the Fall of Jerusalem, in: IEJ 18 (1968) 137–156.

–: Josiah's Bid for Armageddon, in: JANES V (1973) 267–278.

–: The Twilight of Judah: In the Egyptian-Babylonian Maelstrom, in: VTS 28 (1975) 123–145.

–: The Last Years of the Kingdom of Judah, in: WHJP 4/1 (1979) 205–221.

Rost, L.: Jeremias Stellungnahme zur Außenpolitik der Könige Josia und Jojakim, in: ChuW 5 (1929) 69–78.

–: Zur Vorgeschichte der Kultusreform des Josia, in: VT 19 (1969) 113–120.

Scharbert, J.: Jeremia und die Reform des Joschija, in: BEThL 54 (1981) 40–57.

Vaggione, R. P.: Over all Asia? The Extent of the Scythian Domination in Herodotus, in: JBL 92 (1973) 523–530.

Vogt, E.: Die neubabylonische Chronik über die Schlacht bei Karkemisch und die Einnahme von Jerusalem, in: VTS IV (1957) 67–96.

Whitley, C. F.: The Date of Jeremiah's Call, in: VT 14 (1964) 467–483; Neudr.: L. G. Perdue–B. W. Kovacs (Hrsg.), A Prophet to the Nations, Winona Lake/Ind. 1984, 73–87.

–: Carchemish and Jeremiah, in: ZAW 80 (1968) 38–49; Neudr.: L. G. Perdue– B. W. Kovacs, A Prophet to the Nations, Winona Lake/Ind. 1984, 163–173.

Wilke, F.: Das Skythenproblem im Jeremiabuch: Alttest. Studien f. R. Kittel, in: BWAT 13 (1913) 222–254.

Wiseman, D.J.: Chronicles of Chaldaean Kings (626–556 B.C.) in the British Museum, London 1956.

Die kritische Analyse des Jeremiabuches

1910–1945

Bardtke, H.: Jeremia der Fremdvölkerprophet, in: ZAW NF 12 (53) (1935) 209–239; NF 13 (54) (1936) 240–262.

Baumgartner, W.: Die Klagegedichte des Jeremia, in: BZAW 32 (1917).

Bentzen, A.: Helgen eller Højeforraeder? Jeremias og hans Folk, Kopenhagen 1943.

Calkins, R.: Jeremiah the Prophet, a Study in Personal Religion, New York 1930.

Caspari, W.: Jeremja als Redner und als Selbstbeobachter, in: NKZ 26 (1915) 777–788, 842–863.

Duhm, B.: Israels Propheten, Tübingen 1916, 242–284.

Ehrlich, A.B.: Randglossen zur Hebräischen Bibel IV, Leipzig 1912.

Erbt, W.: Jeremia und seine Zeit, Göttingen 1902.

Gordon, T.C.: The Rebel Prophet. Studies in the Personality of Jeremiah, London 1931.

Greßmann, H.: Neue Hilfsmittel zum Verständnis Jeremias, in: ZAW NF 2 (43) (1925) 138–147.

Groß, K.: Die literarische Verwandtschaft Jeremias mit Hosea, Diss. Berlin 1930.

–: Hoseas Einfluß auf Jeremias Anschauungen, in: NKZ 42 (1931) 241–256, 327–343.

Haller, M.: Jeremia und Jeremiabuch: RGG III, Tübingen ¹1912, 297–307.

Herntrich, V.: Jeremia, der Prophet und sein Volk, Gütersloh 1938.

Hertzberg, H.W.: Prophet und Gott, Gütersloh 1923.

Hoepers, M.: Der neue Bund bei den Propheten. Ein Beitrag zur Ideengeschichte der messianischen Erwartung, in: FThSt 39 (1933).

Horst, F.: Die Anfänge des Propheten Jeremia, in: ZAW 41 (1923) 94–153.

Hyatt, J.P.: Torah in the Book of Jeremiah, in: JBL 60 (1941) 381–396.

–: Jeremiah and Deuteronomy, in: JNES 1 (1942) 156–173; Neudr.: L.G. Perdue–B.W. Kovacs (Hrsg.), A Prophet to the Nations, Winona Lake/Ind. 1984, 113–127.

Jacoby, G.: Zur Komposition des Buches Jeremia, in: ThStKr 79 (1906) 1–30.

Kittel, R.: Gestalten und Gedanken in Israel (1925) 355–388.

Lods, A.: Les prophètes d'Israël et les débuts du Judaisme, Paris 1935, 139–194.

Lofthouse, W.F.: Jeremiah and the New Covenant, London 1925.

May, H.G.: Towards an Objective Approach to the Book of Jeremiah: The Biographer, in: JBL 61 (1942) 139–155.

–: Jeremiah's Biographer, in: JBR 10 (1942) 195–201.

–: The Chronology of Jeremiah's Oracles, in: JNES 4 (1945) 217–227.

Mowinckel, S.: Zur Komposition des Buches Jeremia, Kristiania 1914.

–: Motiver og Stilformer i profeten Jeremias diktning: Edda (1926) 233–320.

Ortmann, H.: Der Alte und der Neue Bund bei Jeremia, Diss. Berlin 1940.

Podechard, E.: Le livre de Jérémie: structure et formation, in: RB 37 (1928) 181–197.

Puukko, A.F.: Jeremias Stellung zum Deuteronomium, in: Alttestamentliche Studien (Festschrift R. Kittel), Leipzig 1913, 126–153.

Rad, G. von: Die Konfessionen Jeremias, in: EvTh 3 (1936) 265–276; Neudr.: Ges. Studien II, in: TB 48 (1973) 224–235.

Robinson, T.H.: Baruch's Roll, in: ZAW NF 1 (42) (1924) 209–221.

Skinner, J.: Prophecy and Religion, Cambridge 1932.

Volz, P.: Der Prophet Jeremia, Tübingen ³1930.

–: Die Prophetengestalten des Alten Testaments, 1938, 219–263.

–: Jeremia und Jeremiabuch, in: RGG III, Tübingen ²1929, 72–80.

Welch, A. C.: Jeremiah, his Time and his Work, London 1928 / Oxford 1951.

Wildberger, H.: Jahwewort und prophetische Rede bei Jeremia, Diss. Zürich 1942.

1946–1970

Augustin, F.: Baruch und das Buch Jeremia, in: ZAW 67 (1955) 50–56.

Baumann, A.: Urrolle und Fastentag. Zur Rekonstruktion der Urrolle des Jeremiabuches nach den Angaben in Jeremia 36, in: ZAW 80 (1968) 350–373.

Baumgärtel, F.: Zu den Gottesnamen in den Büchern Jeremia und Ezechiel: Verbannung und Heimkehr, Festschrift W. Rudolph, Tübingen 1961, 1–29.

–: Die Formel n$^{e^,}$um jahwe, in: ZAW 73 (1961) 277–290.

Berridge, J. M.: Prophet, People and the Word of Yahweh. An Examination of Form and Content in the Proclamation of the Prophet Jeremiah, in: BST 4, Zürich 1970.

Birmingham, G. A.: God's Iron, a Life of the Prophet Jeremiah, New York ^{2}1956.

Bratsiotis, N. P.: Εἰσαγωγὴ εἰς τοὺς μονολόγους τοῦ Ἰερεμίου, Diss. Athen 1959.

Bright, J.: The Date of the Prose Sermons of Jeremiah, in: JBL 70 (1951) 15–35; Neudr.: L. G. Perdue–B. W. Kovacs (Hrsg.), A Prophet to the Nations, Winona Lake/Ind. 1984, 193–212.

–: The Book of Jeremiah. Its Structure, its Problems, and their Significance for the Interpreter, in: Interpr 9 (1955) 257–278.

–: The Prophetic Reminiscence, its Place and Function in the Book of Jeremiah, in: OuTWP (1966) 11–30.

Bruno, A.: Jeremias, eine rhythmische Untersuchung, Stockholm 1954.

Buis, P.: La nouvelle alliance, in: VT 18 (1968) 1–15.

Cazelles, H.: Jérémie et le Deutéronome, in: RSR 38 (1951) 5–36.

Gelin, A.: Jérémie, Paris 1951.

Granild, S.: Jeremia und das Deuteronomium, in: StTh 16 (1962) 135–154.

Groß, H.: Gab es in Israel ein „prophetisches Amt", in: TThZ 73 (1964) 336–349.

Gunneweg, A. H. J.: Ordinationsformular oder Berufungsbericht in Jeremia 1: Glaube, Geist, Geschichte (Festschrift E. Benz), Leiden 1967, 91–98.

Herrmann, S.: Die prophetischen Heilserwartungen im Alten Testament. Ursprung und Gestaltwandel, in: BWANT 85 (1965) 159–241.

Hertzberg, H.-W.: Jeremia und das Nordreich Israel, in: ThLZ 77 (1952) 595–602.

Holladay, W. L.: Prototype and Copies, in: JBL 79 (1960) 351–367.

–: The Background of Jeremiah's Self-Understanding, Moses, Samuel and Psalm 22, in: JBL 83 (1964) 153–164; Neudr.: L. G. Perdue–B. W. Kovacs (Hrsg.), A Prophet to the Nations, Winona Lake/Ind. 1984, 313–324.

–: Jeremiah and Moses. Further Observations, in: JBL 85 (1966) 17–27.

Hyatt, J. P.: The Deuteronomic Edition of Jeremiah, in: Vanderbilt Studies in the

Humanities I (1951) 71–95; Neudr.: L. G. Perdue–B. W. Kovacs (Hrsg.), A Prophet to the Nations, Winona Lake/Ind. 1984, 247–267.

–: The Beginning of Jeremiah's Prophecy, in: ZAW 78 (1966) 204–214; Neudr.: L. G. Perdue–B. W. Kovacs (Hrsg.), A Prophet to the Nations, Winona Lake/ Ind. 1984, 63–72.

Kraus, H.-J.: Prophetie in der Krisis. Studien zu Texten aus dem Buch Jeremia, in: BSt 43 (1964).

Kremers, H.: Leidensgemeinschaft mit Gott im Alten Testament. Eine Untersuchung der „biographischen" Berichte im Jeremiabuch, in: EvTh 13 (1953) 122–140.

Leclercq, J.: Les «confessions» de Jérémie: Études sur les prophètes d'Israël, Paris 1954, 111–145.

Leslie, E. A.: Jeremiah. Chronologically arranged, translated and interpreted, New York–Nashville 1954.

Ludwig, T. M.: The Shape of Hope: Jeremiah's Book of Consolation, in: CTM XXXIX (1968) 526–541.

Malamat, A.: Jeremia Kap. 1. Zur Problematik prophetischer Berufungen und Visionen, Jerusalem 1963 (hebr.).

Martin-Achard, R.: La nouvelle alliance, selon Jérémie, in: RThPh 3. Sér. 12 (1962) 31–92.

Miller, J. W.: Das Verhältnis Jeremias und Hesekiels sprachlich und theologisch untersucht, Assen–Neukirchen 1955.

Mowinckel, S.: Prophecy and Tradition. The Prophetic Books in the Light of the Study of the Growth and History of the Tradition, Oslo 1946.

Muilenburg, J.: Baruch the Scribe: Proclamation and Presence (Essays in Honor of G. H. Davies), Richmond 1970, 215–238; Neudr.: L. G. Perdue– B. W. Kovacs (Hrsg.), A Prophet to the Nations, Winona Lake/Ind. 1984, 229–245.

Nicholson, E. W.: Preaching to the Exiles. A Study of the Prose Tradition in the Book of Jeremiah, Oxford 1970.

Oßwald, E.: Falsche Prophetie im Alten Testament, in: SgV 237, Tübingen 1962.

Overholt, T. W.: Jeremiah 27–29: The Question of False Prophecy, in: JAAR 35 (1967) 241–249.

–: King Nebuchadnezzar in the Jeremiah Tradition, in: CBQ 30 (1968) 39–48.

–: The Threat of Falsehood. A Study in the Theology of the Book of Jeremiah, in: SBT II, 16, London 1970.

Perlitt, L.: Bundestheologie im Alten Testament, in: WMANT 36 (1969).

Quell, G.: Wahre und falsche Propheten, Gütersloh 1952.

Rendtorff, R.: Zum Gebrauch der Formel ne°um jahwe im Jeremiabuch, in: ZAW 66 (1954) 27–37; Neudr.: Ders., Gesammelte Studien zum Alten Testament, in: TB 57 (1975) 256–266.

Rietzschel, C.: Das Problem der Urrolle. Ein Beitrag zur Redaktionsgeschichte des Jeremiabuches, Gütersloh 1966.

Reventlow, H. Graf: Liturgie und prophetisches Ich bei Jeremia, Gütersloh 1963.

212   Literatur

Reventlow, H. Graf: Aufbau und Überlieferung in der ›Tempelrede Jeremias‹, Jer 7 und 26, in: ZAW 81 (1969) 315–352.

Rohland, E.: Die Bedeutung der Erwählungstraditionen Israels für die Eschatologie der alttestamentlichen Propheten, Diss. Heidelberg 1956.

Rost, L.: Zur Problematik der Jeremia-Biographie Baruchs: Viva vox evangelii (Festschrift Meiser), München 1951, 241–245.

Rowley, H. H.: The Prophet Jeremiah and the Book of Deuteronomy: Studies in Old Testament Prophecy (Festschrift Robinson), Edinburgh 1950 (²1957), 157–174.

–: The Early Prophecies of Jeremiah in their Setting, in: BJRL 45 (1962/63) 198–234; Neudr.: Ders., Men of God, London–Edinburgh 1963, 133–168.

Rowton, M. B.: Jeremia and the Death of Josiah, in: JNES 10 (1951) 128–130.

Saydon, P. P.: Il libro de Geremia. Struttura e composizione, in: RivBib 5 (1957) 141–162.

Scharbert, J.: Die Propheten Israels um 600 v. Chr., Köln 1967.

Schreiner, J.: Aus der Verkündigung des Propheten Jeremias, in: BiLe 7 (1966) 15–28, 98–111, 180–192, 242–255; WB 20 (1967).

–: „Prophet für die Völker" in der Sicht des Jeremiabuches: Ortskirche – Weltkirche (Festschrift J. Kardinal Döpfner), Würzburg 1973, 15–29.

Seierstad, I. P.: Die Offenbarungserlebnisse der Propheten Amos, Jesaja und Jeremia, Oslo ²1965.

Sekine, M.: Davidsbund und Sinaibund bei Jeremia, in: VT 9 (1959) 47–57.

Stoebe, H.-J.: Seelsorge und Mitleiden bei Jeremia, in: WuD NF 4 (1955) 116–134.

–: Jeremia, Prophet und Seelsorger, in: ThZ 20 (1964) 388–409.

Tannert, W.: Jeremia und Deuterojesaja, Diss. Leipzig 1956.

–: Zum Begriff „thora" bei Jeremia und Deuterojesaja: Bekenntnis zur Kirche (Festgabe E. Sommerlath), Berlin 1960, 25–32.

Thomson, J. G. S. S.: The Word of the Lord in Jeremiah, London 1959.

Vogt, E.: 70 anni exsilii, in: Bib 38 (1957) 236.

Wanke, G.: Untersuchungen zur sogenannten Baruchschrift, in: BZAW 122 (1971).

Weiser, A.: Das Gotteswort für Baruch Jer 45 und die sogenannte Baruchbiographie: Glaube und Geschichte im Alten Testament und andere ausgewählte Schriften, Göttingen 1961, 321–329.

Westermann, C.: Jeremia, Stuttgart 1967.

Whitley, C. F.: The Term Seventy Years Captivity, in: VT 4 (1954) 60–72.

–: The Term Seventy Years – a Rejoinder, in: VT 7 (1957) 416–418.

–: The Date of Jeremiah's Call, in: VT 14 (1964) 467–483; Neudr.: L. G. Perdue – B. W. Kovacs (Hrsg.), A Prophet to the Nations, Winona Lake/Ind. 1984, 73–87.

–: Carchemish and Jeremiah, in: ZAW 80 (1968) 35–49; Neudr.: L. G. Perdue – B. W. Kovacs (Hrsg.), A Prophet to the Nations, Winona Lake/Ind. 1984, 163–173.

Wood, F. M.: A Chronological Reconstruction of the Life and Prophecies of Jeremiah, Diss. Southern Baptist Seminary, Louisville 1948.

1971–1980

Böhmer, S.: Heimkehr und neuer Bund. Studien zu Jeremia 30–31, in: GTA 5 (1976).

Brekelmans, C.: Some Considerations on the Prose Sermons in the Book of Jeremiah, in: Bijdr 34 (1973) 204–211.

Castellino, G. R.: Observations on the Literary Structure of some Passages in Jeremiah, in: VT 30 (1980) 398–408.

Cazelles, H.: La production du livre de Jérémie dans l'histoire ancienne, in: Masses Ouvrières 343 (1978) 9–31.

Childs, B. S.: Introduction to the Old Testament as Scripture, Philadelphia 1979, 339–354.

Diepold, P.: Israels Land, in: BWANT 95 (1972).

Eichler, U.: Der klagende Jeremia. Eine Untersuchung zu den Klagen Jeremias und ihrer Bedeutung zum Verstehen seines Leidens, Diss. Heidelberg 1978.

Fohrer, G.: Die Propheten des 7. Jahrhunderts: Die Propheten des Alten Testaments 2, Gütersloh 1974.

Gunneweg, A. H. J.: Heil im Gericht. Zur Interpretation von Jeremias später Verkündigung: Traditio – Krisis – Renovatio aus theologischer Sicht (Festschrift W. Zeller), Marburg 1976, 1–9.

Herrmann, S.: Die Bewältigung der Krise Israels. Bemerkungen zur Interpretation des Buches Jeremia: Beiträge zur alttestamentlichen Theologie (Festschrift W. Zimmerli), Göttingen 1977, 164–178; engl.: L. G. Perdue – B. W. Kovacs (Hrsg.), A Prophet to the Nations, Winona Lake/Ind. 1984, 299–311.

Hobbs, T. R.: Some Remarks on the Composition and Structure of the Book of Jeremiah, in: CBQ 34 (1972) 257–275.

Holladay, W. L.: Jeremiah: Spokesman out of Time, Philadelphia/Penn. 1974.

–: A Fresh Look at "Source B" and "Source C" in Jeremiah, in: VT 25 (1975) 394–412.

–: The Architecture of Jeremiah 1–20, Lewisburg–London 1976.

Hossfeld, F. L. – I. Meyer: Prophet gegen Prophet. Eine Analyse der alttestamentlichen Texte zum Thema: Wahre und falsche Propheten, in: BiBe 9 (1973).

–: Der Prophet vor dem Tribunal. Neuer Auslegungsversuch von Jeremia 26, in: ZAW 86 (1974) 30–50.

Hubmann, F. D.: Untersuchungen zu den Konfessionen Jer 11,18–12,6 und Jer 15,10–21, in: FzB 30 (1978).

Jong, C. de: De volken bij Jeremia. Hun plaats in zijn prediking en het boek Jeremia, Diss. Kampen 1978.

Langdon, R. W.: The Ebed Yahweh and Jeremiah, Diss. Southern Baptist Seminary, Louisville 1980.

Lörcher, H.: Das Verhältnis der Prosareden zu den Erzählungen im Jeremiabuch, Diss. Tübingen 1974.

Lombardi, L.: Geremia, Baruc. Nuovissima versione 25, Rom 1979.

Lundbom, J. R.: Jeremiah: A Study in Ancient Hebrew Rhetoric, in: Dissertation Series 18, Missoula/Mont. 1975.

Martin-Achard, R.: Quelques remarques sur la nouvelle alliance chez Jérémie
  (Jer 31, 31–34), in: BEThL 33 (1974) 141–164.

Meyer, I.: Jeremia und die falschen Propheten, in: OBO 13 (1977).

Münderlein, G.: Kriterien wahrer und falscher Prophetie. Entstehung und
  Bedeutung im Alten Testament, in: EHS. T 33 (1974, ²1979).

Neumann, P. K. D.: Das Wort, das geschehen ist ... Zum Problem der Wortemp-
  fangsterminologie in Jer I–XXV, in: VT 23 (1973) 171–217.

–: Hört das Wort Jahwähs. Ein Beitrag zur Komposition alttestamentlicher
  Schriften, in: Schriften der Stiftung Europa-Kolleg 30, Hamburg 1975.

Overholt, T. W.: Remarks on the Continuity of the Jeremiah Tradition, in: JBL
  91 (1972) 457–462.

Pohlmann, K.-F.: Studien zum Jeremiabuch. Ein Beitrag zur Frage nach der Entstehung des Jeremiabuches, in: FRLANT 118 (1978).

Raitt, T. M.: A Theology of Exile. Judgment/Deliverance in Jeremiah and Ezekiel, Philadelphia 1977.

Seeligmann, I. L.: Die Auffassung von der Prophetie in der deuteronomistischen
  und chronistischen Geschichtsschreibung (mit einem Exkurs über das Buch
  Jeremia), in: VTS 29 (1978) 254–284.

Seidl, T.: Texte und Einheiten in Jeremia 27–29. Literaturwiss. Studie 1. Teil, ATS
  2, St. Ottilien 1977.

–: Formen und Formeln in Jeremia 27–29. Literaturwiss. Studie 2. Teil, ATS 5,
  St. Ottilien 1978.

–: Die Wortereignisformel in Jeremia. Beobachtungen zu den Formen der
  Redeeröffnung in Jeremia, im Anschluß an Jer 27, 1. 2, in: BZ N. F. 23 (1979)
  20–47.

Selms, A. van: Telescoped Discussion as a Literary Device in Jeremiah, in: VT 26
  (1976) 99–112.

Swetnam, J.: Why was Jeremiah's new covenant new?: Studies on Prophecy, in:
  VT. S 26 (1974) 111–115.

Thiel, W.: Die deuteronomistische Redaktion von Jeremia 1–25, in: WMANT 41
  (1973).

Tov, E.: L'incidence de la critique textuelle sur la critique littéraire dans le livre de
  Jérémie, in: RB 79 (1972) 189–199.

Wanke, G.: Untersuchungen zur sogenannten Baruchschrift, in: BZAW 122
  (1971).

Weippert, H.: Die Prosareden des Jeremiabuches, in: BZAW 132 (1973).

–: Das Wort vom Neuen Bund in Jer XXXI 31–34, in: VT 29 (1979) 336–351.

Welten, P.: Leiden und Leidenserfahrung im Buch Jeremia, in: ZThK 74 (1977)
  123–150.

Wolff, C.: Jeremia im Frühjudentum und Urchristentum, in: TU 118 (1976).

Ahuis, F.: Der klagende Gerichtsprophet, in: CThM A12 (1982).

Albertz, R.: Jer 2–6 und die Frühzeitverkündigung Jeremias, in: ZAW 94 (1982) 20–47.

Balentine, S. E.: Jeremiah, Prophet of Prayer, in: RExp 78,3 (1981) 331–344.

Berquist, J. L.: Prophetic Legitimation in Jeremiah, in: VT 39 (1989) 129–139.

Blanchet, R.–Bouvin, B. u. a.: Jérémie, Un prophète en temps de crise, Genf 1985.

Bogaert, P.-M. (Hrsg.): Le Livre de Jérémie. Le prophète et son milieu, les oracles et leur transmission, in: BEThL 54 (1981).

Briend, J.: Le livre de Jérémie: Cahiers Evangile 40, Paris 1982.

Brunet, G.: Jérémie et les qīnōt de son adversaire, in: BEThL 54 (1981) 74–79.

Carroll, R. P.: From Chaos to Covenant. Use of Prophecy in the Book of Jeremiah, London 1981.

–: Jeremiah. Old Testament Guides (1989).

Cazelles, H.: La vie de Jérémie dans son contexte national et international, in: BEThL 54 (1981) 21–39.

Clements, R. E.: Jeremiah, Prophet of Hope, in: RExp 78,3 (1981) 345–364.

Deißler, A.: Das „Echo" der Hosea-Verkündigung im Jeremiabuch: Künder des Wortes (Festschrift J. Schreiner), Würzburg 1982, 61–75.

Diamond, A. R.: The Confessions of Jeremiah in Context. Scenes of Prophetic Drama, in: JSOT Suppl. Ser. 45 (1987).

Eldrigde, V. J.: Jeremiah, Prophet of Judgment, in: RExp 78,3 (1981) 319–330.

Fohrer, G.: Abgewiesene Klage und untersagte Fürbitte in Jer 14,2–15,2: Künder des Wortes (Festschrift J. Schreiner), Würzburg 1982, 77–86.

Freedman, D. N.: Yahweh of Samaria and his Ashera, in: BA 50 (1987) 241–249.

Geyer, J. B.: Mythology and Culture in the Oracles against the Nations, in: VT 36 (1986) 129–145.

Gilbert, M.: Jérémie en conflit avec les sages?, in: BEThL 54 (1981) 105–118.

Görg, M.: Jeremia zwischen Ost und West (Jer 38,1–6). Zur Krisensituation in Jerusalem am Vorabend des Babylonischen Exils: Künder des Wortes (Festschrift J. Schreiner), Würzburg 1982, 121–136.

Goldingay, J.: God's Prophet, God's Servant. A Study in Jeremiah and Isaiah 40–55, Exeter 1984.

Gosse, B.: La malédiction contre Babylone de Jérémie 51,59–64 et les rédactions du livre de Jérémie, in: ZAW 98 (1986) 383–399.

Gramlich, M. L.: Intercessory prayer in Jeremiah, in: Sp Life 27 (1981) 219–226.

Grossberg, D.: Pivotal polysemy in Jeremiah xxv 10–11 a, in: VT 36 (1986) 481–485.

Hardmeier, Chr.: Prophetie im Streit vor dem Untergang Judas. Erzählkommunikative Studien zur Entstehungssituation der Jesaja- und Jeremiaerzählungen in II Reg 18–20 und Jer 37–40, in: BZAW 187 (1990).

Herrmann, S.: Jeremia – der Prophet und die Verfasser des Buches Jeremia, in: BEThL 54 (1981) 197–214.

Höffken, P.: Untersuchungen zu den Begründungselementen der Völkerorakel des Alten Testaments, Diss. Bonn 1977.

Hoffman, Y.: Das Buch Jeremia, in: Enzyklopädie ʿOlam Hattanach 11 (1983) (hebr.).

Holladay, W. L.: A coherent Chronology of Jeremiah's early Career, in: BEThL 54 (1981) 58–73.

Holt, E. K.: Jeremiah's Temple Sermon and the Deuteronomists: An Investigation of the Redactional Relationship Between Jeremiah 7 and 26, in: JSOT 36 (1986) 73–87.

–: The Chicken and the Egg – Or: Was Jeremiah a Member of the Deuteronomist Party?, in: JSOT 44 (1989) 109–122.

Honeycutt, R. L.: Jeremiah, the Prophet and the Book, in: RExp 78, 3 (1981) 303–318.

Hubmann, F. D.: Textgraphik und Textkritik am Beispiel von Jer 17, 1–2, in: Bibl. Notizen 14 (1981) 30–36.

Ittmann, N.: Die Konfessionen Jeremias. Ihre Bedeutung für die Verkündigung des Propheten, in: WMANT 54 (1981).

Lamparter, H.: Prophet wider Willen: Der Prophet Jeremia, in: BAT 20 (³1982).

Levin, C.: Noch einmal: Die Anfänge des Propheten Jeremia, in: VT 31 (1981) 428–440.

–: Die Verheißung des neuen Bundes in ihrem theologiegeschichtlichen Zusammenhang ausgelegt, in: FRLANT 137 (1985).

Liwak, R.: Der Prophet und die Geschichte. Eine literar-historische Untersuchung zum Jeremiabuch, in: BWANT 121 (1987).

Lohfink, N.: Die Gotteswortverschachtelung in Jer 30–31: Künder des Wortes (Festschrift J. Schreiner), Würzburg 1982, 105–119.

Lundbom, J. R.: Baruch, Seraiah, and Expanded Colophons in the Book of Jeremiah, in: JSOT 36 (1986) 89–114.

Mello, A.: Geremia, Torino 1981.

Migsch, H.: Gottes Wort über das Ende Jerusalems. Eine literar-, stil- und gattungskritische Untersuchung des Berichts Jeremia 34,1–7; 32,2–5; 37,3–38,28, in: Österr. Bibl. Studien 2 (1981).

Moore, M. S.: Jeremiah's Progressive Paradox, in: RB 93 (1986) 386–414.

Neef, H.-D.: Gottes Treue und Israels Untreue. Aufbau und Einheit von Jeremia 2,2–13, in: ZAW 99 (1987) 37–58.

O'Connor, K. M.: The Confessions of Jeremiah: Their Interpretation and Role in Chapters 1–25, in: SBL Dissertation Ser. 94 (1988).

Odashima, T.: Untersuchungen zu den vordeuteronomistischen Bearbeitungen der Heilsworte im Jeremiabuch. Ein Beitrag zum Verständnis der Entstehungsgeschichte des Prophetenbuches, Diss. Bochum 1985.

–: Heilsworte im Jeremiabuch. Untersuchungen zu ihrer vordeuteronomistischen Bearbeitung in: BWANT 125 (1989).

Pohlmann, K.-F.: Die Ferne Gottes – Studien zum Jeremiabuch. Beiträge zu den ›Konfessionen‹ im Jeremiabuch und ein Versuch zur Frage nach den Anfängen der Jeremiatradition, in: BZAW 179 (1989).

Polk, T.: The Prophetic Persona. Jeremiah and the Language of the Self, in: JSOT.S 32 (1984).

Rofé, A.: The Prophetical Stories. The Narratives about the Prophets in the Hebrew Bible. Their Literary Types and History (1988).

Scharbert, J.: Jeremia und die Reform des Joschija, in: BEThL 54 (1981) 40–57.

Schökel, L. A.: Jeremias como anti-Moisés Dt 18,15: De la Torah, Festschrift H. Cazelles I, Paris 1981, 245–254.

–: «Tú eres la esperanza de Israel» (Jer 17,5–13): Künder des Wortes (Festschrift J. Schreiner), Würzburg 1982, 95–104.

Schreiner, J.: Tempeltheologie im Streit der Propheten. Zu Jer 27 und 28, in: BZ NF 31 (1987) 1–14.

Schröter, U.: Jeremias Botschaft für das Nordreich, zu N. Lohfinks Überlegungen zum Grundbestand von Jeremia XXX–XXXI, in: VT 35 (1985) 312–329.

Schulte, H.: Baruch und Ebedmelech – Persönliche Heilsorakel im Jeremiabuche, in: BZ NF 32 (1988) 257–265.

Seitz, Chr. R.: Theology in Conflict. Reactions to the Exile in the Book of Jeremiah, in: BZAW 176 (1989).

–: The Prophet Moses and the Canonical Shape of Jeremiah, in: ZAW 101 (1989) 3–27.

Seybold, K.: Der „Löwe" von Jeremia 12,8. Bemerkungen zu einem prophetischen Gedicht, in: VT 36 (1986) 93–104.

Sternberger, J.-P.: Les Confessions de Jérémie, recherches et hypothèses en vue d'une histoire de la rédaction, Montpellier 1983.

–: Un oracle royale à la source d'un ajout rédactionnel aux «confessions» de Jérémie: hypothèses se rapportant aux «confessions» de Jérémie XII et XV, in: VT 36 (1986) 462–473.

Tångberg, K. A.: Die prophetische Mahnrede. Form- und traditionsgeschichtliche Studien zum prophetischen Umkehrruf, in: FRLANT 143 (1987).

Taylor, M. A.: Jeremiah 45: The Problem of Placement, in: JSOT 37 (1987) 79–98.

Thiel, W.: Die deuteronomistische Redaktion von Jeremia 26–45, in: WMANT 52 (1981).

–: Verfehlte Geschichte im Alten Testament, in: ThB 17 (1986) 248–266.

Tov, E.: The Literary History of the Book of Jeremiah in the Light of Its Textual History, in: J. H. Tigay (ed.), Empirical Models for Biblical Criticism (1985) 211–237.

Unterman, J.: From Repentance to Redemption. Jeremiah's Thought in Transition, in: JSOT Suppl. Ser. 54 (1987).

Vermeylen, J.: Essai de Redaktionsgeschichte des ›Confessions de Jérémie‹, in: BEThL 54 (1981) 239–270.

Vieweger, D.: Die Spezifik der Berufungsberichte Jeremias und Ezechiels im Umfeld ähnlicher Einheiten des Alten Testaments, in: Beitr. z. Erforschung des Alten Testaments und des antiken Judentums 6 (1986).

–: Die Arbeit des jeremianischen Schülerkreises am Jeremiabuch und deren

Rezeption in der literarischen Überlieferung der Prophetenschrift Ezechiels, in: BZ NF 32 (1988) 15–34.

Weippert, H.: Schöpfer des Himmels und der Erde. Ein Beitrag zur Theologie des Jeremiabuches, in: SBS 102 (1981).

Whitney, G.E.: Alternative Interpretations of lō' in Exodus 6:3 and Jeremiah 7:22, in: WThJ 48 (1986) 151–159.

Wisser, L.: Jérémie, critique de la vie sociale. Justice sociale et connaissance de Dieu dans le livre de Jérémie, Genf 1982.

Zimmerli, W.: Visionary experience in Jeremiah: Israel's Prophetic Tradition (Festschrift P.R. Ackroyd), Cambridge 1982, 95–118.

Die Überlieferung des Jeremiatextes

Zum hebräischen Text

Arichea, D.C.: Jeremiah and the United Bible Societies Hebrew OT Text Project, in: BTrans 33 (1982) 101–106.

Cross, F.M.: The Ancient Library of Qumran and Modern Biblical Studies, New York ²1962, 120–145.

Cross, F.M.–Talmon, S. (Hrsg.): Qumran and the History of the Biblical Text, Cambridge/Mass. – London 1975.

Driver, G.R.: Linguistic and Textual Problems: Jeremiah, in: JQR 28 (1937/38) 97–129.

Ehrlich, A.B.: Randglossen zur hebräischen Bibel IV, Leipzig 1912.

Hulst, A.R.: Old Testament Translation Problems, Leiden 1960, 159–186.

Rudolph, W.: Zum Text des Jeremia, in: ZAW 48 (1930) 272–286.

–: Hebräisches Wörterbuch zu Jeremia, Leipzig 1927.

Stulman, L.: The Other Text of Jeremiah. A Reconstruction of the Hebrew Text Underlying the Greek Version of the Prose Sections of Jeremiah With English Translation London 1985.

–: The Prose Sermons of the Book of Jeremiah. A Redescription of the Correspondences with the Deuteronomistic Literature in the Light of Recent Textcritical Research, in: SBL Diss. Series 83 (1986).

Volz, P.: Studien zum Text des Jeremia, Leipzig 1920.

Whiston jr., L.A.: A Textual Analysis of Jer 1–6, Diss. Harvard 1951.

Zum griechischen Text

Barthélemy, D.: Critique Textuelle de l'Ancien Testament: Vol.2, Isaie, Jérémie, Lamentations. Rapport final du Comité pour l'analyse textuelle de l'Ancien Testament hébreu institué par l'Alliance Biblique Universelle, établi en coopération avec Alexander R. Hulst et al., Fribourg, Göttingen, in: OBO 50/2 (1986).

Bogaert, P.-M.: De Baruch à Jérémie. Les deux rédactions conservées du livre de Jérémie, in: BEThL 54 (1981) 168–173.

Franckh, F. P.: Studien über die Septuaginta und Peschito zu Jeremia, 1873.

Janzen, J. G.: Studies in the Text of Jeremiah, in: HSM 6 (1973).

Klein, R. W.: Textual Criticism of the Old Testament, Philadelphia 1974.

Köhler, L.: Beobachtungen am hebräischen und griechischen Text von Jer. 1–9, in: ZAW 29 (1909) 1–39.

Kühl, E.: Das Verhältnis der Massora zur Septuaginta im Jeremia, Halle/S. 1882.

Min, Y.: The minuses and pluses of LXX translation of Jeremiah as compared with the Masoretic Text, their classification and possible origins, Diss. Hebr. Univ. Jerusalem 1977.

Movers, F.: De utriusque recensionis vaticiniorum Jeremiae ... indole et origine, 1837.

Nestle, E. (Hrsg.): Das Buch Jeremia griechisch und hebräisch, Stuttgart 1924.

Raurell, F.: El libre de Jeremias en el TM i en els LXX, in: RCatal T 6 (1981) 13–30.

Scholz, A.: Der massoretische Text und die LXX-Übersetzung des Buches Jeremias, Regensburg 1875.

Soderlund, S.: The Greek Text of Jeremiah. A Revised Hypothesis, in: JSOT Suppl. 47 (1985).

Streane, A. W.: The Double Text of Jeremiah, Cambridge 1896.

Talmon, S.–Tov, E.: A Commentary on the Text of Jeremiah I. The LXX of Jer 1,1–7, in: Textus 9 (1981) 1–15.

Tov, E.: L'incidence de la critique textuelle sur la critique littéraire dans le livre de Jérémie, in: RB 79 (1972) 189–199.

–: The Septuagint Translation of Jeremiah and Baruch, in: HSM 8 (1976).

–: Some Aspects of the Textual and Literary History of the Book of Jeremiah, in: BEThL 54 (1981) 145–167.

–: The Litterary History of the Book of Jeremiah in the Light of Its Textual History, in: J. H. Tigay (ed.), Empirical Models for Biblical Criticism (1985) 211–237.

Workman, G. C.: The Text of Jeremiah, Leipzig 1889.

Ziegler, J.: Septuaginta Bd. 15: Ieremias, Baruch, Threni, Epistula Ieremiae, Göttingen 1957.

–: Beiträge zur Jeremias-Septuaginta, in: NAG 1958 Nr. 2, Göttingen 1958.

Zlotowitz, B. M.: The Septuagint Translation of the Hebrew Text in Relation to God in the Book of Jeremiah, New York 1981.

Zum aramäischen Text (Targum)

Hayward, R.: The Targum of Jeremiah. Translated, with a Critical Introduction, Apparatus, and Notes, in: The Aramaic Bible – The Targums – Vol. 12 (1987).

Zum äthiopischen Text

Schäfers, J.: Die äthiopische Übersetzung des Propheten Jeremias, Inaugural-Dissertation, Breslau 1912.

Computer-Konkordanz

Anderson, F. I. – A. D. Forbes: A Linguistic Concordance of Jeremiah, in: The Computer Bible, Vol. XIV: Hebrew Vocabulary and Idiom; Vol. XIV A: Common Nouns. Biblical Research Associates, Inc. (1978).

Übersichten über patristische Texte

Sieben, H. J.: Exegesis Patrum. Saggio bibliografico sull' esegesi biblica dei Padri della chiesa, in: Sussidi Patristici 2 (Roma 1983) 45 f.

Nach Abschluß des Manuskriptes nachgetragene Literatur

Berquist, J. L.: Prophetic Legitimation in Jeremiah, in: VT 39 (1989) 129–139.

Beyerlin, W.: Reflexe der Amosvisionen im Jeremiabuch, in: OBO 93 (1989).

Biddle, M. E.: A Redaction History of Jeremiah 2: 1–4:2, in: AThANT 77 (1990).

Gosse, B.: L'ouverture de la nouvelle alliance aux nations en Jérémie 3, 14–18, in: VT 39 (1989) 385–392.

Hardmeier, C.: Prophetie im Streit vor dem Untergang Judas. Erzählkommunikative Studien zur Entstehungssituation der Jesaja- und Jeremiaerzählungen in II Reg 18–20 und Jer 37–40, in: BZAW 187 (1990).

Hermisson, H.-J.: Jahwes und Jeremias Rechtsstreit. Zum Thema der Konfessionen Jeremias, in: Altes Testament und christliche Verkündigung. Festschrift für A. H. J. Gunneweg (1987) 309–343.

Pohlmann, K.-F.: Die Ferne Gottes – Studien zum Jeremiabuch. Beiträge zu den „Konfessionen" im Jeremiabuch und ein Versuch zur Frage nach den Anfängen der Jeremiatradition, in: BZAW 179 (1989).

Reimer, D. J.: A Problem in the Hebrew Text of Jeremiah 10, 13; 51, 16, in: VT 38 (1988) 348–353.

Rofé, A.: The Arrangement of the Book of Jeremiah, in: ZAW 101 (1989) 390–398.

Smith, D. L.: Jeremiah as Prophet of Nonviolent Resistance, in: JSOT 43 (1989) 95–107.

van der Toorn, K.: Did Jeremiah See Aaron's Staff?, in: JSOT 43 (1989) 83–94.

Walton, J. H.: Vision Narrative Wordplay and Jeremiah XXIV, in: VT 39 (1989) 508–509.

Wessels, W. J.: Jeremia se opvatting oor die koningskap. N Ontleding van Jeremia 21, 1–23, 8. Pretoria (1985). Unpublished DTh Thesis.

–: Jeremiah 22, 24–30: A Proposed Ideological Reading, in: ZAW 101 (1989) 232–249.

BIBELSTELLENREGISTER

25,1	5.64	27,14–16	98
25,1ff.	82	27,21–22	81
25,1–11	59		
25,1–13	81	28	20.21.33.58.63.
25,1–14	48.64.199		69.142.143.145
25,3	4.5.30.48	28,1	20.21.22.55
25,4	84	28,1–17	48
25,13	38.182	28,5–15	1
25,14	4.38.182	28,6	144.145
25,15f.	58	28,7–9	144
25,15ff.	163	28,11	144.145
25,15–29	48	28,16	81
25,15–33	199		
25,15–38	48.163.182	29	21.63.105
25,19–26	164	29–51	185
25,27–38	58	29–52	186
25,30–38	48.88	29,1	143.155
		29,1ff.	82
26	3.4.58.63.81.143.	29,1–14	48
	168.180	29,1–23	60
26–29	33.38.48.55.89.	29,2	81
	124.139.198	29,3–7	143
26–32	38	29,4	81
26–36	104.105	29,5–7	161
26–44	57	29,8	81
26–45	20.38.60.80	29,8–23	143
26,1	55.155	29,10–14	69.81.86.191
26,1–19	48	29,10–20	81
26,3f.	84	29,10–23	81
26,3–6	81	29,15	49
26,5	84	29,16–20	48
26,12–15	81	29,19	81.84
26,13	84	29,20–32	21
26,20–23	145	29,21–32	49
26,20–24	48	29,24–32	58.143
27	60.81.143.169	30	155
27–28	143	30–31	VI.5.20.32.38.39.
27–29	84.128.129.143		49.55.57.60.63.
27,1	1.20		74.77.78.79.114.
27,1ff.	82		117.119.120.121.
27,1–22	48		129.146.148.150.
27,5–9	81		151.152.153.154.
27,10	98		155.157.169.180
27,12–22	81	30–35	38.49